Le Livre Des Epices

condiments et aromates

Desclez
ISBN 2-89142-052-7
Dépôt légal, 1er trimestre 1981
Bibliothèque nationale du Québec
Bibliothèque nationale du Canada

©1981 Desclez
Imprimé au Canada

©1979 Tous pays Robert Morel éditeur

Couverture - photo: Luc Despaties
graphisme: André Lemire

Louis Lagriffe

Le Livre Des Epices

condiments et aromates

Desclez
4920, boul. de Maisonnéuve Ouest
suite 204, Westmount, P.Q.
Canada

Préface

LE hasard qui, parfois, fait si bien les choses, n'a pas failli à sa réputation en ce qui concerne le LIVRE DES EPICES, DES AROMATES ET DES CONDIMENTS, car il est probable que, sans lui, je n'aurais jamais écrit un tel ouvrage.

Alors que l'éditeur ROBERT MOREL, sous l'influence des effluves des plantes aromatiques de sa Provence, envisageait de publier un livre relatant leur histoire et leurs usages, ainsi que ceux des Epices exotiques, je donnais depuis des années libre cours à mon Violon d'Ingres qui est de fouiller dans l'histoire de ces substances pour en tirer quelque anecdote inédite ou oubliée et d'en extraire en même temps quelque enseignement susceptible d'être profitable à un médecin ou à un gastronome et, plus simplement encore, d'intéresser tout ami de la Nature.

Et un jour où, à l'occasion d'une exposition de peinture organisée par Odette Ducarre, sa femme, je contemplais un tableau représentant les « Salines », source du plus naturel des Condiments, je fis la connaissance de Robert Morel, la conversation, partie du Sel, s'enchaîna tout naturellement sur les Epices, puis sur les Aromates et les Condiments.

Bénissant le hasard qui nous avait mis en présence l'un de l'autre, Robert Morel n'hésita pas à me proposer d'être l'auteur du livre qu'il avait en projet.

Sa proposition était flatteuse pour moi mais bien risquée pour lui, car je ne suis ni médecin, ni botaniste, pas même épicier, encore moins cuisinier.

Mais les Epices, les Aromates et les Condiments représentent pour moi beaucoup plus qu'ils ne peuvent probablement le faire pour la plupart des membres de chacune de ces honorables corporations.

Je leur dois la vie et, tout au long de mon existence, professionnellement ou non, je leur ai été mêlé.

Né au bord de la mer, à 100 mètres de l'Océan, ma première inspiration apporta dans mes poumons quelques infimes parcelles du premier Condiment : le Sel, ce qui n'a évidemment rien d'extraordinaire en soi puisque bien d'autres, avant et après moi, ont bénéficié et bénéficieront de cet apport particulièrement salutaire. Cette première inspiration n'aurait certainement jamais eu lieu si elle n'avait été provoquée grâce à deux des plantes aromatiques les plus communes : le thym et le romarin.

Lorsque je vins au monde, en effet, j'étais littéralement sans vie, présentant tous les symptômes d'une asphyxie totale et définitive. Je n'aurais certainement pas survécu si mon père, pour pallier l'absence d'un médecin, n'avait eu, en parfait méridional qu'il était, l'idée singulière mais heureuse de me plonger dans un bain de ces aromates pour me rappeler à la vie.

C'était évidemment moins noble que le geste du grand-père d'Henri IV, mais plus bénéfique puisque les effets bienfaisants de ces « simples » suffirent, miraculeusement et naturellement, à me rendre au monde.

Grâce à mon père, je pus bénéficier pendant ma première enfance des effets toniques et salutaires de toutes les plantes aromatiques dont, par ailleurs, il usait largement pour relever le goût des mets qu'il servait à la fidèle clientèle de son Hôtel-restaurant, en fidèle disciple des leçons qu'il avait acquises auprès des maîtres en gastronomie de l'époque, les Marguery, les Paillard pour ne citer que deux des plus connus.

En descendant de ma chambre, je pouvais respirer chaque matin l'odeur agréable qui se dégageait des courts-bouillons et le fumet aromatique des sauces qu'il préparait toujours en chantant, poète en son genre.

Pour alimenter cette cuisine, à la fois simple et compliquée, il cultivait lui-même les Aromates et les Condiments qui lui étaient indispensables et leur réservait un coin à part dans son jardin.

Par lui, j'appris à distinguer le thym du serpolet, la sarriette de l'estragon, le cerfeuil du persil et l'oignon de l'échalote...

Malgré son importance, sa production risquait d'être insuffisante et il avait recours à l'appoint d'herbes aromatiques sauvages.

Mon Pornichet natal n'était pas alors la station balnéaire si fréquentée aujourd'hui et, à la place du Boulevard qui le relie à La Baule, il n'y avait que des dunes où poussait une flore particulière. Je l'accompagnais toujours dans ses cueillettes et je savais mieux que lui trouver, dans les chemins humides qui descendaient à la plage, l'ache plus parfumée que le céleri cultivé, le cresson et, sur les dunes, le fenouil, la menthe, l'ail ou l'oignon sauvages...

Il y avait plus encore. Derrière ces dunes et au delà du Bois d'Amour, aujourd'hui devenu La Baule-les-Pins, existait alors une forêt domaniale qui s'était développée sur d'anciennes terres cultivées recouvertes par le sable venu de la mer et, dans cette forêt, on y trouvait en abondance tous les légumes et les bonnes herbes qui s'y étaient naturalisés après s'être échappés des jardins d'un village englouti lui aussi par les sables.

Nous y faisions d'abondantes provisions de thym, de laurier, de romarin, de sauge et de serpolet, sans oublier une variété de salicorne, la Christe-Marine, qui poussait dans les marais-salants abandonnés qui bordaient cette forêt et dont mon père, toujours ingénieux, savait faire un condiment remarquable en la faisant mariner dans du vinaigre agrémenté de petits oignons, d'échalote et de sarriette.

Je garde un délicieux souvenir de ces promenades... Epoque malheureusement disparue depuis que la main de l'homme a nivelé les dunes, abattu les pins et détruit la flore maritime.

Pour mes études, je vins à Nantes, la vieille Cité des négriers. C'était, alors, un nouvel âge d'or pour la flotte des grands voiliers nantais qui sillonnaient les mers du globe, rapportant à leur port d'attache toutes sortes de denrées exotiques où les Epices tenaient la première place.

Les entrepôts des Salorges en regorgeaient et sur le célèbre quai de la Fosse s'amoncelaient des piles de sacs de poivre et de cannelle, des rangées de boucauts de vanille dont les effluves, poussés par le vent d'Ouest, parfumaient toute la ville. Tous mes moments de liberté, je les passais sur les quais du port tellement animés et si pleins de couleur qu'ils me donnaient une image vivante du fabuleux Orient, regardant avec envie et nostalgie ces grands oiseaux des Iles qui s'en allaient vers les mers lointaines et les mystérieux pays des Epices. De ces promenades j'en revenais, bien souvent, les poches remplies de clous de girofle ou de gousses de vanille que j'avais dérobés, sous l'œil débonnaire des douaniers, aux sacs éventrés ou aux caisses brisées.

Lorsqu'il me fallut choisir une orientation profes-sionnelle future, ce fut pour l'Ecole des H.E.C. que je me décidai, non sans subir les sarcasmes ironiques de mes condisciples plus forts en mathématiques que moi et pleins de mépris pour ce qu'ils appelaient dédaigneusement l'Ecole des « Epiciers ».

Epicier, je ne le fus pas, mais, sitôt mon diplôme en poche et toujours attiré par le mystère et la poésie des pays lointains où les terres des Epices me paraissaient être un véritable Eden, je débarquai un beau jour à Aden, le cap des Aromates de l'Antiquité. Attaché à une maison d'import-export, je rayonnai de là à travers les pays du Pount et de l'Ophir, le Yémen, les Somalies et l'Abyssinie actuels, où, à défaut d'épices nobles, j'achetai du café, de la myrrhe, du myrte et de l'encens qui, depuis la reine de Saba, constituaient une des richesses des plateaux yéménites et abyssins.

Je ne pus, comme je l'aurais désiré, retrouver la trace de la célèbre reine et de ses opulentes richesses aromatiques avec lesquelles elle finit par envoûter le roi Salomon, mais j'eus la chance d'être expédié aux Indes pour élargir mon champ d'action. La mission qui me fut confiée me permit de réaliser une partie de mes rêves d'adoles-cent et d'admirer de près les « champs de cannelle de Ceylan ». Et, dans les bazars indiens, je pus trouver d'autres épices ou aromates et y respirer toutes les fragrances échappées des boutiques des « banians » qui en détenaient le marché en même temps que je pus apprécier les mets fortement épicés et les sauces qui relevaient tous les plats indiens, arabes ou abyssins, notamment le fameux « curry » et bien d'autres mets dont je n'aurais pu donner la compo-sition.

Malgré mon désir de pousser plus loin et de marcher sur les traces de Marco Polo ou de Magellan, en quête de quelque pays inconnu où j'étais sûr de trouver quelque épice nouvelle, je ne pus dépasser les côtes de Malabar et rentrai.

Après un court séjour sur la côte occidentale d'Afrique où, en fait d'épices, je ne trouvai que la petite Maniguette de Guinée, un peu de vanille et un peu de gingembre, je revins en France apporter mon expérience de ces produits exotiques à une maison spécialisée dans l'importation des épices, ce qui était tout de même une satisfaction. Puis, par une mutation curieuse mais logique, j'en vins, après m'être consacré au commerce des épices et des aromates sur le plan alimentaire, à participer à l'exploitation de leurs propriétés sur un plan bien différent, en m'occupant d'un laboratoire de spécialités pharmaceutiques basées entièrement sur les vertus médicinales des huiles essentielles de ces épices et de ces aromates, rénovant ainsi la plus ancienne des thérapeutiques, celle utilisée depuis l'Antiquité par les Hindous, les Egyptiens et les Grecs : l'Aromathérapie.

Aussi, ce livre que j'écris aujourd'hui, grâce à la bienveillance de Robert Morel, ne l'est pas par simple routine, ni par le désir d'en faire un exposé classique et banal.

C'est, à la fois, un véritable acte de foi envers ces substances merveilleuses et en même temps un acte de gratitude envers ceux qui me les ont fait connaître et apprécier : mon père, au point de vue gastronomique, et mon maître en Aromathérapie : Louis Sévelinges dont les recherches font autorité en la matière.

Dans le même élan de reconnaissance, j'associe également tous ceux qui, depuis l'Antiquité, se sont attachés à l'étude de ces substances naturelles, à la gamme de vertus si étendue : les médecins, les pharmacologues ou les gastronomes.

Je n'oublie pas, non plus, les explorateurs qui ont su les découvrir et faire connaître leurs lieux d'origine. Ma pensée va également à ceux qui, dans leurs œuvres, ont chanté la poésie qui s'en dégage et su si bien en exprimer toutes les beautés que la Nature y a réunies.

Je regrette de n'être pas poète pour pouvoir les chanter à mon tour, car ces beautés, si simples et si naturelles, qui s'étalent sous mes yeux au moment où j'écris ces quelques lignes, sont bien faites pour inciter au lyrisme l'âme la plus terre à terre.

Par la fenêtre grande ouverte de cette petite « bourrine » vendéenne, où j'essaie de rappeler les grands moments de leur histoire, le vent du large m'apporte, après être passé sur la falaise, un inégalable parfum naturel, des effluves iodés de l'air marin et des plantes sauvages qui poussent à foison sur le littoral maritime de ce charmant pays de Retz.

A défaut de l'inspiration poétique qui persiste à me fuir, j'y trouve le stimulant nécessaire pour magnifier plus prosaïquement les beautés et les vertus des Epices, des Aromates et des Condiments, amis de la cuisine et de la santé.

Le livre des épices

condiments

et

aromates

par Louis Lagriffe

Caractères généraux Définition

Que faut-il entendre par EPICES, AROMATES ou CONDIMENTS ?

Le sens exact de chacune de ces substances si largement employées et très voisines les unes des autres dans leur utilisation, se confond dans la pratique et dans le langage courant.

L'épice : le poivre, la cannelle, le clou de girofle, la muscade ou le gingembre, est nécessairement aromatique.

L'aromate : le thym, le laurier, l'estragon, le fenouil, l'anis, le serpolet ou la sarriette, possède lui aussi une odeur pénétrante, plus ou moins épicée et une saveur non moins forte.

Le condiment : l'ail, l'oignon, le cornichon, la moutarde, le raifort, etc...., est également une substance à la fois aromatique et épicée qui s'ajoute à certains aliments pour leur donner de la force et en relever la fadeur.

Le Dictionnaire Larousse, pourtant si généralement précis, donne lui-même des définitions très proches les unes des autres et qui se confondent.

D'après lui, l'épice est une substance aromatique que l'on emploie pour condimenter ; l'aromate est une substance végétale utilisée en fonction de l'odeur suave et aromatique qu'il répand ; le condiment est une substance et bien souvent une association de substances aromatiques que l'on ajoute aux aliments pour les relever.

Les ouvrages spécialisés ne sont guère plus précis ni plus explicites. D'après Husson, auteur d'un traité de la fin du 19e siècle sur les épices, au point de vue historique, gastronomique et médical, l'épice est tout ce qui stimule l'appétit, relève le goût des aliments et facilite la digestion. Sous le nom général « d'aigrum » il fait entrer un certain nombre de plantes aromatiques qui sont plutôt des condiments : l'ail, l'oignon, l'échalote, le cresson ou le raifort et consacre tout un chapitre aux « Plantes aromatiques indigènes ou exotiques servant d'épices et de condiments », sans faire de véritable distinction entre les substances indigènes telles que le laurier, le thym ou la sauge et les produits exotiques comme le poivre, la cannelle, la muscade ou le clou de girofle.

D'après Fabre, auteur d'un Dictionnaire gastronomique très complet, datant de la même époque, l'épice c'est toute substance aromatique ou piquante servant à l'assaisonnement des mets. Pour lui, l'aromate est toute substance végétale exhalant une odeur pénétrante et agréable et le condiment est une substance qui s'ajoute aux aliments pour les assaisonner et les aromatiser.

Ces imprécisions, disons plutôt ces confusions, viennent de loin.

Dans la basse latinité, on appelait « species », c'est à dire littéralement « épices », les différentes espèces de fruits produits par la terre et, pour Grégoire de Tours, le terme « species » signifiait aussi bien du blé que de l'huile ou du vin. Quand on voulait alors parler d'aromates, on ajoutait au terme « species » l'épithète « aromaticae » : puis, l'expression latine étant passée dans la langue française, on finit par appeler ces derniers « épices aromatiques » et, par abréviation « ÉPICES ».

Quand on connut les produits d'origine exotique, le terme « épices » leur fut appliqué mais dans un sens plus restrictif, n'y comprenant pas les produits indigènes et, depuis, ce terme leur est toujours resté surtout après la définition qu'en donna l'Encyclopédie de 1755. D'après elle, les épices comprennent, en effet, toutes les drogues orientales et aromatiques telles que girofle, poivre, cannelle, gingembre, etc...

Aussi peut-on dire que si l'épice est nécessairement une substance aromatique, le terme qui lui est attribué, à la fois plus noble et plus mystérieux, est également plus limité car une dizaine en tout s'en partagent le privilège.

Elle se distingue de l'aromate, qui comprend de nombreuses plantes indigènes odoriférantes et pour lesquelles la suavité du parfum compte davantage que la force de la saveur. Elle se différencie du condiment qui n'est qu'un assaisonnement pour les mets insipides auxquels il communique la force de son arôme et de son goût.

Le condiment ne doit, d'ailleurs, pas être confondu entièrement avec l'assaisonnement. Le premier est une substance, acide ou âcre, ajoutée à des aliments déjà préparés à la différence de l'assaisonnement qui est généralement ajouté au cours des préparations culinaires pour les saler, les adoucir ou les graisser.

En fait, les épices, les aromates et les condiments ont entre eux un lien très étroit devant lequel s'effacent leurs appellations différentes. C'est celui que leur confèrent leurs propriétés naturelles, à la fois stimulantes, toniques, nutritives et bienfaisantes, mises à profit aussi bien par le médecin que par le cuisinier.

Grâce à leurs propriétés, le thérapeute sait y trouver un sérieux appoint aux remèdes classiques qu'il administre et le maître ès-art culinaire le complément indispensable afin de rendre agréables au palais les préparations gastronomiques les plus banales.

L'un comme l'autre peuvent puiser à l'infini dans les richesses naturelles que leur offre la Nature toujours généreuse pour entretenir ou améliorer le bien le plus cher à l'homme : la santé ; d'autant mieux qu'aujourd'hui les remèdes sont trop souvent des produits chimiques et les aliments des produits falsifiés.

Nature

A l'exception du sel, le premier d'entre tous les condiments, qui est tiré du règne minéral, et à part l'ambre gris, qui vient du règne animal, et qui a d'ailleurs disparu de la liste des épices pour n'être utilisé aujourd'hui qu'en parfumerie, toutes les épices, tous les aromates et tous les condiments sont tirés du règne végétal.

Parmi les plantes qui produisent les uns et les autres, il y en a d'indigènes et d'exotiques, de sauvages et de cultivées appartenant à des familles botaniques très différentes.

Parmi les premières, on trouve surtout des ombellifères, au port à la fois gracieux et majestueux et aux effluves aromatiques si f o r t s qu'elles embaument les champs, les coteaux et les garrigues les plus sèches ou les plus rocailleuses. Dans cette espèce botanique si nombreuse, citons le fenouil, l'aneth, l'anis, le carvi, le coriandre, etc...

Dans une deuxième famille se trouvent les crucifères, faciles à reconnaître avec leurs 4 pétales en croix, leur couleur jaune et leur odeur caractéristique : la moutarde ou sénevé, le raifort, le cresson, etc...

On trouve également des labiées, aux formes les plus diverses mais toutes odoriférantes : le basilic, la menthe, la sarriette, le thym, la marjolaine, l'hysope, etc...

Des composées telles que l'estragon de si fine odeur ; des liliacées qui comptent de nombreux représentants du genre allium, aux feuilles de base étroitement serrées les unes contre les autres pour former une tunique bulbée : l'ail, l'oignon, l'échalote, les ciboules et les ciboulettes.

D'autres genres n'ont qu'un représentant, tel le safran qui appartient aux iridacées, la câpre aux caparidacées.

Les épices exotiques appartiennent, elles à des genres qui leur sont propres : le poivre à la famille des pipéracées ; le muscadier à celle des nyristacées ; le giroflier aux myrtacées ; le cannelier aux lauracées comme le laurier ; le piment aux solanacées comme la tomate ; le gingembre, le curcuma et le cardamome aux zingibéracées.

La vanille, à la fois épice, aromate et condiment, se distingue entre toutes ces plantes par son appartenance

à une famille plus florale que condimentaire : les orchi-
dacées.

Nous n'irons pas plus loin dans cette classification,
sommaire mais nécessaire, pour distinguer toutes ces belles
plantes utilitaires des herbes inutiles dont la Nature n'est
pas avare et, à défaut de vouloir faire l'érudit, suivons plutôt
Berchoux qui s'intéresse, dans son délicieux poème de « La
Gastronomie » aux plantes aromatiques en fonction de ce
qu'elles peuvent apporter à l'art culinaire :

> « **Fuyons la Botanique et sa nomenclature,**
> **Sur une herbe inutile exercer notre esprit,**
> **N'allons pas dans les champs éplucher la verdure**
> **Nous transir dans un pré pour faire l'érudit. »**

Origine

Si l'on en croit de Candolle, certainement le plus autorisé en la matière, les foyers d'origine des plantes aromatiques, aujourd'hui cultivées, sont d'abord :

— l'Asie Orientale avec la Chine et les Indes pour le poivre, la cannelle, le gingembre et le curcuma, le safran ;

— l'Insulinde, et surtout les Célèbes et les Moluques avec les îles de Banda, d'Amboine et de Ternate pour les plus précieuses des épices : le clou de girofle et la muscade ;

— l'Asie Centrale pour les anis, les absinthes, l'estragon, la badiane, le basilic ;

— l'Asie Occidentale, avec les plateaux iraniens, patrie de l'assa foetida, et l'Arabie avec le myrte, la myrrhe et l'encens.

— Plus proche de nous, le bassin de la Méditerranée est certainement le plus grand centre d'origine des plantes aromatiques et des légumes condimentaires grâce à l'Egypte, la Palestine, la Grèce, l'Italie et le midi de la France où on les rencontre tous, depuis les arbustes tels que le laurier ou le genévrier jusqu'aux plus modestes par la taille mais les plus grands par le parfum : le thym, l'hysope, la marjolaine, la menthe, la sarriette, le persil, le cerfeuil, etc...

Des pays tempérés sont issus le cresson, l'ache, le carvi, le raifort et des pays nordiques nous vient l'angélique.

L'apport de l'Amérique tropicale est particulièrement important avec la vanille, le piment, la capucine et les quatre épices tandis que celui de l'Afrique reste bien modeste avec la seule maniguette ou poivre de Guinée.

Toutes ces plantes, trouvées à l'état spontané, ont été, par la suite, cultivées par l'homme au fur et à mesure de leur découverte, grâce à son génie et son travail, elles ont été, bien souvent et pour la plupart, transformées ou améliorées pour leur donner des caractères nouveaux, transmis ensuite par hérédité ou la culture. L'ache, transformé en céleri, en est l'exemple le plus frappant.

D'autres espèces, isolées ou négligées, finirent de leur côté par produire des hybrides différents mais conservant toutefois les caractères de la plante initiale.

De ces grands foyers naturels, les épices et les plantes aromatiques essaimèrent et émigrèrent d'elles-mêmes vers d'autres pays en subissant les influences des vents ou en suivant les migrations des peuples et des grandes invasions qui facilitèrent leur transport d'un pays à l'autre comme les anis ou l'estragon venus des lointaines plaines kirghizes.

Plus encore, la volonté et l'initiative des hommes aidèrent à la diffusion de certaines d'entre elles comme la vanille américaine cultivée aujourd'hui surtout en Afrique et dans l'Océan Indien de même que le giroflier ou le muscadier qui, exclusivement asiatiques à l'origine, ne tardèrent pas à devenir océaniens à la Réunion et à l'île Maurice ou américains aux Antilles, ou comme le piment qui, d'américain a su si bien s'acclimater en Europe.

Aussi peut-on dire qu'aujourd'hui, la plupart des épices, des aromates et des condiments sont devenus cosmopolites pour le plus grand bien-être des hommes qui ont su les cultiver et encore mieux les utiliser.

Parties utilisées

Le génie de l'homme a su utiliser toutes les parties de ces plantes pourtant si différentes : les rhizomes du curcuma et du gingembre ; les racines du raifort et du céleri ; les tiges vertes des ciboules et de l'estragon ; les bulbes de l'ail, de l'oignon et de l'échalote, ces bulbes si chers au poète latin Martial qui estimait que « lorsque les membres sont morts, rien ne les réveille mieux que les bulbes ».

Mais de toutes les parties employées, celles qui sont le plus utilisées sont probablement les feuilles, celles du persil, du cerfeuil, du laurier, du cresson, de la menthe, de la sauge, du basilic, du thym, du serpolet et de la sarriette.

Les graines les plus diverses le sont également, comme celles de l'aneth, de l'anis, du fenouil, du cumin, du carvi et de la coriandre.

Les fleurs comme celles du giroflier et du safran ; les fruits comme ceux du cornichon, de la câpre, du piment, de la badiane et de la vanille.

L'écorce même comme celle de la cannelle.

Toutes ces plantes et toutes ces parties sont utilisées, soit crues ou cuites, après avoir subi maintes préparations savantes : les unes simples destinées surtout à les dessécher comme la vanille, le poivre, le piment, le clou de girofle ou le macis de la muscade ; les autres compliquées et souvent agrémentées d'un ingrédient supplémentaire destiné à les rendre comestibles, comme la moutarde, le raifort, le cornichon dont les vertus sont mises en valeur grâce au verjus ou au vinaigre.

Toutefois, qu'elles soient séchées ou fraîches, toutes ces substances doivent être utilisées, de préférence, sous leurs formes naturelles car c'est dans les tiges, les feuilles ou les fruits que sont concentrées leurs propriétés.

Ce n'est malheureusement pas toujours possible et, pour des raisons de commodité, l'homme s'est vu obligé d'en faire des préparations plus ou moins industrielles, le plus souvent sous forme de poudres mises en flacons de verre ou de matière plastique, préparations trop souvent frelatées qui ne rappelent que de loin la substance originale et qui ne gardent qu'un reflet bien pâle de ses propriétés essentielles.

Mais tout le monde n'a pas un jardin à sa disposition ni la possibilité d'aller, dans les champs, les garrigues ou les terres incultes faire sa petite cueillette de plantes aromatiques.

Cette obligation est nécessairement tolérée sinon admise comme dans bien d'autres domaines.

N'est-ce pas le triste privilège de notre civilisation de ne pouvoir faire profiter l'homme des produits les plus simples et les plus naturels ?

Rôle
des épices

L'histoire de la civilisation et celle du rôle joué par les substances aromatiques tirées du règne végétal se confondent tant il est vrai que, dès les premiers âges, l'homme primitif a eu recours à elles pour assurer sa subsistance.

Par instinct ou par intuition, il a vite su faire un choix parmi ces substances et retenir celles qui lui étaient, plus que d'autres, particulièrement nécessaires.

Car l'homme d'hier qui était surtout frugivore, et l'homme d'aujourd'hui devenu omnivore, refusent parfois toute nourriture. A l'un comme à l'autre, il faut des stimulants pour exciter un estomac paresseux se dérobant à tout travail et tous ont eu obligatoirement recours à des substances aromatiques, de goût et de saveur différents, les unes salées ou sucrées, les autres âcres ou douces. Rôle particulièrement propre aux plantes aromatiques ou condimentaires qui, si elles sont parfois moins nutritives que d'autres, sont indispensables pour réveiller un appétit défaillant et permettre, par une plus grande sensibilité des organes digestifs, une absorption agréable et une meilleure assimilation des aliments.

Ce rôle essentiel si utile, c'est celui qui a été dévolu, depuis la connaissance qu'en eurent les hommes, à l'épice, à l'aromate et au condiment, lorsque les seuls aliments ne suffisaient plus à l'assumer.

Rôle exposé avec justesse dans les œuvres d'Aristote, d'Hippocrate et de Galien, d'abord, puis ensuite par les maîtres de l'Ecole de Salerne qui ont formulé à la fois les principes de l'Art Médical et ceux de l'Art culinaire rapprochant avec raison l'un et l'autre :

« De ce que produit la Nature,
Pour remède ou pour nourriture
On peut par la simple saveur
Reconnaître aisément le froid ou la chaleur.
Le salé, l'amer, l'âcre échauffent ; au contraire
Toute chose aigre rafraîchit,
L'âpre resserre, il retrécit ;
L'insipide et le doux font un suc salutaire
Qui purifie, humecte et, d'un commun aveu
Entre les deux excès tient un juste milieu. »

Sans les condiments, les aromates et les épices, l'homme aurait été condamné à une alimentation bien monotone, peu profitable et par là même moins nourrissante.

Le sel et le sucre furent les deux premiers condiments naturels. L'homme les trouva, le premier, dans le suc des herbes, le deuxième dans la sève et les baies des arbres. Et dès qu'il eut découvert ces deux saveurs salées et sucrées, il prit soin d'en user pour relever la fadeur de ses aliments.

Bientôt, ces deux condiments ne lui suffirent plus. Il eut vite besoin d'autres stimulants pour aiguiser son appétit et, après avoir utilisé le sel et le sucre par simple besoin physiologique, il eut recours à quelque chose de mieux pour dissimuler à la fois le goût désagréable de certains de ses aliments et aussi pour en varier le goût ou la saveur et se donner l'illusion d'une gamme toujours plus complète.

Car, si le Créateur a condamné l'homme à manger pour vivre, il ne l'y a invité que par l'appétit, considéré comme un besoin ou une fonction naturelle ; mais pour le plaisir, l'homme a été obligatoirement amené à le créer lui-même en recourant à d'autres substances capables de flatter son palais, et ces substances, il les a trouvées dans les épices, les aromates et les condiments qui lui apportèrent toute la variété souhaitable dans la saveur des mets, absorbés dorénavant avec autant de plaisir que de profit car il est bien évident que ce qui plaît nourrit mieux ; « Quod sapit, nutrit » et, de cet apport nouveau, il en retira des bienfaits et y trouva la santé.

Avec l'inévitable évolution du goût, et dans un deuxième stade de civilisation, ce qui était à l'origine un simple besoin physiologique devint une nécessité. Alors, l'homme rechercha particulièrement ces épices et ces aromates dont il usa dans ses repas encore grossiers, sachant bien se servir des herbes aromatiques salées, sucrées, âcres, acides ou douces et les faire entrer dans ses bouillies de céréales, dans ses soupes de légumes ou ses viandes rôties qui constituaient alors tous ses repas.

Dans un autre stade plus avancé, il arriva fatalement ce qui était à prévoir : il exagéra, et ces substances aux goûts les plus divers ne tardèrent pas à entrer dans les sauces grossières qui accompagnaient ses premières préparations culinaires :

« Pour nous faire une sauce aisée, appétissante
Prenez sauge, persil, ail, poivre, sel et vin
Mettez en de chacun la dose suffisante
Cet assainissement est sain. »

Sain, certainement, à condition de ne pas en mal user, mais l'homme est loin d'être sage et il ne tarda pas à en abuser, donnant ainsi naissance à la gastronomie, avec ses plaisirs mais aussi ses excès et tous les maux qui en découlent.

Alors que l'homme primitif n'utilisa les condiments que par une nécessité indispensable, l'homme civilisé le fit surtout pour ranimer son estomac blasé et pour se procurer des jouissances agréables peut-être, mais aussi inutiles que nuisibles.

Heureusement que ces épices et ces aromates étaient doués d'autres vertus dont l'homme, avec ce qui lui restait de sagesse, finit bien par se rendre compte et qu'il utilisa dorénavant et parallèlement dans l'Art médical.

Après avoir fait appel, pour rétablir sa santé aux herbes aromatiques indigènes, il sut, ensuite, employer au mieux les vertus médicinales des épices exotiques au fur et à mesure de leur découverte.

Prospect des Dutzendteichs

Georg Uhl, Gastwirth zum schwartzen Adler in Nürnberg, hat die eine halbe Stunde davon gelegene sogenañte Wirthschafft zum Dutzendteich erkauffet, und mit einer englischen Garten-Anlage, nebst sehr vielen Belustigungen versehen.u. bauen laßen, welcher sich deßfalls einem geneigten Publicum wie auch allen umliegenden resp hohen Herrschafften u. Fremden bestens empfihlet u. gute Bewirthung verspricht.

gezeichnet u. gestochen von J.L. Stahl Nürnb.

Importance

Malgré le rôle essentiel des épices et des aromates en médecine et en gastronomie, ce serait toutefois une erreur de ne voir l'importance de ce rôle qu'à travers l'art médical et l'art culinaire.

Peu de produits naturels, recherchés par l'homme dans les trois règnes pour assurer sa subsistance, améliorer son bien être ou sa santé, ont eu une destinée aussi brillante et un rôle aussi important que les épices et les aromates.

Ni autrefois l'étain, ni hier l'or jaune, pas même aujourd'hui l'or noir, objet de tant de convoitises, de luttes et de drames.

Et, à voir ces petites matières grisâtres et poussiéreuses, flétries et ratatinées dans les bocaux d'une arrière boutique d'une épicerie ou, plus rarement encore, dans quelque officine d'un vénérable apothicaire, survivant d'une époque révolue qui les conserve précieusement dans des bocaux de faïence, ornés de noms latins pour en accroître le mystère, il est difficile d'imaginer que ces substances aujourd'hui banales et communes ont changé la face du monde et permis de connaître la totalité du globe terrestre.

C'est cependant à cause d'elles que de glorieuses expéditions ont été entreprises à tous les âges. Les unes, terrestres comme celle d'Alexandre le Grand qui ramena des Indes jusque là entourées de mystère, le poivre, la cannelle et le gingembre, ou le voyage de Marco Polo en Chine qui permit d'y ajouter le clou de girofle et la muscade. Les autres, maritimes comme celles de Christophe Colomb, de Vasco de Gama d'abord, puis celles de Magellan et des Croisades suivies, à une époque plus proche, des grands voyages des Anglais : Drake et Cook, des Français : La Pérouse et la Galissonière et de tant d'autres moins célèbres.

C'est pour trouver les pays d'origine de ces épices ou pour en conquérir le monopole que la rotondité de la Terre a pu être enfin prouvée, que le Nouveau Monde a été découvert et que des terres restées longtemps légendaires, sont devenues connues en Asie, en Océanie et en Afrique.

Elles ont permis à la géographie de faire un grand pas en avant et c'est grâce à elles que la carte du globe

terrestre a pu être établie avec exactitude, faisant disparaître les « blancs » des premières cartes et remplaçant par
des notions précises les récits fabuleux et brumeux des premiers voyageurs transcontinentaux.

L'expédition de Marco Polo a notamment permis de
lever les voiles qui entouraient les voies d'accès à l'Inde
mystérieuse, à la Chine, les deux véritables patries des épices et, dans les récits du célèbre vénitien, il est toujours
question de ces fameuses épices précisant qu'aux Indes :
« il y croît maintes épices qui jamais ne furent vues dans
notre pays » ; qu'à Singapour : « il y a des épices de toutes
les espèces » et qu'à Java : « ils ont poivre noir, noix de
muscade, girofle et toutes autres épices ».

Celles de Christophe Colomb, de Vasco de Gama et
surtout celle de Magellan, n'ont pas été moins profitables
puisqu'elles ont permis, avec la connaissance d'autres hommes et d'autres civilisations, la découverte d'autres terres en
Afrique et en Amérique, aboutissant les unes et les autres,
à l'établissement de courants commerciaux féconds, grâce
auxquels d'autres substances végétales ont été portées à
notre connaissance, d'une utilité primordiale, comme la pomme de terre qui a permis de venir à bout d'un des plus
redoutables fléaux de l'Antiquité et du Moyen-Age : la famine ou, comme d'autres dont on ne saurait se passer
aujourd'hui : le café, le thé ou le chocolat.

Etroitement liées à la géographie, l'histoire des
épices et des aromates est, de plus, indissolublement liée à
l'histoire tout court.

Si ces substances, banales aujourd'hui, ont provo-
qué des guerres, suscité des drames et bien des exactions
sanglantes, elles ont permis d'apporter la civilisation à des
peuples qui seraient, longtemps encore, restés sauvages ou
primitifs. Il est probable que la colonisation traînera pendant
longtemps un lourd passif, mais n'oublions pas les bienfaits
qu'elle a permis de réaliser en faveur de l'humanité, du bien-
être des hommes et de la paix, cela comme conséquence de
la découverte des épices dont certaines d'entre elles en
sont d'ailleurs considérées comme l'emblème.

A côté de la géographie, de l'histoire, de la médecine et de la gastronomie, le nom des épices et des aromates ne doit pas non plus être dissocié de la plupart des sciences et des arts où ces épices et ces aromates ont engendré
tant de belles choses et d'utiles connaissances.

Tout d'abord et nécessairement de la Botanique,
depuis, Théophraste qui cultivait dans son jardin les principales plantes aromatiques, depuis Pline, qui, malgré toutes
ses fantaisies, s'est efforcé d'en percer les mystères dans
son Histoire Naturelle jusqu'aux botanistes modernes en
passant par les Linné, les Tournefort et les Jussieu qui se

sont tous penchés sur ces plantes mystérieuses pour en mieux connaître les caractères, les propriétés, en déterminer la classification par famille, genre ou espèce.

De l'Agriculture, sa sœur jumelle, qui grâce à O. de Serres, à la Quintynie et à Vilmorin a permis de modifier certaines d'entre elles, de les améliorer pour en créer des hybrides qui, à côté des aromates et des épices initiales peuvent se prévaloir du nom de légumes condimentaires, comme le cresson, le céleri ou le raifort.

De la Mythologie dont les anciens Perses, Hindous et Grecs surtout, ont su, avec le génie poétique et imaginatif propre aux Orientaux, tirer de ces simples herbes aromatiques, de délicieuses légendes comme celles du Laurier, de la Menthe ou du Romarin.

De presque toutes les anciennes religions, celle des Hébreux, des Egyptiens et des Hindous dont les prêtres surent utiliser les propriétés à des fins magico-sacerdotales plus que médicales ou gastronomiques.

Des sciences exactes comme la Physique et la Chimie, par l'examen et l'analyse qu'elles ont provoqués pour mieux connaître les mystères cachés dans leurs cellules végétales.

Des sciences économiques, tant financières que commerciales, en raison des transactions auxquelles les épices et les aromates ont donné lieu et que, à bien des époques les épices furent considérées et utilisées comme une véritable monnaie d'échange.

Du Droit et de la Justice puisque elles entrèrent dans le droit coutumier au Moyen-Age et que jusqu'à la Révolution il fallait offrir des épices aux juges pour qu'ils finissent par rendre leurs sentences.

Par ailleurs, toutes les Pharmacopées ont su tirer parti de l'apport des épices, surtout celles de l'époque médiévale et de la Renaissance, dont les Epiciers-Apothicaires bénéficiant du monopole de la vente de ces précieuses substances, furent tellement considérés qu'ils constituèrent jusqu'à la Révolution un des principaux corps marchands, chargé de la garde des étalons des poids et mesures.

Ces apothicaires s'illustrèrent encore bien davantage par les nombreuses préparations qu'ils effectuèrent grâce aux aromates et aux épices ; depuis la thériaque, la panacée de tous les temps qui les contenait à peu près tous, les pilules de cynoglosse, du diascoridium de Frascator, les baumes de Fioravanti, celui du Père Tranquille, le vinaigre des quatre voleurs jusqu'aux nombreux vins aromatiques, diurétiques ou autres sans oublier les simples « espèces » aromatiques et les innombrables élixirs, plus ou moins antiseptiques, auxquels se prêtait l'ingéniosité des apothi-

caires dans le fond de leurs officines alors transformées en
véritables jardins champêtres.

Dans un ordre bien différent, épices et aromates
surent inspirer à toutes les époques les poètes et les prosa-
teurs dont le génie créateur, probablement stimulé psychi-
quement par leurs constituants, leur permit de produire
quelques-unes de leurs plus belles œuvres, depuis les Anciens : Martial, Horace, Virgile ou Ovide jusqu'aux Modernes : Baudelaire et José-Maria de Hérédia, sans oublier les
classiques tels que Boileau ou Racine dont les œuvres sont
émaillées de citations rappelant les vertus des épices et des
aromates.

D'autres, plus modestes mais non moins inspirés,
comme les gastronomes Berchoux et Brillat Savarin qui nous
ont laissé respectivement deux chefs-d'œuvre, le premier
avec sa « Gastronomie » et le second sa « Physiologie du
goût », et même de simples cuisiniers, tels Ozanne qui
mit en vers toute la cuisine, épices et aromates en tête.

Si l'on voulait faire la somme du rôle, de l'importance et de l'utilisation des substances aromatiques il faudrait,
comme nous l'avons déjà dit, établir une véritable encyclopédie et il est assez surprenant que les Anciens ne les aient
pas jugées dignes d'une Muse, à côté d'Hygeia ou de Pana-
cea, pour mieux les magnifier et n'aient retenu que le vulgaire Comus, Dieu hilare de la bonne chère tant il est vrai
qu'à leurs yeux les épices et les aromates n'étaient valables
que pour leur utilisation considérée sous l'angle de la seule
gastronomie.

Après tout, ne soyons pas trop exigeants et que
nous importe que les épices et les aromates, après avoir été
sacrés sur les autels divins, soient descendus à l'officine des
apothicaires, et ensuite à la cuisine familiale !

Considérons plutôt cette évolution, non comme une
chute regrettable mais plutôt comme un bienfait puisque,
chaque jour, et à chaque repas, les hommes même les moins
gastronomes en profitent et peuvent y trouver la santé et la
joie de vivre.

Aussi, dirons-nous avec Berchoux que, grâce aux
épices :

« Qu'importe le monde et ses tracas divers
Dans les bras de Comus, oublions l'Univers ».

Utilisation en Médecine

Après s'être d'abord servi des plantes aromatiques par simple besoin physiologique, l'homme n'a pas tardé à découvrir en elles, comme dans les autres « simples » des vertus médicinales susceptibles de le guérir et d'éloigner de lui les maux dont la nature n'avait pas omis de l'accabler.

N'est-ce pas d'ailleurs l'Ecclésiaste qui nous rappelle les bienfaits que l'homme peut tirer de ces « simples » dont font partie les plantes aromatiques :

« Le Très Haut a fait produire à la terre des médicaments et l'homme sage ne les dédaignera pas ».

Aussi, à travers les siècles, les plantes aromatiques ont-elles été une des bases essentielles de la première médecine : la phytothérapie et leur utilisation en thérapeutique, largement mise à contribution par les Egyptiens dans les embaumements puis par les médecins de Grèce et de Rome comme par ceux du Moyen-Age et de la Renaissance, ne s'est seulement ralentie qu'avec l'apparition des produits chimiques au 18e siècle et des produits synthétiques actuels.

Douées de toutes les vertus médicinales nécessaires à sa santé, l'homme a su tirer parti de leurs propriétés pour en faire de véritables panacées, telle la sauge, la plante salvatrice par excellence, si bien immortalisée par l'Ecole de Salerne :

« L'homme aux traits de la mort doit-il être accessible Quand il peut appeler la Sauge à son secours ».

Dans les unes et les autres, il a su trouver toutes les propriétés dont il avait besoin pour sa santé.

Des diurétiques dans l'ache, le fenouil, le persil ou l'oignon.

Des antiscorbutiques dans le cresson, le colchearia et le raifort.

Des antiseptiques dans le thym, l'ail, le serpolet et la menthe.

Des antispasmodiques dans le basilic, la sauge, la marjolaine, et la lavande.

Des carminatifs dans toutes les ombellifères, l'anis l'aneth, le fenouil.

Des stomachiques et des toniques digestifs dans l'anis, la coriandre, la cannelle et le poivre.

Des balsamiques dans l'hysope, le genièvre et le myrte.

Des cholagogues et des cholérétiques dans le romarin, le curcuma, le raifort.

Des topiques avec la moutarde et, aussi des vermifuges, des hypotenseurs, des galactogènes, des expectorants et bien d'autres vertus dans la plupart de ces plantes, dont beaucoup sont polyvalentes, douées de tant de propriétés que, pendant longtemps elles ont suffi pour traiter les maux les plus variés : anorexie, anémie, arthritisme, infections des voies biliaires et urinaires, les spasmes nerveux, les métrorragies et même d'autres plus graves telles que le cancer contre lequel le modeste persil était, suivant certains auteurs, souverain ou la tuberculose qui, suivant d'autres, était justiciable du simple cresson.

Après Hippocrate, Dioscoride et Galien qui ne connaissaient que les seules plantes aromatiques indigènes, Mathiolle au 16ᵉ, puis Lémery au 18ᵉ ont, à leur suite, résumé les vertus des épices exotiques lesquelles étaient « propres à chasser les vents, fortifier le cœur, le cerveau et atténuer les humeurs ».

Nées de l'empirisme, confirmées par l'expérience, les propriétés des unes et des autres ont été utilisées par les plus grands médecins des siècles suivants, comme Trousseau qui admettait que « sans empirisme il n'y aurait pas de Médecine » et qui a laissé son nom à une des plus utiles préparations diurétiques à base d'épices et d'aromates.

Les huiles essentielles de ces mêmes épices et de ces aromates ont même donné lieu à une branche importante de la thérapeutique, renouvelée de celle des Egyptions : l'Aromathérapie, à laquelle sont attachés les noms d'éminents biologistes, de pharmacologues et de médecins modernes en tête desquels, doit être cité le nom de celui qui en est le père : R. M. Gattefossé aujourd'hui malheureusement oublié.

Mais il faut bien reconnaître qu'après avoir été considérés comme des remèdes universels, les épices et les aromates sont à présent bien délaissés par la plupart des praticiens et que seuls les emploient encore les hygiénistes ou les diététiciens, suivant Carton ou l'abbé Kneipp, en raison plus particulièrement de leurs vertus toniques, stomachiques et détoxicantes si nécessaires dans le traitement des affections de l'estomac et de l'intestin.

Le bon fonctionnement de ces organes essentiels n'est-il pas d'ailleurs ce qui est le plus indispensable à la bonne santé de l'homme qui n'est, selon l'expression spirituelle de La Mettrie, « qu'un tube digestif percé aux deux bouts ».

Rôle qui convient parfaitement aux épices et aux aromates, capables grâce à leurs vertus stimulantes, toniques et stomachiques de lui donner, avec la santé, la joie de vivre :

> « Digérez-vous ? voilà l'affaire
> L'homme n'est rien s'il ne digère
> Car, sans cela, plaisirs et jeux
> S'envolent au pays des fables.
> L'esprit fait les mortels
> Mais l'estomac fait les heureux. »

Utilisation en Gastronomie

Des gastropathies à la Gastronomie tout court, il n'y a qu'un pas à franchir, aisément réalisable pour l'homme qui doit se pencher chaque jour, et même plusieurs fois par jour sur l'important problème de son alimentation.

Problème nécessaire pour son existence mais aussi bien agréable pour les joies qu'il a toujours su en tirer. Et, depuis toujours, on peut dire qu'il s'est efforcé d'y apporter tous ses soins, affirmant par cette application :

« que la cuisine est un temple
dont les fourneaux sont l'autel ».

Il a su les incorporer à ses premières nourritures, aux bouillies de céréales, aux soupes élémentaires, aux « plats d'épinards » composés de légumes grossiers, voire de simples herbes sauvages, qu'il fallait nécessairement aromatiser puis, lorsqu'il connut le feu, aux viandes rôties ou bouillies, aliments plus consistants qui firent les délices des héros d'Homère, notamment Achille qui avait soin de toujours faire rôtir ses moutons avec des herbes odoriférantes :

« On avait le cumin, l'origan, le sésame
Le thym, le serpolet, mille autres végétaux ».

En raison de leurs parfums agréables à son palais, il sut également incorporer les premiers aromates aux poissons et à leurs saumures, aux courts-bouillons sans négliger l'apport bénéfique qu'il en fit dans les boissons, les hydromels, l'hypocras et la cervoise, les vins herbés ou aromatisés si chers aux Grecs et aux Romains, puis ensuite aux sauces, accompagnement indispensable des plats les plus divers.

Au fur et à mesure de la découverte de nouvelles épices, il y ajouta d'autres substances encore plus aptes, par leur odeur et leur saveur, à flatter son palais de plus en plus délicat et exigeant : le poivre, la cannelle, le clou de girofle, etc...

Si bien, que de simples accessoires élémentaires à sa vie, les épices et les aromates devinrent peu à peu des éléments indispensables, puis, bientôt, des objets de gourmandise, de véritables alibis gastronomiques bien souvent superflus, au point qu'aujourd'hui on ne peut concevoir sans eux le moindre plat, la plus élémentaire salade, la plus simple des sauces.

Ainsi naquit un embryon de science culinaire qui eut bientôt, non seulement ses règles et ses lois, mais aussi ses rites et ses dogmes, comme une véritable religion avec ses grands prêtres : Archestrate et Athénée en Grèce, Apicius à Rome et bien d'autres cuisiniers qui ne doivent pas faire oublier, à des époques plus rapprochées de nous, les noms illustres de Saint Fortunat au Moyen-Age, de Taillevent un peu plus tard, de La Varenne à la Renaissance, de La Chapelle, de Vatel, de Carême, suivis de toute la cohorte des grands cuisiniers modernes qui ont su parachever cette science pour en faire un art véritable, merveilleusement alimenté par les épices nobles, les aromates les plus subtils et les condiments les plus excitants.

A côté de la cuisine proprement dite, épices et aromates ont trouvé d'innombrables applications dans des domaines annexes : la pâtisserie, la confiserie, la liquoristerie où ces substances servent de base aux crèmes, aux entremets, aux sucreries, aux friandises, aux liqueurs, toutes préparations plus délectables les unes que les autres à nos palais gourmands, sans oublier les parfums que nous procurent si généreusement la plupart des plantes aromatiques, depuis le « mélin et l'amaricin » des Grecs et des Romains jusqu'à l'eau de la Reine de Hongrie, ancêtre de notre Eau de Cologne, à base de romarin, d'hysope et autres essences aromatiques, et les subtiles compositions des parfumeurs modernes qui viennent renforcer le charme naturel des femmes et les rendre encore plus désirables pour l'homme.

Au total, les épices et les aromates ont donné lieu à de multiples utilisations et à d'innombrables préparations dans les domaines les plus divers. Mais il reste que leurs propriétés si nombreuses et si variées trouvent leurs applications majeures en médecine et en cuisine.

Emplois parallèles et complémentaires d'ailleurs comme le disait Michelet : « Cuisine, c'est médecine, la médecine préventive, la meilleure ». Car, si l'on veut bien faire abstraction des excès gastronomiques et des maux qui en découlent, ces deux arts concourent tous les deux au même but : la santé de l'homme.

Comme nous le verrons dans l'étude particulière de chacune de ces substances, l'Art médical et l'Art culinaire ont entre eux bien des caractères communs complémentaires, grâce surtout aux épices et aux aromates, ce que Brillat-Savarin, orfèvre en la matière, a justement su faire ressentir, en donnant toutefois la primauté à la cuisine dans le « Choix des Sciences » :

« J'étais fort en Médecine,
Je m'en tirais à plaisir
Mais tout ce qu'elle imagine
Ne fait qu'aider à mourir.
Je préfère la Cuisine,
C'est un Art réparateur,
Quel grand homme qu'un traiteur. »

Le « Professeur » était un peu dur pour les médecins ce qui n'a jamais empéché ces derniers d'être de fervents adeptes de la gastronomie, bien au contraire.

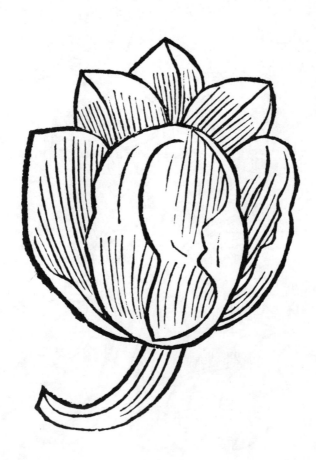

Les épices

Mieux encore que les 3 Mousquetaires qui étaient 4, les Quatre Epices communes, c'est-à-dire le poivre, la cannelle, le clou de girofle et la muscade sont DIX en réalité, car, aux premières qui justifient bien le titre d'épices nobles, il faut nécessairement en ajouter d'autres jouissant d'une moins grande réputation mais cependant tout aussi utiles : le gingembre, le cardamome, le curcuma, le piment, le safran et la maniguette.

Toutes ces épices, qui ont permis autrefois aux médecins de réaliser bien des guérisons miraculeuses et qui constituent, aujourd'hui, le plus précieux arsenal des cuisiniers, présentent la particularité de nous être offertes par tous les continents.

L'Europe nous fournit le safran,

L'Afrique, la maniguette,

L'Amérique, le piment

et l'Asie, leur véritable patrie, nous procure tout à la fois le poivre, la cannelle, le clou de girofle, le cardamome, le curcuma et le gingembre.

Dans un chapitre précédent, nous avons vu leurs caractéristiques générales et, tout au long des siècles, leur rôle, leur importance et leur utilisation en Médecine ou en Gastronomie.

Dans ce chapitre, nous étudierons chacune d'elles sous l'angle de la Botanique, de l'Histoire qui leur est propre et de leur emploi actuel tant en Médecine qu'en Gastronomie.

le poivre

La plus ancienne, la plus commune mais aussi la plus précieuse des épices. Sans lui, tous les mets seraient fades, pas de bouillons, pas de sauces, pas de salades, aucune préparation culinaire ne serait valable.

A lui seul, il relève la fadeur de n'importe quel mets, lui communique du goût et de la saveur et donne, par cela même, du piquant à la vie.

Saluons en lui, L'EPICE.

CARACTÉRISTIQUES

Le poivre est le fruit d'une liane qui pousse à l'état sauvage en Inde et Indo-Chine et qui est cultivée dans toute l'Asie méridionale, y compris la Malaisie et l'Insulinde.

Le poivre est une plante grimpante dont les tiges possèdent des racines adventives grâce auxquelles, il s'agrippe à d'autres arbres, comme le lierre ou la vigne.

Ses feuilles en forme de palmes sont alternes et de couleur verte prononcée ; ses fleurs très petites forment des épis allongés de 8 à 15 cms et les fruits qu'elles donnent sont des baies globuleuses dont la réunion par 30 ou 40 finit par former des grappes pendantes.

D'abord verts, ces fruits deviennent rouges en mûrissant. Récoltés avant maturité complète, ils prennent en séchant une teinte de plus en plus brunâtre tandis que leur surface se ride.

Ce fruit entier, formé de la graine recouverte de son péricarpe, c'est le poivre noir tandis que le poivre blanc est le fruit entier mais débarrassé de son enveloppe.

Il est simplement obtenu en faisant macérer des grains mûrs dans l'eau de mer et en les frottant pour en séparer le péricarpe.

Pendant longtemps, l'on a cru que les deux variétés de poivre provenaient de deux arbres différents et une vieille légende raconte que « le poivre mûrissait à la chaleur du soleil et que des serpents défendaient les bois où il poussait ; pour le cueillir on mettait le feu aux arbres et le poivre devenait noir ».

Les deux poivres possèdent la même odeur âcre et brûlante mais celle du poivre blanc est plus aromatique, plus fine et plus parfumées.

A côté de ces deux sortes de poivre, on distingue le poivre long, aux fruits groupés en épis cylindriques très longs et très serrés, employé comme le poivre ordinaire et dont les Indiens retirent une eau de vie obtenue par fermentation des grains dans l'eau.

Le poivre Cubèbe ou poivre à queue, originaire de Java. Figurant autrefois parmi les épices, il ne sert plus aujourd'hui que comme médicament, mais les Indiens en font un usage fréquent pour exciter aux plaisirs vénériens.

Le poivre Betel dont les feuilles, associées à la noix d'Arec forment la « chique de Betel » appréciée comme masticatoire en Extrême-Orient. D'autres encore : le poivre de Guinée, le Methyspicum des îles du Pacifique dont les indigènes obtiennent un breuvage, le fameux Kawa-kawa.

HISTOIRE

Il semble que le Poivre dont le nom vient du sanscrit « pippali », ait toujours été connu des peuples anciens du Proche-Orient. Il l'était des Grecs sous le nom de « peperi » qui a servi de racine au mot actuel, mais c'est surtout après l'expédition d'Alexandre, dont un des buts était justement la recherche des épices encore mal connues, que les Grecs l'utilisèrent.

Dans son Histoire des Plantes, Théophraste mentionne déjà les deux variétés, utilisées à la fois comme remède et comme condiment, et Hippocrate, pour qui c'était « l'incicon » le prescrivait souvent.

A Rome, le poivre devient d'un usage presque courant comme drogue médicinale. Dioscoride le signale dans le traitement des maladies nerveuses et l'épilepsie. Par contre, Pline ne semble pas apprécier ses vertus médicinales, lui trouvant une saveur trop brûlante et surtout estimant son prix élevé ; il valait alors 7 deniers le blanc et le noir 4.

Horace en fait l'éloge dans ses satires et, s'adressant à son jardinier dit « qu'il aimerait mieux voir dans son jardin croître le poivre et l'encens plutôt que la vigne ». Il le considérait comme un assaisonnement parfait en mélangeant le poivre blanc avec le sel noir.

Après la chute de Rome, le Poivre était devenu une monnaie d'échange, utilisée à la place de l'or pour le paiement des tributs aux vainqueurs barbares. C'est ainsi qu'Alaric reçut, lors de la prise de Rome, 3.000 livres de poivre et que Théodose, pour apaiser Attila, lui envoya de nombreux présents où le poivre figurait parmi les plus importants.

Au Moyen-Age, le poivre était particulièrement apprécié pour ses vertus médicinales vantées par les maîtres de l'école de Salerne :

« Au poivre noir soit entier, soit en poudre
Donnez les flegmes à dissoudre
Il aide à la digestion
Pour l'estomac le poivre blanc est bon
Il adoucit une toux violente
Apaise les douleurs d'une fièvre ardente
Détourne le cruel frisson. »

Sous le nom de « diatron piperion » il était prescrit en décoction avec du thym, du gingembre et de l'hysope et, en raison de ses propriétés aphrodisiaques, « pour exciter aux plaisirs de Vénus ».

Mais c'était toujours une denrée rare et chère, tellement même que l'on disait alors « cher comme poivre ».

Et chez les riches, il était de bon ton d'avoir ample provision de poivre, de cumin et de moutarde : c'était signe de pauvreté que d'en manquer :

« Ils n'ont ne poivre ne moutarde
Espoir bien lor vient, mais molt tarde. »

(fabliaux de Méon)

Il y avait pourtant des prodigues qui ne lésinaient pas sur son emploi. On cite un seigneur limousin, Constantin de la Sana, qui avait dans une chambre haute, appelée solier, des monceaux de poivre en si grande quantité comme « glands pour porcs » et qui n'hésita pas à l'offrir avec ostentation au Vicomte de Limoges, Adhémar qui en manquait : « Voilà de quoi épicer les sauces du comte de Poitiers et il prit du poivre à la pelle pour lui en donner ».

Le poivre servait de monnaie de compte, pour s'acquitter des amendes et des impôts ;

Roger, comte de Béziers, ayant été assassiné, ses fils imposèrent un tribut de 3 livres de poivre que les bourgeois de la ville eurent à payer plusieurs années.

Les juifs d'Aix eurent à payer à l'archevêque de la ville une servitude annuelle de deux livres et les pauvres serfs de l'abbaye de Semur eurent à verser au prieur une livre de poivre pour racheter leur liberté.

Les Arabes, Mésué surtout, utilisèrent le poivre sous forme d'huile dans les rhumatismes, les calculs des reins et de la vessie et, chose assez curieuse, dans le traitement de l'alopécie, sous forme d'emplâtres préparés à l'aide d'oignons additionnés de sel et de poivre.

Les médecins de l'Ecole de Montpellier l'utilisèrent pour ses vertus fébrifuges et Arnaud de Villeneuve en faisait une véritable panacée dans le traitement des rages de dents : trois feuilles de sauge broyées avec trois grains de poivre, le tout appliqué sur les dents, calmaient les plus vives douleurs.

A l'époque de la Renaissance, le poivre était utilisé comme tonique et stimulant ainsi qu'en gastronomie pour relever la fadeur de certains mets, les « harnais de gueule de haulte graisse » si chers à Rabelais et occupait une place importante dans la composition des innombrables sauces héritées du « Viandier » de Taillevent.

Le poète-apothicaire tourangeau, Thibault Lespleigney porté sur la bonne chère comme son compatriote Rabelais, en vante les bienfaits dans son « Promptuaire des médecines simples en rithme joyeuse » :

> **« Donnant confort a l'estomac**
> **Bon pour bien faire esternuer**
> **Desgater et diminuer**
> **Du cerveau superfluité**
> **Donne aux chaulx et coléricques**
> **Motif est des ardeurs lubricques. »**

Et l'Italien Mathiolle, d'habitude plus sérieux, n'hésite pas, pour montrer que le poivre n'a pas que des vertus, à écrire :

> **« que les dames qui ont coutume de nourrir des petits chiens pour leur plaisir, se gardent bien de leur donner à manger des soupes poivrées, car la dite épice est excessivement chaude et sèche, aussi pourrait-elle causer la rage à ces animaux ».**

Un tel produit ne pouvait pas manquer d'entrer dans les compositions des célèbres apothicaires ou des médecins de l'époque. C'est ainsi que le poivre servait à rehausser les propriétés toniques et stimulantes de la Thériaque toujours complétée et jamais terminée, et celles du diascordium de Frascator, destiné à soigner ce que les uns appelaient le « mal français » et d'autres le « mal napolitain » mais qui restait pour tous ceux qui en étaient affligés : « dame vérole ».

Depuis cette époque et pendant longtemps, il fut d'usage courant de porter sur soi des sachets de poivre pour se prémunir contre les maladies pestilentielles et ceux qui portaient si haut l'amour du poivre s'en servaient également pour assaisonner les mets qu'ils allaient déguster à l'extérieur.

Signalons, enfin, qu'en Saxe il y avait aussi des « sacs à poivre » mais d'un genre tout différent. Sous ce nom, étaient désignés des gentilhommes qui avaient épousé des roturières et qui étaient voués à l'opprobre et à la vindicte de leurs égaux, lesquels n'hésitaient pas à les supprimer pour les punir d'une telle mésalliance, en leur faisant avaler de force des quantités invraisemblables de poivre.

Le poivre ne sert plus, aujourd'hui, de poison et a poursuivi une carrière moins tragique.

THÉRAPEUTIQUE

Le poivre doit ses propriétés organiques médicales à une huile essentielle composée de phellandrène et de cadinéine qui lui donnent son âcreté et d'un alcaloïde découvert par Œrsredt, la piperine qui se dédouble en piperidine et en acide piperique, lequel après oxydation donne l'heliotropine, produit de base de maintes préparations en parfumerie.

En thérapeutique moderne, le poivre est presque abandonné bien que des expériences faites par Cadeac et Meunier, aient permis de constater qu'il augmentait la sécrétion du suc pancréatique, ce qui lui conférerait une action digestive certaine sur les graisses et les hydrates de carbone notamment.

Rien ne rappelle ses nombreux usages anciens malgré ses propriétés toniques, excitantes, carminatives et fébrifuges, stimulant de l'estomac et tonifiant général de l'organisme, si bien que, comme le disait P. Bouchardat, c'est pour les anémiques, un apéritif précieux.

Mâché en grains il provoque une forte salivation et c'est de plus, un violent sternutatoire, encore mis à profit à la campagne dans les remèdes de bonne « fame ».

Blanc ou noir, le poivre est banni du Codex en même temps que les préparations dans lesquelles il entrait et seul le poivre long est encore reconnu par la pharmacopée pour son action stimulante sur les secrétions bronchiques. Leclerc conseillait la préparation suivante :

poivre long concassé	3 g
eau bouillante	150 g
sirop de menthe	50 g

Extérieurement, réduit en pâte, il peut constituer un rubéfiant actif et associé avec des oignons et du sel, certaines bonnes femmes en font encore un merveilleux produit pour faire pousser les cheveux.

GASTRONOMIE

Chassé des officines des apothicaires, dédaigné des médecins, le poivre a pris d'éclatantes revanches avec la gastronomie dont il continue à être un des éléments absolument indispensable et irremplaçable pour rehausser, grâce à sa saveur chaude, piquante et aromatique, la fadeur des viandes grasses et gélatineuses et celle des innombrables charcuteries que l'art culinaire sait mettre à notre disposition.

Doué de propriétés anti-putrides, il est précieux pour conserver les viandes, éviter leur fermentation ou leur putréfaction.

Il est particulièrement utilisé dans la fabrication des saucissons, de la mortadelle, et rien n'est plus agréable aux gastronomes que de sentir sous leurs dents quelques petits grains de la précieuse épice.

Il entre dans la composition des grandes sauces, notamment de la sauce poivrade, bel héritage du Moyen-Age. Rien de plus délectable pour les amateurs de cuisine provinciale qu'une « piperade » basque ou provençale. Les marinades, les courts-bouillons ne sauraient s'en passer pour corser les viandes rouges, les gibiers et les poissons.

Sans lui et son association avec les autres ingrédients habituels : sel, huile et vinaigre, les salades les plus tendres ne seraient que des herbes sans attrait. Mais il faut, obligatoirement, l'employer modérément.

Les hygiénistes, gens prudents, préfèrent le proscrire pour ne pas provoquer des irritations gastro-intestinales ou favoriser l'apparition de certaines dermatoses que des doses exagérées de poivre risqueraient de produire.

Pour mettre d'accord médecins et gastronomes, suivons donc le précepte ancien qui recommandait, pour faire une bonne salade, de n'en user que parcimonieusement et de ne confier le sel qu'à un sage, l'huile à un prodigue et le poivre à un avare.

Mais, quoi qu'on fasse, son usage est si répandu qu'il est présent à tous les repas, soit en grains pour ceux qui veulent lui conserver sa saveur complète et le doser savamment, soit plus communément en poudre où il apparait à côté du sel, partageant avec ce dernier la gloire de trôner sur toutes les tables.

le clou de girofle

Si petit par la taille et si grand par la popularité dont il jouit, le Clou de Girofle mérite une place à part au milieu des épices nobles dont il est un des plus illustres fleurons, apprécié tant en médecine qu'en gastronomie.

CARACTÉRISTIQUES

On sait que ce clou de girofle n'est pas un fruit mais simplement un bouton floral, du giroflier, cueilli avant l'épanouissement de la corolle quand les pétales forment une petite boule au-dessus du calice.

C'est, d'ailleurs, cette particularité qui lui a valu le nom de caryophyllum en grec, c'est-à-dire « pétale de noyer ». Appelé « quarunfel » par les Arabes, la racine étymologique initiale a d'abord donné giroufle et girofre en vieux français avant de devenir girofle.

Le giroflier qui le produit appartient à la famille des Myrtacées. C'est un arbre à port pyramidal, de 10 à 15 mètres de haut dont les feuilles glabres et luisantes, rappellant celles du laurier, sont munies de fines ponctuations correspondant à de petites glandes qui contiennent une huile essentielle très aromatique.

Le fruit est une baie ovoïde, de couleur pourpre d'abord avant de tourner au brun violacé ; il possède une ou deux graines désignées dans le commerce sous le nom « d'anthofles ».

Originaire des îles Moluques, le giroflier pousse presque exclusivement dans un groupe de cinq îles — les îles au girofle — qui forment une partie de cet archipel longtemps ignoré. La patrie exacte du girofle ne fut que tardivement connue grâce, semble-t-il, à un vénitien, Nicolo Conti qui apprit des Arabes que le clou de girofle, déjà très recherché, provenait de la petite île de Banda et de Ternate où parvint en 1511, l'ami de Magellan, Serrano, lors de son premier voyage à Ternate.

« Vous savez qu'au pays d'Amboine et de Ternate la girofle triomphe au rang des aromates ».

Après la découverte du secret de l'origine véritable du giroflier, c'est Pigafetta, l'historien de Magellan qui en donna la première description.

La culture du giroflier se fait par boutures ou par semis, dans des terres chaudes et humides où, après repiquage, il est nécessaire de la protéger du soleil trop fort et des grands vents. La taille de l'arbre est volontairement limitée à 5 ou 6 mètres de haut pour en faciliter la cueillette ; la première se fait au bout de 4 à 5 ans. L'arbre peut rester productif pendant près de 20 ans.

On cueille les boutons floraux non épanouis comprenant corolle et calice soudés entre eux, dès que les boutons commencent à prendre une teinte rosée ; les boutons récoltés sont mis à sécher pour acquérir la teinte brune que nous connaissons ; c'est le clou de girofle tandis que le pédicelle floral est la « griffe ». La griffe et l'anthofle sont moins estimés que le clou et souvent consommés confits.

Après séparation des griffes, les boutons sont encore mis à sécher plusieurs jours sur des claies ; après avoir perdu 60 % de leur poids, ils sont mis en sacs ou en barils pour être exportés.

HISTOIRE

Connu avant l'ère chrétienne par les Chinois sous le nom poétique de Ki-she-Kiang (langue d'oiseau), le clou de girofle était surtout utilisé par les courtisans pour se parfumer l'haleine avant de se prosterner devant l'empereur.

Il ne semble pas que les Grecs et les Romains l'aient connu. Il est peu probable que le produit décrit par Pline sous le nom de « caryophyllon » ait été le véritable clou de girofle, car aucun autre auteur ne le mentionne.

C'est plus tard que le clou de girofle a fait son apparition en Europe et on admet que c'est le Byzantin, Paul d'Egine, qui en a fait une des premières mentions dans son « De re Medica » où il signale ses propriétés antiseptiques et analgésiques.

Considéré dès son apparition comme une épice très rare, le clou de girofle faisait l'objet de cadeaux et de présents : en 335, l'Empereur Constantin offrit à Sylvestre, évêque de Rome, des vases d'or et d'argent rendus encore plus précieux par les 150 livres de girofle dont ils étaient remplis.

Au Moyen-Age, des impôts et des taxes étaient prélevés sur le clou de girofle, notamment à St-Jean d'Acre qui centralisait alors le commerce de cette épice. Il en est

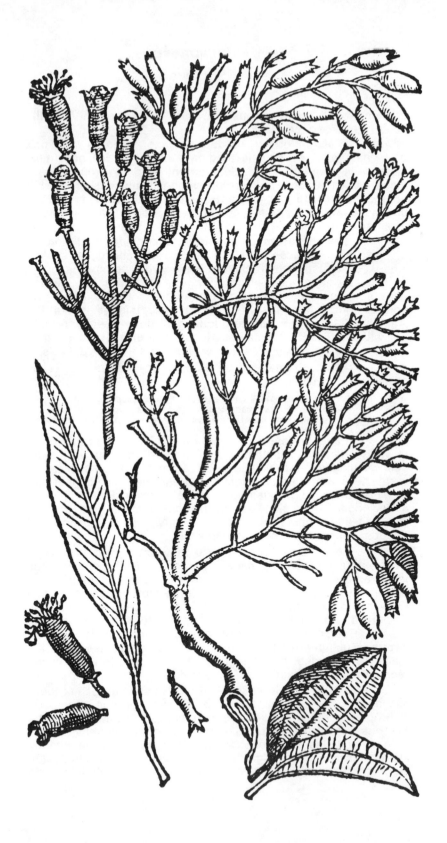

également fait mention dans les tarifs de péage de Marseille et de Barcelone en 1228.

C'était alors un produit de luxe, toujours d'un prix élevé ; il valait à l'époque cinq fois plus que les noix muscades. On s'en servait exclusivement comme drogue médicinale et les Arabes, tout en lui reconnaissant des propriétés aphrodisiaques, le faisaient entrer dans le « Kohl », la célèbre pommade anti-ophtalmique toujours en usage dans les pays orientaux.

Les médecins du moment le considéraient comme une véritable panacée pour ses propriétés fébrifuges, analgésiques et antiseptiques. Sainte Hildegarde, femme médecin du Moyen-Age et abbesse de Bingen, en vante les mérites dans son ouvrage « Morborum causæ et curæ » et le préconise contre les maux de tête, l'hydropisie et la surdité. Aemilius Macer en fait les louanges pour ses propriétés aphrodisiaques et stimulantes de la mémoire et pense qu'à lui seul il peut remédier à toutes les maladies intérieures.

Pour les maîtres de l'Ecole de Salerne, c'est un produit remarquable :

« La fleur prise au matin débarrasse la tête
Dessèche les humeurs, excite les amours
Au cerveau qu'elle allège, envoie un prompt secours »

Pendant longtemps, le petit clou de girofle poursuivit sa carrière triomphale : il fortifiait le cœur et l'estomac, soulageait les douleurs, cicatrisait les blessures et surtout, se montrait un excellent préservatif de la peste et des épidémies si fréquentes à cette époque. Pour échapper à ces fléaux, un clou de girofle piqué dans une pomme devenait une « boule parfumée », origine des pommandres si prisées à l'époque de la Renaissance.

Les grands médecins du moment surent tirer parti d'une si remarquable panacée. Paracelse le fit entrer dans la formule du « spécifique anodyn ». Sydenham, le père du laudanum, en fit autant dans une de ses préparations en l'ajoutant à l'opium, le safran et la cannelle. Fioravanti l'incorpora à son célèbre « balsamo artificiato », longtemps inscrit au Codex ; et il ne tarit pas d'éloges sur le clou de girofle « qui guérit les infirmités de toutes sortes, tant les maladies chaudes que les froides car, les froides il les réchauffe et les chaudes, il les refroidit ».

Tandis que le clou de girofle faisait les beaux jours des apothicaires, on continuait à ignorer l'origine exacte de la précieuse épice, gardée jalousement par les Malais et les Hindous jusqu'au jour où Serrano put enfin parvenir à Ternate et aux îles Moluques. Ayant enfin découvert le fameux secret, les Portugais le gardèrent non moins jalousement que leurs prédécesseurs jusqu'au moment où les Hollandais, en

1605, s'emparèrent de leurs possessions. A leur tour, les Hollandais désireux de garder le monopole d'une denrée si rare et si chère, n'hésitèrent pas à en limiter la production en détruisant les jeunes girofliers. Les conséquences furent désastreuses pour l'île de Ternate qui, après ces destructions, fut ravagée par plusieurs épidémies, ce qui fut considéré comme une preuve supplémentaire des vertus antiseptiques du girofle.

Rappelons enfin, que c'est grâce à notre compatriote Pierre Poivre, lequel échappant au contrôle des Hollandais put, au prix de maintes péripéties, se procurer quelques pieds de giroflier et introduire sa culture à l'île de France et de Bourbon d'où elle essaima en Afrique et en Amérique.

Sur les plants qu'il avait pu soustraire à la surveillance des Hollandais et confier à un créole de Bourbon, Joseph Hubert, un seul pied survécut d'où sont sortis tous les girofliers qui poussent dans le monde entier.

Aujourd'hui, la production du clou de girofle est très réduite dans les îles d'origine et si sa culture reste encore assez prospère à Amboine, une des petites Moluques, c'est Zanzibar qui est devenu sa terre d'élection. On y récolte près de 80 % de la production mondiale, le reste étant fourni par Penang en Malaisie, Ceylan et surtout les Seychelles. Dans ces pays, il est si populaire qu'on en parfume le tabac des cigarettes.

THÉRAPEUTIQUE

Pendant longtemps, le clou de girofle est entré dans de nombreuses préparations pharmaceutiques sans que l'on sut quelles étaient ses propriétés pharmacologiques, les apothicaires se contentant d'y voir une panacée aux multiples vertus si bien que sous la Régence, le pharmacien Garus, inventeur du célèbre Elixir dont il constituait la base, disait : « On ne citera pas toutes les personnes à qui ce remède a conservé et même sauvé la vie ; on se contentera seulement de dire que les rois, les princes et autres personnes de qualité en font usage ».

En fait, les propriétés médicinales du clou de girofle sont dues à une huile essentielle à odeur aromatique bien particulière et à saveur âcre et fortement épicée. Il fallut attendre que Baget, en 1825, découvre que le Clou de girofle contient un principe amer : le caryophyllène, isolé par lui à l'état cristallisé, et une huile essentielle dont l'eugénol, découvert par Bonastre en 1827, est l'élément principal associé à du furfurol, de l'acide méthyllique et de la vanilline.

C'est surtout à l'eugénol, dont l'odeur rappelle celle de l'œillet, que le clou de girofle doit ses proprié-

tés stomachiques et carminatives, toniques, et surtout antiseptiques : une émulsion à 1 % seulement de girofle possède un pouvoir antiseptique 3 à 4 fois supérieur à celui du
phénol.

Aussi son usage est-il bénéfique dans de nombreuses indications, tant au point de vue interne : asthénies,
perte de mémoire, dyspepsies, prévention des maladies
infectieuses, qu'au point de vue externe : plaies, ulcères, la
gale où, en association avec la lavande et la cannelle, il
entre dans la pommade d'Helmerich. Le mode d'emploi le
plus pratique en usage interne consiste à mettre 2 à 4 gouttes d'essence 3 fois par jour sur un morceau de sucre, et en
usage externe en dilution alcoolique à 5 à 10 %.

En frictions, le clou de girofle entre dans la composition du liniment de Rosen dans le traitement des douleurs rhumatismales :

Essence de girofle	)	
Beurre de muscade	) AA 5 g.	
Essence de genièvre	)	
Huile de ricin	) AA 2 g.	
Alcool à 95°	) 85 g.	

C'est surtout en thérapeutique dentaire que l'eugénol est utilisé comme anesthésique et pour cautériser la
pulpe dentaire. De nombreux élixirs dentifrices doivent leur
activité en même temps que leur goût agréable à l'eugénol
du petit clou de girofle. En parfumerie on en tire des parfums artificiels, de l'héliotropine, de la vanilline et surtout
l'essence d'œillet, bases de nombreux et suaves parfums.

En médecine familiale ou populaire, le clou de
girofle est réputé pour favoriser les accouchements, sous
forme d'infusion à absorber juste avant le travail et aussi,
sous forme de pommades, contre certaines dermatoses.

GASTRONOMIE

Aujourd'hui, le clou de girofle est surtout réservé
à l'art culinaire où sa saveur s'associe remarquablement
bien à celle d'autres aromates pour communiquer finalement
aux sauces, aux ragoûts et aux bouillons un délicieux parfum qui relève la fadeur de certains mets, constituant ainsi
ce que le fin gastronome qu'était Huysmans appelait des
« alibis gastronomiques ».

C'est à la fois un aromate et un condiment, facilitant la digestion des viandes froides et des mets insipides
et nos ménagères ont bien raison de l'employer, elles qui

ne sauraient préparer le traditionnel et populaire « bœuf bouilli » sans plusieurs clous de girofle, tandis que d'autres font encore plus, en l'associant à l'ail, dans la souris du gigot, afin d'en atténuer les effluves, pour certains, désagréables.

Son emploi avec l'oignon réalise une association particulièrement heureuse : la cuisson développe le principe sucré de celui-ci tandis qu'elle atténue l'âcreté du clou de girofle et que l'arôme du second supprime les effluves alliacés du premier.

Signalons, enfin, que le Clou de Girofle entre dans la préparation de certaines liqueurs familiales, le rossolio ou le mériset de Grenoble en particulier ; qu'il est utilisé aux Antilles pour corser le « tafia » ; qu'en Italie, suivant la tradition des Arabes, il entre dans la composition des « diablotins ou pastilles aphrodisiaques napolitaines » et qu'en Allemagne, il est d'un usage courant de parfumer la choucroute nationale avec du girofle en plus du raifort et de la cannelle.

Descendu des rayons des apothicaires où il ne trône plus que dans de vieux bocaux qui rappellent son ancienne splendeur, le clou de girofle triomphe dans les cuisines.

Canelle Blanche.   Canelle Giroflée.

la cannelle

La Cannelle ou plutôt les cannelles proviennent de l'écorce de plusieurs arbres appartenant à la famille des Lauracées dont les deux principales espèces exploitées sont le cannelier de Ceylan et le cannelier de Chine.

Le cannelier de Ceylan — le cinnamomum zeylanicum des botanistes — est un arbre d'une dizaine de mètres de haut, aux rameaux et aux feuilles opposées. Ces dernières sont persistantes, de forme ovale, lisses et luisantes, d'un vert brillant sur le dessus, glauques en dessous, et caractérisée par leurs trois nervures courbes et surtout par leur parfum à l'écrasement.

Les fleurs petites, blanches ou jaunes verdâtres, sont réunies en grappes terminales et dégagent une odeur désagréable ; elles donnent de petites baies rappelant le fruit du laurier.

Ses fruits sont des drupes charnues, enchâssées à leur base dans le calice et ressemblent, par leur forme, au gland du chêne. Ils sont de couleur violet foncé. L'écorce de l'arbre est recouverte d'un épiderme grisâtre mais est d'un jaune rougeâtre à l'intérieur.

Le cannelier de Ceylan pousse à l'état sauvage en Inde et en Malaisie, surtout à Ceylan où les cultures, créées au 18e grâce à l'initiative d'un Hollandais, de COKE, firent rapidement la fortune de l'île. On peut toujours les admirer dans les Cinnamon-gardens de Colombo si odorants que leurs agréables senteurs sont perçues plusieurs milles au large.

Le cannelier se multiplie ou se reproduit par graines, par boutures ou par marcottages ; on le cultive jusqu'à 500 mètres d'altitude. Les plantations ne nécessitent pas beaucoup de soins sauf en ce qui concerne la taille spéciale des arbres.

Les arbres, ainsi coupés, donnent des rejets auxquels on donne une forme buissonnante à 4 ou 5 rameaux afin d'en obtenir le plus de ramifications qui faciliteront la cueillette de l'écorce.

La première récolte est possible au bout de 5 à 6 ans, ensuite tous les deux ans.

Elle se fait à la saison des pluies lorsque l'écorce est gorgée de sève ; on pratique alors plusieurs incisions circulaires et longitudinales et, avec un bâtonnet on tapote l'écorce qui est détachée à l'aide d'un couteau de cuivre.

L'écorce est découpée en lanières de 30 cm de long, mises à sécher, grattées pour les séparer du liège ; elles s'enroulent d'elles-même en tuyaux qui sont emboités les uns dans les autres après triage.

Le cannelier de Chine est, botaniquement, le pénétrante, une saveur aromatique à la fois chaude, piquante et légèrement sucrée. Elle contient une huile essentielle à laquelle elle doit sa saveur et son parfum ; de plus, du tannin, de l'amidon, une matière colorante et un acide particulier, l'acide cinnamique.

Le cannelier de Chine est, botanniquement, le Cinamomum cassia.

C'est un arbre plus grand et d'un port plus élégant que son congénère des Indes. Les feuilles en sont plus longues, d'un vert sombre et d'un aspect cireux ; l'odeur rappelle celle de la punaise, et la saveur est chaude et très piquante.

Le cassia croît à l'état sauvage dans les régions montagneuses de l'Annam, du Haut-Tonkin et de la province chinoise du Kouang-si.

En Annam la culture en est faite autour de leurs cases, d'une façon rudimentaire, par les « tribus moïs » qui écorcent surtout les arbres sauvages de la forêt. Le commerce de la cannelle a donné lieu a un monopole de fait de la part des anciens rois d'Annam se livrant à son exploitation par le truchement des « patrons du commerce » vite passés sous le contrôle des Chinois dont ils devenaient les débiteurs après avoir reçu prêts d'argent et de pacotille échangée contre la précieuse écorce.

Le roi d'Annam recevait à titre de tribut de la cannelle de la province de Than Hoa considérée comme la meilleure et vendue à prix d'or ; la recherche des Canneliers sauvages, véritable fortune pour les « muongs » qui avaient la chance d'en trouver, donnait lieu à une véritable exploitation clandestine.

Quoique d'espèces voisines, les deux écorces présentent des caractères différents ; la Cannelle de Ceylan est nettement plus épaisse, rugueuse et grise, mais surtout le parfum et la saveur les différencient. La première, la plus appréciée est bien plus forte, et surtout plus fine que celle de Chine, dont les lames fixées sur des planchettes pour le séchage ne sont pas recroquevillées en tuyaux, comme à Ceylan, et dont on en tire d'ailleurs plus d'essence.

A ces deux variétés, il faut ajouter la cannelle de Malabar qui est l'écorce du Laurus malabathrum, de médiocre valeur : la cannelle blanche ou Costus doux dont l'écorce ressemble à la cannelle vraie par son odeur et sa saveur, mais dont les propriétés se rapprochent de celles du girofle et du gingembre.

Enfin, la cannelle-giroflée qui ressemble au clou de girofle et lui est parfois substituée.

Mais la cannelle vendue sous ce nom est celle de Ceylan produite par le Laurus Cinnamomum, celle dont Berchoux disait :

> « Vous estimez beaucoup l'écorce salutaire
> Que l'île de Ceylan fournit seule à la terre »

HISTOIRE

La cannelle est la plus ancienne des épices, utilisée depuis des temps immémoriaux en Chine et aux Indes. Cependant ce ne sont pas ces pays d'origine qui lui ont donné son nom.

L'étymologie de celui-ci, d'ailleurs discutée, proviendrait de l'hébreu — kaneh, tige creuse — qui a donné en grec le « kinnamon », et « cannula » en latin.

Les deux variétés étaient connues et mentionnées par les Anciens sous le nom de cinnamome et de cassia, sans que l'on puisse préciser si le terme de cinnamome s'appliquait à la cannelle de Ceylan et celui de cassia à la cannelle de Chine.

En Chine, la cannelle est mentionnée, sous le nom de « kwei » dans le traité de l'empereur Shen Nung (2.700 ans avant J.-C.) et dans les pen-t-s'aos ultérieurs sous le nom de tien-chu-kwei, c'est-à-dire cannelle des Indes. Elle était à l'honneur dans la médecine chinoise dont les médecins ne délivraient pas encore, comme aujourd'hui, d'ordonnance sans cannelle.

Sous le nom de « quesiah » elle est mentionnée souvent dans la Bible ; elle entrait dans la composition de l'onguent des Saintes Onctions [Exode XXX 23]. Considérée comme le symbole de la sagesse elle servait à parfumer la tunique de l'époux royal (Ps. XLIV) et celui-ci comparait son épouse à un jardin de plantes odoriférantes où la cinnamome tenait une place prépondérante (CANT. IV 13).

Ce qui n'empêchait pas les Hébreux de l'utiliser en médecine, en décoction dans du vin pour combattre les fièvres et dans la préparation des huiles et des pommades médicinales.

Peu connue des Grecs et des Romains. Leurs auteurs s'ils en distinguaient les deux variétés en ignoraient l'origine exacte : Pline, à l'exemple de Théophraste et Ptolémée, lui attribue l'Ethiopie et l'Arabie comme patrie d'origine. Hérodote nous raconte comment s'effectuait la récolte de la précieuse épice. « La cannelle croît au lieu où fut nourri Bacchus ; certains gros oiseaux en transportent les bâtons que nous appelons « ledabon » après l'avoir appris des Phéniciens. Pour avoir ces brins de cinamome, les indigènes usent d'un artifice. Ils mettent sous les nids des gros quartiers de viandes dont sont friands les oiseaux ; ceux-ci l'emportent dans les nids mais ceux-ci cèdent sous le poids, se brisent et tombent à terre. Les indigènes n'ont plus alors qu'à ramasser le cinomome ».

A Rome c'était une denrée rare, de grand luxe et, à la mort de Pompée, Néron en fit brûler plus que l'Arabie pouvait en produire en un an.

Les Romains s'en servaient pour parfumer les vins comme les Gaulois. La plus ancienne mention de l'introduction de la cannelle dans le nord de l'Europe se trouverait, d'après Fluckiger et Hanbury, dans un diplôme délivré par Chilperic II au monastère de Corbie, en 716.

Avec la cannelle, les Arabes parfumaient un vin « le guerfe » et l'utilisaient à la fois comme condiment et drogue médicinale. Mésué en faisait un électuaire pour hâter la digestion, propriété utilisée pendant tout le Moyen-Age.

Pour Albert le Grand, la cannelle mondifie la poitrine, calme la toux et fortifie le foie; pour l'Ecole de Salerne c'est surtout un excellent stimulant qui

« **des sens énervés ranime la vigueur**
et de l'amour expirant attise la flamme »

Bernard de Crémone, dans son livre « de l'honneste volupté » rapporte qu'elle servait à épicer de nombreux mets de l'époque » tels que le « voussac de lièvres, le hochepot de volailles et la lampreye fresche à la saulce chaude, la sauce cameline et le saupiquet ».

Et le « Ménaigier de Paris » du 14e siècle nous donne la formule de l'hypocras où entraient à peu près toutes les épices mais où la cannelle était considérée comme « maistres » : prenez 5 drachmes de Cannelle fine, triée et mondée, 3 drachmes de Gingembre blanc, 3 de Girofle, graine, macis, garingals, noix muscades, espic nardy, de tout ensemble un drachme et quart ».

Agréable préparation dont Rabelais, ce fin connaisseur ne manque pas de faire l'éloge dans le Tiers Livre de Pantagruel, mais avec une formule bien à lui.

« **voulez-vous encore un traict d'hypocras blanc ?.**
N'ayez paour de l'esquinancie ; il n'y a dedans ny
squinante, ni sinzembre ne graine de paradis. Il n'y a
que de la belle cinnamone triée et le beau sucre fin
avec que le bon vin du cru de la Devinière »

Le poète apothicaire tourangeau, Thibault Lespleigney, à la fois médecin et gastronome, célèbre les mérites de la Cannelle dans son « PROMPTUAIRE DES MÉDECINES EN RITHME JOYEUSE ».

« le musc, l'ambre, le benjuin
sont excellens je vous affie
ou Canelle très bien choisies »

Les Hollandais étaient alors maîtres du marché mais, grâce à Vasco de Gama et à Magellan, les Portugais vinrent chercher la cannelle aux lieux mêmes de production, imposant aux chefs du pays un tribut en nature ce qui contribua à la rendre plus accessible. Puis les Hollandais toujours industrieux en créèrent la culture à Ceylan où les Jardins de Cannelle sont restés célèbres.

Au 18e siècle, on reconnait maintes vertus à la cannelle considérée :

« comme un excellent cordial qui exhausse et dessèche
elle prévient la pourriture, résiste au poison, excite
les mois aux femmes, aide à la digestion et à la
[malignité,
hâte l'accouchement et à la sortie de l'arrière faix »

Si bien qu'elle ne tarda pas à entrer dans maintes préparations pharmaceutiques de l'époque : la Thériaque, le Diascordium de Frescator, le Laudanum, l'Elixir de Garus, l'Eau de Mélisse.

THÉRAPEUTIQUE

La Cannelle doit ses propriétés médicinales à une huile essentielle de son écorce contenant 60/75 % d'aldéhyde cinnamique, 5 à 10 % d'eugénol ainsi que d'autres principes tels que phellandrène, pimène, linalol.

Cette essence possède des propriétés stimulantes sur le système circulatoire, respiratoire, et sur le tube gastro-intestinal, elle accroît les battements du cœur, elle est cordiale et stomachique, eupeptique et stimule également le système cutané et utérin, d'où son action émménagogue et sudorifique.

Elle est, enfin, antiseptique et bactéricide ; elle tue le bacille d'Eberth — typhoïde — à la dose de 1/300.

On l'emploi dans :
- les asthénies post-grippales
- les atonies gastriques
- les spasmes digestifs
- les diarrhées, métrorragies, hémoptysies, etc...

Mode d'emploi :

Poudre 0.50 à 2 g.
Teinture au 1/5
Potion : 5 à 10 g.
Essence : 2 à 3 g. sur un morceau de sucre.

La cannelle est souvent associée à la rhubarbe, à la quassia amara, et sert, en médecine familiale, à préparer un excellent vin chaud fortement aromatisé de cannelle et utilisé dans les refroidissements, les courbatures et comme préservatif de l'état grippal.

En usage externe elle sert contre la gale et la pédiculose selon la formule :

essence de Cannelle)
thym)
) aa 250 g
romarin)
pin)

Et entre dans les préparations officielles suivantes :
— Potion cordiale du Codex :

Teinture de Cannelle	10 g
Vin de Banyuls	150 g
Sirop	40 g

— Potion de Todd :

Alcool à 60°	40 g
Sirop simple	30 g
Teinture de Cannelle	5 g
Eau distillée	75 g

— Vin de Cannelle composé :

Vin rouge	100 g
Teinture de Cannelle	8 g
Alcoolat de mélisse	6 g
Sirop simple	30 g

— Elixir antiseptique de Chaussier :

Quinquina	64 g
Cascarille	16 g
Safran	2 g
Vin d'Espagne	500 g
Cannelle	12 g
Eau de vie	500 g

ainsi que dans la teinture d'arnica aromatique où entrent, outre des fleurs d'arnica, le clou de girofle, la cannelle, le gingembre, l'anis et de l'alcool.

Ainsi que dans le vin aphrodisiaque composé de gousses de vanille, de cannelle, de ging-seng, de rhubarbe et de vin de Malaga.

GASTRONOMIE

Des propriétés si précieuses ne pouvaient rester ignorées de la cuisine. Nous avons vu qu'au Moyen-Age et à la Renaissance la cannelle avait été surtout employée pour relever les sauces et les ragoûts. Nos gastronomes actuels ne sauraient se contenter des recettes d'autrefois, peu justifiées et peu dignes de nos palais délicats.

La cannelle entre dans maintes cuisines où elle est appelée à exciter l'appétit, comme dans la cuisine espagnole, mais elle sert surtout à aromatiser toutes sortes d'entremets, les crèmes, les marmelades et compotes de pruneaux ou de poires. Elle trouve une place de choix dans les pâtisseries de toutes sortes, les crêpes, les beignets, où son parfum est souvent préféré à celui de la vanille — comme le préconisait DU FOUR DE CRESPELIERE dans ses « poésies amoureuses » du 18e à propos de la fabrication du chocolat :

> « a chaque cent de cacao
> pour faire la chose a gogo
> une goussette de campesche
> avec pesant deux écus d'or
> d'excellente cannelle encor »

Son essence entre, avec celle d'autres épices, dans des élixirs dentifrices, dans l'essence stomachique d'Italie, dans certains vinaigres comme le vinaigre aromatique anglais et le vinaigre de Maille et, surtout dans la composition de l'élixir de la Grande Chartreuse avec la mélisse, l'hysope, l'angélique, le safran et le macis.

En famille, il est possible d'en obtenir une excellente préparation pour gens fatigués ou surmenés :

gousses de vanille	30 g
cannelle	30 g
gin-seng	30 g
rhubarbe	30 g
vin de Malaga	1 litre

Après avoir été longtemps appréciée pour ses vertus médicinales, la cannelle n'est plus guère qu'un objet de gourmandise dont on ne saurait se passer dans une bonne cuisine ou une bonne pâtisserie.

Aussi, comme le poète, peut-on c h a n t e r ses louanges :

> « Versez les senteurs pénétrantes
> du jasmein et du muscadier
> couvrez moi de fleurs odorantes
> du santal et du cannelier. »

la muscade

« Vous aimez la Muscade et savez en quels lieux
on cultive, on recueille un fruit si précieux »

ainsi s'exprime Berchoux dans son petit chef-d'œuvre « La
Gastronomie ». Mais si tout le monde en apprécie le délicieux
arôme, son origine et son histoire moins connues, justifient
une étude complète, et sous tous les rapports, de la petite
noix de muscade.

CARACTÉRISTIQUES

Cette noix de muscade, c'est l'amande du fruit du
muscadier aromatique le « myristica fragrans » des botanistes
qui donne la muscade ronde des Moluques, de Banda notamment.

Le muscadier aromatique est un bel arbre touffu,
toujours vert rappelant par son port le poirier ; ses feuilles
lancéolées sont persistantes et luisantes.

L'arbre est dioïque, certains pieds ne portant que
des fleurs mâles, d'autres que des fleurs femelles, les unes
et les autres groupées en grappes rameuses.

Elles donnent un fruit ressemblant par la grosseur
et la couleur jaune pâle à un abricot. Arrivé à maturité, ce
fruit s'ouvre en deux valves pour libérer une petite graine,
un noyau plus exactement, très dur, de couleur rouge vif
ou brun : la noix de muscade.

Cette graine est elle-même recouverte d'une enveloppe charnue : l'arille dont la couleur orange tranche sur
le brun de la graine. Cette arille, particulièrement riche en
essence aromatique, est vendue dans le commerce sous le
nom de « macis » ou de « fleur de muscade ». Pour l'obtenir,
on sépare le macis de la graine, on le trempe dans l'eau
salée pour le conserver, puis on le fait sécher. Il prend alors
l'aspect d'une substance mucilagineuse épaisse, douée d'une
odeur pénétrante et d'une saveur âcre très aromatique.

Sous le macis, se trouve un tégument ligneux
qu'il faut briser pour en extraire l'amande, c'est-à-dire la noix
de Muscade.

Celle-ci, une fois dépouillée de ses enveloppes, se présente comme une aveline ou une petite noix, de forme ovoïde de couleur brunâtre, luisante, ridée et sillonnée en tous sens. Lorsqu'elle est sèche, cette amande devient grisâtre, se rétrécit et ballote dans la coque ; si on la coupe, on voit son albumen qui est veiné et marbré. On peut la couper au couteau mais elle est plus souvent rapée.

Sa saveur est âcre, brûlante ; son odeur est très aromatique grâce à l'huile essentielle qu'elle contient

Il existe un muscadier sauvage à la taille plus haute et aux feuilles plus grandes. Ses fruits sont plus allongés, l'amande qu'ils contiennent est unie, marbrée et moins aromatique que la muscade ronde.

Par compression, on extrait de la muscade et du macis une matière grasse : le beurre ou le baume de muscade. C'est une substance ayant la consistance du suif : son odeur et sa saveur rappellent celles de la noix de muscade.

Bien que le nom de muscade soit dérivé du persan « muchk » le muscadier est originaire des îles Moluques, de Banda et des Célèbes, d'Amboine notamment où il croit à l'état sauvage.

Après les Portugais qui occupèrent les premiers ces îles, les Hollandais qui en devinrent maîtres gardèrent jalousement ces parcs à Muscade dont la culture s'avère délicate et difficile.

Il faut, en effet, au muscadier des terres chaudes, humides et riches en humus. On le multiplie par graines semées en pépinières.

Lorsque les premières fleurs apparaissent à l'âge de 7/8 ans, on supprime un certain nombre de plants pour ne garder qu'un arbre mâle suffisant pour polliniser 20 pieds femelles.

Malgré les Hollandais qui détruisirent tous les muscadiers sauf à Banda, la culture s'en répandit peu à peu en Malaisie, à Bourbon et à l'île de France, et de là aux Antilles et à Madagascar.

HISTOIRE

Inconnue des Anciens, la noix de muscade fut utilisée, depuis toujours pourrait-on dire, dans les pays voisins de ses lieux d'origine, notamment aux Indes où son usage a toujours été considérable pour aromatiser les mets et faciliter les digestions.

Elle était même connue des Egyptiens ; des fragments de noix ont été trouvés dans les tombeaux des Pharaons.

Les Arabes l'importèrent en Europe. C o n n u e d'abord sous le nom de « nux indica », c'est à Byzance qu'il en est fait mention pour la première fois par Aetius d'Amide, médecin du 5ᵉ siècle, dans une préparation, le « suffumis gum moschatum » dont le nom dérivé du grec moskos avait fini par donner muschatus en bas latin.

A Rome, Plaute fait état du « macis » sans que l'on puisse certifier qu'il s'agissait de la noix de muscade. Chez les Grecs, Théophraste désigne un aromate des Indes sous le nom de « comacum » sans donner davantage de précisions.

C'est un poème écrit, vers 1190 par Pethus d'Aebulo, qui nous donne des renseignements sur l'emploi de la muscade à Rome, à l'occasion de l'entrée de l'empereur Henri VI : où les rues de la ville étaient parfumées d'aromates parmi lesquels elle figurait sous le nom de « myristica ».

Mais les médecins arabes les premiers nous en firent connaître les usages médicinaux, notamment Avicenne qui la désigne sous le nom de « jansiban » : la noix de Banda, en Arabe.

Au Moyen-Age, l'école de Salerne, dans un vers resté célèbre, la cite comme salutaire si elle est prise à petite dose, et comme dangereuse, presque un poison mortel si la dose en est trop forte.

« Unica nux prodest, nocet altera, tertia necat »
Une noix est salutaire, la seconde nuit, la troisième tue.

Et un des maîtres salernitaires, Platéarius précise les mérites de la noix de muscade :

> **« à ceux qui relèvent de maladie, donnez le vin, en coi elle seront cuites avec mastic, les noix muscades quand l'en les flaire confortent le cerfel et les espetitz »**

En tous cas, elle était rare et fort chère : une livre de macis valait alors trois moutons et la moitié d'une vache. Les comptes du testament de Jehanne d'Evreux, reine de France, qui possédait toujours dans son coffre à épices plusieurs quarterons de « massis », nous apprennent qu'une livre de Muscade valait 3 à 4 francs de l'époque.

A la Renaissance, elle est aux dires de Fernel un puissant stimulant de l'esprit et des sens, particulièrement chère aux femmes et les matrones vénitiennes en font un large emploi pour faciliter les accouchements.

Les apothicaires s'en emparèrent si bien qu'au 18ᵉ siècle la Muscade entrait dans 24 préparations du codex de 1758, dont l'Elixir de Fioravanti, l'Elixir de Garus. Ne voulant pas être en reste, les cuisiniers et les pâtissiers surent utiliser son délicieux parfum et Geoffroy nous dit qu'on la servait confite comme des confitures dans les festins et aux desserts et qu'on en mangeait en buvant du thé.

Ils en mirent tellement que Boileau, dans le Repas Ridicule faisait dire à l'Amphitryon :

« Aimez-vous la muscade, on en a mis partout ».

Mais le record est tenu par Paullini, qui lui consacra un volume de 876 pages tout juste suffisant pour énumérer toutes les vertus de cette panacée bonne à tous « bien portants, malades, vivants ou morts ».

Cependant, les Hollandais, désireux d'en conserver le monopole, n'hésitaient pas à détruire les arbres producteurs pour ne conserver que les « parcs à muscade de Banda ».

Le plus curieux de cette petite histoire de la muscade c'est que, née à Banda, elle y est toujours cultivée en quasi exclusivité, fait assez rare pour être souligné.

THÉRAPEUTIQUE

C'est à Cartheuser, au 18°, que l'on doit la connaissance des propriétés pharmacologiques de la Muscade par la découverte qu'il fit de l'huile essentielle de la muscade.

Il en avait différencié deux principes : l'un épais et onctueux : le beurre de muscade — l'autre subtil, odorant et éthéré : l'huile essentielle — tous les deux contenus à la fois dans l'arille et dans la noix. Les analyses modernes, surtout les travaux de Cadeac et Meunier ont montré que l'amande contient 3 à 5 % d'une huile volatile composée d'acide myristicol, d'eugenol, de pinene... et que le beurre de muscade est composé de corps gras divers comprenant myristicène, oléine, butyrine, stéarine. L'essence douée d'une odeur agréable et d'une saveur aromatique prise à fortes doses, est douée de propriétés narcotiques, voire stupéfiantes susceptibles d'occasionner de l'ivresse et du délire, ce dont les médecins d'autrefois ne semblent pas s'être préoccupés, eux qui l'employèrent « pour fortifier le cerveau et les parties nobles ».

Mais la muscade possède d'autres propriétés utilisées en médecine :

— carminative
— digestive
— stimulante et diaphorétique.

D'où son emploi dans les digestions difficiles des féculents et des viandes grasses, dans les flatulences, les diarhées chroniques, les asthénies et même la lithiase biliaire.

On la prend soit :
à raison de 2 à 3 gouttes d'essence sur un morceau de sucre ou en solution alcoolique.

soit, encore, en infusion préconisée par Leclerc à raison de 25 gouttes d'huile essentielle et de 40 g. de sucre en poudre, à raison de 1/2 cuillerée à café dans une tasse d'eau chaude.

Quant au beurre, il s'emploie en usage externe, en liniment contre les douleurs rhumatismales et névralgies dentaires et sous forme de frictions.

Il entre d'ailleurs dans le liniment de Rosen, bien que Bontius ait signalé des patients restés immobiles et « comme muets pendant deux jours, comme s'ils eussent été attaqués du carus ».

GASTRONOMIE

La muscade est encore plus employée en gastronomie où elle est considérée, à juste titre, comme épice noble que ce soit sous forme d'arille, de noix ou de beurre; elle jouit d'une excellente réputation aussi bien dans les pays chauds que dans les pays tempérés.

Les Hindous s'en servent comme masticatoire pour provoquer la salivation mais ses propriétés stimulantes et diaphorétiques jointes à sa saveur agréable en font surtout en Europe, un condiment aromatique polyvalent utilisé à la fois en cuisine, en pâtisserie ou confiserie et en liquoristerie.

En cuisine, on peut la préparer en saumure avec du sel et du vinaigre, mais elle exige qu'avant l'usage on la fasse cuire dans de l'eau sucrée ; elle permet aux estomacs paresseux ou déficients de mieux digérer les viandes lourdes ou grasses comme les côtelettes de mouton et les gigots ; elle communique aux sauces blanches particulièrement fades, à certains râgouts et aux blanquettes une saveur fine et parfumée ; elle est presque l'accompagnement obligatoire de certains légumes de digestion difficile : épinards, choux-fleurs et féculents.

Le plus souvent, on rape une noix de muscade dans le mets que l'on désire parfumer : compote, crème ou simple purée de pommes de terre.

En pâtisserie, confite au sucre elle constitue un dessert très agréable ; mais elle est surtout appréciée pour son arôme subtil, qui s'en dégage d'autant mieux qu'elle est rapée, dans les confitures, les crèmes et diverses pâtisseries.

Si l'on n'en met plus partout, comme au temps de Boileau, la muscade flatte toujours agréablement le palais des gourmands, petits et grands.

En liquoristerie, elle entre avec d'autres épices, dans la composition des plus fines liqueurs : la liqueur de Satrapase, le parfait amour, l'eau des Barbades, dans divers ratafias et dans l'élixir de la Grande Chartreuse.

Quant au beurre de muscade, il constitue lui aussi un excellent condiment que l'on peut facilement obtenir de la manière suivante : concasser des noix de muscade, les torréfier, ajouter du beurre ordinaire et faire chauffer dans une casserole ; mettre le tout dans un sachet et presser fortement.

Le beurre qui en sort est alors recueilli et peut servir d'assaisonnement pendant longtemps au fur et à mesure des besoins de la cuisine.

Il est employé dans certains mets italiens ainsi qu'en Angleterre et en Hollande.

le gingembre

CARACTÉRISTIQUES

Le Gingembre, de la famille des zingiberacées, voisine, au point de vue botanique, des orchidées, est une épice originaire des Indes.

Le gingembre qui se présente dans le commerce sous forme de tubercules de la grosseur d'un pouce, irréguliers avec des nodosités et des ramifications charnues très aromatiques n'est autre que le rhizome d'une plante herbacée, à port de roseau.

De ce rhizome naissent deux sortes de tiges ; les unes hautes de 1,50 m. environ portant des feuilles linéaires lancéolées sont ordinairement stériles ; les rameaux fertiles, eux, n'ont pas de feuilles et dépassent à peine 20 cm. Ils portent des bractées ovales d'un vert très pâle à l'aisselle desquelles se montrent des fleurs jaunes verdâtres. Le fruit est une petite capsule donnant des graines noirâtres, d'odeur agréable.

La patrie d'origine du gingembre est l'Inde Orientale et la Malaisie ; il doit son nom aux sanscrits « sringavera » dont dérive le nom latin de ZINGIBER.

Cultivé et naturalisé en Indo-Chine, à Java, à la Jamaïque et aux Antilles, le Gingembre affectionne les terres basses, fertiles et riches en humus.

Le gingembre se reproduit à l'aide de tronçons de rhizomes munis de bourgeons, que l'on plante en ligne, espacés de 50 cm et que l'on recouvre de fumier ou de feuilles.

Planté en mars avril, les fleurs apparaissent en septembre et lorsque les tiges sont fanées on procède à la récolte des rhizomes.

Ceux-ci, désignés sous le nom de « mains » doivent être arrachés avec soin et sont d'autant plus appréciés que leurs ramifications — les doigts — sont bien développées.

On distingue deux gingembres : le gris, en provenance des Indes qui est le rhizome encore revêtu de son enveloppe extérieure — long de 3 à 5 cm il possède une forte odeur aromatique camphrée et une saveur piquante et poivrée ; et le gingembre blanc, simple rhizome dépouillé de sa peau. En provenance de la Jamaïque le gingembre blanc est plus long et plus grêle que son congénère indien, et aussi moins aromatique mais de saveur plus brûlante.

Vendus frais sur les marchés des lieux de production les gingembres destinés à l'Europe sont triés, puis séchés après avoir été lavés et épluchés, surtout à la Jamaïque.

Le gingembre est une épice utilisée depuis les temps les plus reculés en Chine et aux Indes où ses propriétés médicinales étaient très appréciées, comme condiment et comme drogue médicinale.

Pour Dioscoride, c'était le dziggiber propre pour relâcher le ventre, la grande préoccupation des Anciens. Pline, bien qu'ignorant son origine exacte et le croyant originaire du pays des Troglodytes, s'efforce de le décrire vaguement comme « la racine blanche d'une petite herbe ».

Importé à Rome par voie maritime, de la Mer Rouge, Pline en précise le prix, soit 6 dinarii la livre et se plaint qu'une plante aussi délicieuse soit déjà victime du fisc et des impôts romains, lors de son transbordement à Alexandrie.

Au Moyen-Age, le Gingembre était très prisé par les apothicaires comme tonique et fébrifuge, antiseptique et antiscorbutique. Ste HILDEGARDE, toujours à l'avant garde du progrès, en fait la base de nombreuses préparations, notamment des collyres ophtalmiques capables de guérir même une double cataracte et recommande son emploi comme préservatif de la peste, mais elle conseille aux hommes forts et obèses de s'en abstenir, sinon, disait-elle, ils deviendraient inconscients et lascifs. Dans l'hystérie, l'emploi était simple : il suffisait d'en fumer des rapures dans un roseau.

Les Maîtres Salernitains, qui lui consacrent 14 vers le considèrent comme un remède bon pour toutes sortes de maladies.

> « au froid de l'estomac, des reins et du poumon
> le gingembre brûlant s'oppose avec raison
> Eteint la soif, ranime, excite le cerveau
> en la jeunesse éveille amour jeune et nouveau »

précepte que ne devaient pas manquer de suivre les éscholiers de la célèbre école.

Marco Polo, après l'avoir vu en Chine, est le premier à faire la description de la culture, mais c'est un missionnaire Monte Corvino qui eut l'honneur de faire la première description de la plante « en Chine, il y croît poivre et gingembre, appelé aussi coillonin et autres épices à grand foison ».

A la Renaissance, marins vénitiens et génois l'utilisèrent pour ses vertus stomachiques contre le scorbut et si les médecins du 17° l'utilisèrent comme préservatif de la peste ou fébrifuge, ainsi que le proclame Dufour de la Crespelière

**« cette incomparable racine
est tant prise devant l'accez
fait à la fièvre le procéz »**

c'est surtout comme condiment alimentaire que le gingembre fut utilisé.

On en distinguait alors trois espèces vendues par les espiciers-apothicaires :

Le baladie, le colombino et le michino ou « gingembre de mesche », ce dernier « plus mol à transchier au coustel ». Le second, plus apprécié et plus cher, entrait dans la fabrication des « gingembras » spécialité vénitienne propre à fortifier l'estomac.

Connu sous le nom de « zinziber », il servait à confectionner les « gengibretum », c'est-à-dire du gingembre conservé avec du sucre candi ; c'était une friandise très recherchée au Moyen-Age. Il y avait également le gingembre confit avec du pyonard, c'est-à-dire du pignolat confectionné avec des amandes douces, du blanc d'œuf, du sucre et du gingembre. L'énigmatique Nostradamus donne même la recette de ce pignolat « excellent et moult utile », véritable ancêtre de notre nougat.

Toutes ces variétés entraient dans les nombreuses préparations culinaires de l'époque : « la jance de gingembre, la confiture, l'arbaleste de poissons, la crétonnée, de tétine de vache la potée, la galimafrée, la dodine au vert jus ».

Il remplaçait alors le poivre pour corser les mets dont nos pères faisaient leurs délices. Les colporteurs du 18° le vendaient sous le nom d'espice blanche pour le distinguer du noir ou du jaune qui était celui d'Amérique car les Espagnols en arrivant aux Antilles se prirent de passion pour cette épicerie et en mangeaient le matin pour aiguiser leur appétit. L'Ancien Monde adopta le goût du Nouveau, on en mêla dans tous les mets. Lorsque le poivre devint moins cher, le gingembre perdit de sa vogue et fut relégué dans les locaux des apothicaires.

THÉRAPEUTIQUE

Les médecins du 18° n'eurent garde de négliger une drogue aussi précieuse, entrée dans l'inévitable Thériaque et le Diascordium. Lémery écrivait dans son Dictionnaire :

« c'est le petit roseau à fleur de massue propre pour forti-fier les parties vitales, pour le scorbut, pour réchauffer les vieillards, aider la digestion et exciter la semence » mais en thérapeutique moderne, le gingembre est rarement employé, malgré ses propriétés apéritives, stomachiques toniques, antiscorbutiques et fébrifuges qui en autoriseraient l'utilisation dans l'inappétence, les digestions pénibles, les flatulences.

Il est le plus souvent prescrit dans les dyspepsies nerveuses sous forme de teinture, selon la formule suivante préconisée par Leclerc :

teinture gingembre	10 g
absinthe	5 g

à raison de 10 à 20 gouttes avant les repas, ou bien sous forme d'essence : 2 à 3 gouttes sur un morceau de sucre A l'extérieur, il peut être utilisé contre les douleurs rhumatismales, en frictions à l'aide d'un liniment composé de :

teinture de gingembre	40 g
essence de marjolaine	2 g
alcoolat de romarin	60 g

Enfin, dans les angines accompagnées d'oedème en gargarismes à raison d'une cuillerée à café de teinture de gingembre pour un verre d'eau bouillie, et dans les douleurs d'oreille, sous forme de collyres de même composition.

GASTRONOMIE

Délaissé, dédaigné par les médecins, le gingembre prend une éclatante revanche avec les gastronomes. Après les préparations de la Renaissance, délectables peut être, mais bien confuses, le Gingembre fait aujourd'hui les délices des gourmets de tous pays.

En Chine, on en fait des confitures conservées dans les « gingers-jars » où le gingembre est mélangé à des tranches d'oranges ou de melons, et du gingembre confit, de couleur jaune rosée, obtenu en plongeant les rhizomes dans un sirop épais.

Aujourd'hui, la confiture de gingembre est le dessert traditionnel des restaurants chinois et orientaux.

Au Sénégal, les ouoloffs l'ajoutent au couscous et les femmes en font des ceintures pour rendre la vigueur à leurs époux affaiblis par l'âge.

Mais c'est plus particulièrement en Angleterre, en Allemagne, en Hollande que le gingembre est utilisé en grandes quantités sous forme de confitures, ou pour aroma-tiser les gâteaux et les puddings.

Il sert à faire le ginger-wine, ou ginger-beer, boisson fermentée obtenue en faisant bouillir du gingembre dans l'eau additionnée de sucre et de jus de citron.

Les Anglais en sont très amateurs parce que cette bière n'est pas anaphrodisiaque comme la bière maltée.

En pâtisserie, il est utilisé pour confectionner les ginger-bread nuts (noix en pain de gingembre) et le ginger-bread composé de farine, cassonade, beurre, épices, gingembre en poudre et alun dont on fait des petits pains.

En France, on l'emploie frais en salade et en hors-d'œuvre en l'ajoutant à la sauce que l'on veut condimenter et on en fait des conserves au vinaigre comme des pickles.

Enfin, on en fait aussi des confitures, additionné de rhum et de citron pour accompagner les entremets froids les puddings et les glaces aux fruits dont il combat les effets pernicieux quelquefois. Le gingembre simplement confit, givré de sucre, est une délicieuse confiserie, appréciée de tous quand il fond dans la bouche et dégage son parfum exotique.

Le gingembre est plus tonique que le poivre et la chaleur qu'il produit dans le corps est de plus longue durée La diététique peut largement utiliser ses propriétés stimulantes et aphrodisiaques chez le vieillard mais il doit être proscrit de la table des enfants et des personnes à tempérament trop sanguin.

Le Dr. Leclerc lui trouve encore un autre emploi qui ne relève ni de la médecine ni de la gastronomie : « Le gingembre, dit-il, n'est guère connu que des maquignons qui utilisent sa poudre comme topique rectal pour forcer les chevaux à relever la queue, signe de vigueur toujours apprécié des fervents de l'hippisme ».

le curcuma

CARACTÉRISTIQUES

Comme le gingembre qu'il rappelle étrangement, par ses feuilles et ses fleurs, le curcuma appartient à la famille des zingibéracées.

C'est une herbe de 2 mètres de haut, aux feuilles supérieures oblongues et aux inférieures sans limbe.

Une tige florale sort du centre des feuilles portant une inflorescence à bractées colorées d'un blanc jaunâtre, couleur jaune qui lui vaut le nom de « safran des Indes » tandis qu'aux Antilles il est plus connu sous le nom de safran-cooli.

Le rhizome du curcuma est tubéreux, arrondi ou ovoïde, coudé, noueux et garni aux nœuds de ramifications charnues ; lorsqu'il est frais, sa couleur est gris blanchâtre et lorsqu'il est sec le curcuma reste à peu près de la même teinte à l'extérieur mais à l'intérieur il est d'un beau jaune d'or ou orange vif. Cette coloration est due à une substance spéciale la curcumine — la turmeric des indiens — avec laquelle on prépare, aux Indes, des teintures pour étoffes et dans les îles polynésiennes pour les cheveux et le corps.

Originaire de la Malaisie et de l'Inde, le curcuma y est toujours cultivé ainsi qu'en Indo-Chine, aux Antilles et en Amérique Centrale.

Son nom, d'origine irano-indienne, vient du sanscrit « karkouma », qui a donné kurkum en persan et kourkoum en arabe, termes qui s'appliquent également au safran.

La culture et la récolte du curcuma, identiques à celles du gingembre, n'offrent rien de particulier.

Au point de vue botanique, on distingue le curcuma rond qui est le tubercule principal, gros et arrondi comme un œuf de pigeon et le curcuma long constitué par les ramifications latérales de ce même tubercule. Au point de vue commercial, il y a le curcuma du Bengale, celui de Java et celui de Sumatra ; le premier étant le plus estimé.

Le rond est jaune sale à l'extérieur, tandis que le long est gris, un peu verdâtre et d'un rouge brun fortement prononcé à l'extérieur.

Les deux possèdent une odeur aromatique, pénétrante, rappelant celle du gingembre, une saveur amère poivrée et lorsqu'on les mâche la salive prend une teinte jaune particulièrement intense.

HISTOIRE

Comme le gingembre, le curcuma est employé depuis toujours par les médecins en Chine et aux Indes dans les ophtalmies purulentes, les dermatoses prurigineuses. Bouilli avec du lait, c'est parait-il un excellent remède contre le rhume.

Connu des Grecs, Dioscoride le décrit comme étant le cyperus des Indes — kuperos ex india — possédant les mêmes propriétés que le safran.

Mais ce n'est guère qu'au Moyen-Age que les Arabes l'ont fait connaître en Europe occidentale. On le trouve dans un inventaire d'un droguiste de Francfort de 1450 et dans ceux d'un « espicier du Yorshire sous le nom de thumeracke ». Au 16°, Garcia de Orta et Frangoso le décrivent toujours sous le nom de « crocus indicus » et, d'après la fameuse théorie des signatures les apothicaires de l'époque en faisaient une panacée contre la jaunisse et maladies du foie.

Pour Lemery, c'était le « souchet des Indes ou terra merita » parce que la substance de cette racine semble une terre endurcie et parce qu'elle a de grandes vertus.

Pour lui, et par la suite pour tous les médecins du 18° la racine de curcuma est apéritive, « propre poyr lever les obstructions du foye, de la ratte, pour la jaunisse et pour la pierre ».

Bontius qui avait été aux Indes écrit que c'est aux Indes le spécifique de la jaunisse car « l'humeur vicieuse qui en est la cause est expulsée par la sueur et l'urine ».

Si le curcuma était, en somme, peu utilisé en médecine, il l'était davantage par de nombreux artisans, en raison de la matière colorante qu'il contient, — notamment par les teinturiers, les gantiers, les fondeurs pour donner à des vils métaux et à l'argent la couleur de l'or ; par les boutonniers pour frotter le bois et l'amener à la teinte de l'or ; et surtout par les fraudeurs de fausse monnaie — les ricochons — qui ne s'en privaient pas.

THÉRAPEUTIQUE

Le curcuma est excitant des fonctions digestives, un cholagogue et un cholérétique stimulant énergique du foie ; il est à la fois diurétique et lithontriptique, pouvant être utilisé dans les diarrhées aqueuses et les troubles urinaires.

Il doit ses propriétés à son huile essentielle et à son principe colorant, la curcumine, mais en réalité celles-ci sont peu utilisées et, de préférence, on emploie le Curcuma xanthoriza sous forme d'infusion à 20 pour mille et de poudre en cachets 0 à 30 g par 24 heures.

Il entre, associé à l'orthosiphon dans plusieurs spécialités pharmaceutiques et sert aussi à colorer des onguents et des huiles médicamenteuses.

Son extrait, appliqué sur les ulcères et les plaies de vilaine nature, peut les modifier et les améliorer. Emploi bien modeste et presque délaissé et si les pharmaciens le font entrer dans quelques-unes de leurs préparations, c'est plutôt comme matière colorante que comme élément actif.

GASTRONOMIE

Son emploi en gastronomie serait aussi modeste s'il ne servait de base au célèbre « Curry », associé à d'autres épices où son odeur aromatique, son goût poivré et sa couleur jaune lui ont conféré une place indispensable.

Il existe plusieurs formules dont celle-ci :

curcuma	15 g
piment jaune	25 g
coriandre	60 g
cardamome	30 g

Seul, il peut servir à accompagner le riz auquel il communique son odeur aromatique, sa saveur épicée et sa couleur jaune. Aux Antilles il sert à préparer un mets particulièrement apprécié des créoles ou des colons : le colombo, véritable pot-pourri de toutes les épices et encore plus complet que le « curry ».

curcuma	250 g
coriandre	250 g
poivre noir	150 g
cannelle	15 g
cumin	125 g
piment	75 g
cardamome	30 g
poivre Cayenne	30 g
gingembre	30 g

C'est à ses propriétés tinctoriales que le curcuma a dû, pendant longtemps, toute sa valeur commerciale.

Le « jaune de Curcuma » a été très employé pour teindre la laine et la soie. Les alcalis exercent sur cette teinture une action caractéristique en faisant passer sa couleur du jaune au rouge brun ; aussi a-t-il servi comme réactif dans les laboratoires pour rechercher la nature des liquides.

L'extrait de curcuma, uni au bleu indigo donne de belles couleurs vertes mais, aujourd'hui, les couleurs synthétiques ont remplacé le jaune de Curcuma dans la plupart des cas.

le safran

L'Orient n'a pas le privilège exclusif des Epices et voici, avec le safran, une épice de chez nous. Bien qu'originaire de l'Orient, le safran est, en effet, cultivé en Europe depuis si l o n g t e m p s qu'on peut le considérer comme indigène.

CARACTÉRISTIQUES

Contrairement à ce que l'on pourrait supposer, il n'a rien à voir avec le curcuma qui porte souvent le nom de safran des Indes.

Pas plus qu'avec le carthame appelé safran batard de la famille des Composées.

Le safran proprement dit — le crocus sativus — appartient lui, à la famille des Iricadées. On le trouve à l'état sauvage en Grèce et en Italie mais son nom indique plus une origine orientale, la Perse et le Cachemire, et en Phrygie le « tmolus » était célèbre par son safran.

Le mot de safran vient en effet de l'arabe « sahafaran » qui dérive de assfar : jaune et de zafran en persan.

Quant au nom de genre, crocus, il est issu du grec krokos, c'est-à-dire flocon (filament), par allusion aux stigmates de la plante. Le terme de krokos est lié à une des plus belles légendes de la mythologie grecque. Crocos, ami de Mercure, jouant au disque avec lui, fut atteint mortellement au front par un coup malheureux ; et du sol baigné par son sang poussa une belle plante jaune et rouge.

D'Asie Mineure, le safran fut apporté par les Arabes en Espagne vers 960 et en France par les Phocéens ; puis, par la suite, les Croisés l'importèrent dans toute l'Europe. Mais ce n'est qu'à la fin du 14ᵉ qu'un gentilhomme français, Porchaires, en aurait apporté quelques bulbes en Avignon et que sa culture fut entreprise dans le Comtat venaissin, puis dans la Drôme grâce à O. de Serres d'où elle se répandit dans l'Angoumois et le Gâtinais qui restent, aujourd'hui encore avec le Vaucluse, les centres principaux de production du Safran, cultivé par de nombreuses « safranières ».

Le safran est une plante vivace dont le bulbe est globuleux, gros comme un pouce et recouvert d'un réseau de fibres formant comme une tunique d'un brun rougeâtre.

Fait assez curieux, les feuilles apparaissent après la floraison, enserrées dans une gaine à raison de 6 à 10 par bulbe. Elles sont filiformes, d'abord vert pâle avant de jaunir et de se dessécher. A raison d'une ou deux par bulbe, les fleurs d'un violet clair ou foncé s'épanouissent en septembre ; elles sont surmontées de trois styles et d'autant de stigmates ou flèches, comme les appellent les cultivateurs, toutes de couleur jaune safran caractéristique.

Le bulbe ne fleurit qu'une fois par an. Il est remplacé par d'autres caïeux aptes à fleurir après une période de deux ans.

Ce sont ces stigmates et ces styles qui, desséchés, constituent le « safran ». Ils sont doués d'une odeur aromatique bien particulière, l'odeur safranée et contiennent, avec un glucoside, la crocine, une matière colorante, de couleur jaune brun. Malheureusement cette couleur est instable, et l'on ne peut l'employer en teinturerie. On y a plutôt recours pour donner une couleur trompeuse à certaines liqueurs et pour jaunir les beurres trop blancs de façon à imiter le beurre frais.

Le rendement du safran est relativement faible et nécessite une main-d'œuvre abondante. Après avoir coupé les fleurs fraîches, on en retire les styles et les stigmates qui sont déséchés au soleil ou à l'étuve. Ils perdent par la dessication les 4/5 de leur poids, de sorte que le produit net d'un hectare en safran sec, pendant les deux ans de rapport, ne dépasse pas 50 kilogrammes.

Il faut, en moyenne, 100.000 fleurs pour obtenir 5 kilogrammes de stigmates frais qui donneront, une fois desséchés, un kilogramme de safran sec.

On comprend, dans ces conditions, pourquoi le prix du safran est toujours très élevé.

Aussi, pour cette raison, le safran est-il sujet aux falsifications. Tantôt on le mouille avec de l'eau ou avec de l'huile pour augmenter son poids, tantôt on le mêle au « safranum », c'est-à-dire des fleurs de carthame ou même des simples pétales de souci.

HISTOIRE

Une telle plante, curieuse, jolie et aromatique, ne pouvait qu'attirer l'attention des Anciens ; aussi son histoire est-elle longue et pleine d'intérêt.

Le safran était connu des Egyptiens : le papyrus Ebers le mentionne comme recouvrant les jardins de Louqsor de ses boutons d'or.

Il l'était également des Hébreux sous le nom de « carcom » où avec le lys de Saron et le nard il faisait la beauté des plaines d'Israël et embaumait le jardin de Salomon.

Tous les Anciens faisaient grand cas du safran qui donnait lieu a un grand commerce dont les Phéniciens possédaient le monopole. Chez les Grecs, il donnait naissance à de nombreuses légendes dont celle de la vierge Smilax, qui vouait un amour si fort à Crocos qu'elle fut métamorphosée en safran et Homère mentionne qu'il servit de lit à Jupiter, avec le lotus et l'hyacinthe.

Les poètes latins le chantèrent, notamment Lucrèce et Martial. Le safran était répandu sous les pas des Empereurs ainsi que sur la couche des jeunes mariés et, avec ses fleurs, on en tressait des couronnes pour échapper à l'ivresse.

Pline nous précise que le meilleur safran venait d'Ilicie et qu'il devait pour être bon picoter le visage et les yeux quand on portait les mains à la figure. Les médecins l'utilisèrent et, selon Dioscoride, il servait à provoquer l'urine, calmer la toux et aussi pour exciter à l'amour, tout en étant soporifique.

Tout aussi pratiques, les gastronomes latins le faisaient infuser dans du vin pour en obtenir une liqueur — le crocomagne — qui servait à parfumer les théâtres et ses stigmates floraux étaient utilisés en cuisine comme condiment, notamment dans les sauces à gibier et à poisson ; ils le conservaient dans des boîtes de corne et le regardaient comme aphrodisiaque et propre à dissiper les fumées du vin. Chez les Arabes, tous les médecins semblent en avoir fait usage pour ses vertus emménagogues et utérines.

Sérapion rapporte qu'une femme en mal d'enfant accoucha aussitôt après en avoir pris deux drachmes. Avicenne le considérait capable de rappeler à la vie des phtisiques arrivés au dernier degré de la cachexie.

Pour l'Ecole de Salerne,

**« le safran réconforte, il excite à la joie
raffermit tout viscère et répare le foye**

et si, dans la bouche il répandait une odeur agréable

« ...de l'amour bouillant il refroidit l'ardeur »

A la Renaissance, on employait le safran contre les épidémies de peste ainsi que nous le rapporte François du Port dans la Guérison de la Peste :

« **pilule tu prendras d'aloe, de myrrhe fin
et de jaune saffran seulement si tu penses
que l'air infesté soit seule cause de l'offense.** »

A cette époque, la vogue du Safran donnait lieu à de nombreuses expressions restées dans le langage populaire.

Il devint l'emblème de l'infortune conjugale à cause de la couleur ictérique que prend souvent le visage des maris trompés. On appelait « safrette » une petite gourmande et on disait d'un homme, mal en point dans ses affaires, qu'il avait été au safran, supposant que le chagrin lui donnait la jaunisse. Les méchants ne se privaient pas de poudrer de safran ceux qui avaient fait banqueroute, d'où le nom de « safranier » donné par Rabelais à un homme ruiné, au cousturier Groing et à frère Jean, tous deux couverts de dettes.

Le safran était si employé qu'à Venise il y avait un Office du safran et à Vérone un droit d'octroi de 10.000 ducats par kg.

Il jouissait alors de maintes vertus, à la fois toniques et fébrifuges : il était réputé pour guérir la tuberculose, les maux de gorge et les abcès du foie.

Mais, il n'était pas dépourvu de dangers. Il était considéré comme soporifique, et pouvait engendrer des céphalées et même du délire hilarant.

Malgré cela, Lemery lui conservait toute son estime et l'appelait le « roi des végétaux » et « l'ami du poumon ».

THÉRAPEUTIQUE

Le 17e et le 18e siècles, reprenant les Anciens, accordaient au safran maintes vertus, aussi entrait-il dans la composition de nombreuses préparations: l'elixir de garus, les pilules de cynoglosse, le laudanum de Sydenham, l'élixir de longue vie et plus tard, l'elixir de Chaussier.

Aujourd'hui, le safran est considéré comme antispamodique, eupeptique, stimulant la sécrétion de la salive et des sucs digestifs, exerçant une action salutaire sur la tonicité de l'estomac.

C'est surtout un médicament emménagogue, agissant comme tonique de la contractilité du muscle utérin et sédatif des spasmes du même.

Tous les médecins phytothérapeutes : Roques, Cazin, Desbois de Rochefort, Merat, Delioux... l'ont employé comme un de nos sûrs emménagogues, bien propre à rétablir les règles.

Ce dont la médecine populaire n'a pas manqué de s'emparer pour le traitement des maladies de foie et d'estomac allant jusqu'à l'associer, chez les « poitrinaires » à l'eau rouillée, et, dans les règles douloureuses, les métrorragies à la traditionnelle tisane d'armoise, avec accompagnement de prières conjuratoires à l'effet évidemment radical et probablement plus bénéfique que le safran lui-même.

Mode d'emploi :

C'est surtout à son essence, la crocine, que le safran doit ses propriétés médicales.

On l'utilise, selon le Dr. Leclerc :

— en infusions à 1,50 % à raison de 200 g. par jour,
— en poudre à raison de 0,30 ctrs comme stomachique, et de 0,50 à 2 g. comme emménagogue,
— en teinture à la dose de 1 à 3 g.
— en cachets composés :

poudre de safran	0,25 g
poudre de matricaire	0,30 g

— et encore, en potion, avec la composition suivante :

teinture de safran	5 g
teinture d'anémone pulsatille	3 g
anisette de Bordeaux	30 g
sirop simple Q.S.	100 g

GASTRONOMIE

Depuis longtemps, le safran entre dans la composition des potages, des ragoûts, des pâtisseries et des liqueurs.

Déjà, Henri Estienne, dans « Maison Rustique » disait : « le safran doit être mis dans tous les potages, sauces et viandes quadragésimales : sans safran, nous n'aurions bonne purée, bon pois cassé ni bonne sauce ».

Le safran sert, nous l'avons vu, à colorer le beurre et le fromage.

Il est à l'honneur chez les Espagnols pour aromatiser les gâteaux, la confiture et même le pain et la «paëlla», leur plat national. Chez les Anglais dont la cuisine s'apparente quelquefois à la pharmacie, il figure dans un grand nombre de sauces.

Mais où le safran triomphe et où il est indispensable, c'est dans le curry où, associé au piment, au curcuma, au poivre, au girofle et à la muscade ; plus encore dans la bouillabaisse selon la célèbre recette que nous a laissée le fameux gastronome qu'était le Baron Brisse.

Enfin, il entre dans la fabrication de liqueurs nombreuses dont le Satrapase, le Vespetro, la Grande Chartreuse et une liqueur familiale, composée de :

1 g. de Safran, 10 g. de semences d'anis, 10 g. de fenouil, 2 g. de vanille, 2 g. de graines d'angélique, et 5 g. d'ambrette.

Particulièrement recommandée aux mélancoliques et aux hypocondriaques, cette liqueur est un excellent digestif finissant par rendre joyeux et hilares les plus moroses des compagnons avant de les faire sombrer dans une douce somnolence où ils oublient tous leurs soucis.

le cardamome

Les petites graines, connues dans le commerce sous le nom de Cardamome sont produites par des plantes à rhizomes de la famille des zingibéragées, comme le curcuma, mais dont les fruits, seuls, sont utilisés.

CARACTÉRISTIQUES

On en distingue, au point de vue botanique, deux espèces principales, les elettaria et les amomum qui se différencient l'une de l'autre par leurs inflorescences, simples épis longs et grêles portant peu de fleurs dans les eletteria, et grappes de fruits serrés en une masse courte et globuleuse dans les amomum.

Les fruits des deux espèces sont indistinctement appelés Cardamomes et servent d'épice et de condiment.

L'eletteria cardamomum croît aux Indes à l'état sauvage dans les montagnes de la côte de Malabar — les monts Cardanon —. C'est une plante vivace, à port de roseau, aux tiges feuillues, aux feuilles lancéolées et aux fleurs blanc verdâtre. Arrivées à maturité, les inflorescences se présentent en grappes de fruits piriformes.

La culture de l'eletteria des Indes ne consiste qu'en un entretien des peuplements naturels et la plante, à Ceylan notamment se reproduit surtout par rhizomes.

L'Amomum appartient à la flore indo-chinoise ; la variété principale est l'Amomum Krervanh.

C'est une plante vivant à l'état sauvage au Cambodge et dans le Haut Tonkin, où elle est exploitée par les « Pohls » anciens esclaves libérés du roi. Si la culture se résume à un simple entretien des lieux de production naturels, appelés « jardins de Cardamomes », la récolte du Krervanh est une fête presque religieuse pour les Pohls, qui recueillent les fruits en invoquant les esprits de la forêt, afin de leur assurer une bonne récolte.

Aux Indes comme en Indo-Chine, les fruits sont d'abord lavés et humidifiés avant d'être séchés au soleil et livrés au commerce.

HISTOIRE

L'histoire de ces petites graines est très ancienne.

Leur nom viendrait de l'arabe « hahmama » qui lui-même serait dérivé d'une racine indienne exprimant la saveur chaude et pénétrante des graines.

Quant au nom grec de kardamon, dont dérive le terme botanique, il serait formé des mots « kardamon », c'est-à-dire cresson, et d'amomon : « amome ».

D'autres noms sanscrits sont attribués aux carda-momes ce qui prouverait bien l'ancienneté de leur emploi chez les Hindous qui leur attribuaient de nombreuses vertus. En Chine, ils étaient considérés comme une panacée contre de nombreuses maladies notamment la dysenterie.

En Chaldée, c'était le plus agréable présent que l'on pouvait offrir aux Dieux.

Avant d'être entre les mains des Arabes qui l'importèrent en Europe sous le nom de « cordumeni » les Cardamomes furent plus tard connus des peuples sémitiques et des Egyptiens, puis du monde gréco-latin.

Employé comme condiment le cardamome était surtout apprécié à cause de son odeur si puissante qu'il suffisait qu'une femme enceinte en respirât pour tuer l'enfant qu'elle portait.

Cette odeur forte le faisait apprécier comme parfum par tous, même par des ecclésiastiques qui les mélangeaient avec du musc et en éprouvaient tant de sensualité que St Jérôme fut obligé de mettre un terme à ces pratiques blâmables.

Pour l'Ecole de Salerne, le cardamome était bon « contre sincope et cardiaque passion venans de froide cause ». Très utilisé à la Renaissance, on lui reconnaissait des propriétés diurétiques et stomachiques, mises en relief par Thibault de Lespleigney :

> « uriner faict et casser ierre
> si point en l'ordonnant on erre »

THÉRAPEUTIQUE

Plante bien déchue de son ancienne splendeur et presque ignorée aujourd'hui, le Cardamome n'est cependant pas dénué de propriétés médicinales grâce à son essence composée de limonène, de terpineol et surtout d'eucalyptol aux nombreuses indications comme antiseptique pulmonaire.

Ce n'est cependant pas dans les affections des bronches que le cardamome est utilisé. On s'en sert surtout d'après Leclerc comme carminatif et dans les troubles cardiaques liés à des névropathies dyspeptiques, soit sous forme de teinture à raison de 20 gouttes dans un peu d'eau.

Le même auteur nous fait connaître un autre emploi qui met en valeur la force du parfum des cardamomes, sous forme de dentifrice composé de :

teinture de cardamome	30 g
teinture de benoîte	25 g
teinture de mastic enlarmes	2 g
essence de badiane	x gouttes

GASTRONOMIE

En Gastronomie, le cardamome est également bien négligé et peu employé. d'autant moins que ses formes commerciales (blanchi, décortiqué ou moulu, long ou court) sont souvent falsifiées par mélange avec du poivre ou des graines de sénevé.

C'est cependant un condiment qui peut se prêter aux mêmes usages que le Gingembre sur lequel il présente l'avantage d'être moins irritant.

Aux Indes, il entre dans la composition du curry, pour apprêter les viandes et les poissons.

En Europe, les graines de cardamome servent à parfumer le pain « au gingembre » et les gâteaux, notamment dans les pays scandinaves.

En Allemagne, elles relèvent la chair à saucisses et les lourdes charcuteries. Elles entraient autrefois et probablement encore dans la composition du « gluhender wein », boisson faite de vin chaud assaisonné de cardamome.

En France, le Cardamome est peu employé en cuisine. Il sert à confectionner certains bouquets garnis pour les poissons, et surtout participe, avec la cannelle, le coriandre et l'anis, à communiquer au pain d'épices son arôme et son goût particuliers.

Enfin, il entre dans la préparation de certains apéritifs et du « bitter » dont un poète fervent amateur a jugé bon de versifier la recette :

**« Pour bien tonifier, du genièvre en grains
de la rhubarbe pour libérer ventre et reins
pour faire digérer un peu de gentiane
joindre pour empêcher l'estomac d'éructer
quelques graines d'amome, ajouter quelques zestes de bigarade pour éclairer de célestes rêves
phosphorescents, le crâne et l'exciter ».**

Enfin, citons un emploi moins connu mais combien utile de l'arôme fin et pénétrant du Cardamome, c'est celui qui consiste à en mâcher quelques graines ce qui suffit à masquer et neutraliser l'odeur de l'ail.

Piper Indicum maxi, mum longum.

Piper Indicum minus recurvis siliquis.

le piment

CARACTÉRISTIQUES

A la fois épice, condiment et légume, le piment est une plante herbacée de la famille des solanées dont le fruit est, parmi tous les ingrédients utilisés en cuisine, celui qui se rapproche le plus, par sa saveur brûlante, du poivre.

Il en existe d'innombrables variétés, différentes par la forme, la couleur et la saveur des fruits, mais pouvant toutes être rattachées à deux espèces :
— le capsicum annuum, plante annuelle des régions tempérées ;
— le capsicum frutescens, plante vivace des régions tropicales.

Le premier possède des tiges ligneuses, ramifiées en zig-zag, hautes d'environ 50 cm : ses fleurs blanches ou jaunes rarement rougeâtres, apparaissent, en août, en forme de petites carottes. Ses fruits de 5 à 10 cm présentent des formes et des couleurs très différentes ; ils peuvent être longs ou arrondis, très gros ou de taille minime, jaunâtres, rouge écarlate, violacés ou noirâtres. Lisses et luisants ils sont presque inodores mais leur saveur, plus ou moins marquée, est toujours brûlante. On en distingue plusieurs espèces, plus connues sous le nom de poivrons.

Les plus petits, récoltés à l'état vert, sont employés comme condiments, généralement confits dans du vinaigre. Les plus gros, appelés piment doux d'Espagne sont des fruits légumiers comme des tomates ou des aubergines mangés verts en salade ou cuits à l'huile.

Cultivés dans les jardins potagers plutôt à titre de curiosité pour leurs jolis fruits, ces différentes variétés prennent des noms différents : piment de jardin, poivre d'Inde, corail des jardins, carive...

Le « Capsicum frutescens » lui, est un sous arbrisseau d'environ un mètre, à fruits petits, pointus au sommet, de 2 à 3 cm de long et d'une saveur particulièrement brûlante.

Beaucoup moins diversifié que le piment annuel, le piment vivace est cultivé seulement dans les pays tropicaux et son fruit est connu sous le nom de « piment enragé », de poivre des Caraïbes. Après dessication et broyage, on en tire le « piment ou poivre de Cayenne ».

Les deux espèces sont originaires d'Amérique Centrale et tropicale et leur patrie, suivant de Candolle, s'étendait du Brésil au Pérou où tous les explorateurs les ont trouvées à l'état indigène.

Le mot de genre « capsicum » est dérivé du latin, c'est-à-dire petite boîte par allusion aux boîtes où l'on mettait les manuscrits anciens.

Piment, lui, dérivé également du latin «pigmentum» matière colorante, avait le sens d'épice, d'aromate et s'écrivait pyment ou piument.

Il signifiait alors une boisson stimulante, faite de vin, d'épices et d'aromates.

Dans un roman de chevalerie de Raoul de Cambrai au 12ᵉ, on trouve en effet sous le nom de Piment, une boisson épicée, très aromatique.

« je vos vuel commander
que del piument me servez au disner »

et d'après la Chanson de Roland, les corps des héros morts à Roncevaux « ben sunt lavez de piment et de vin ».

Ce n'est qu'au 17ᵉ que le terme de piment a été pris dans son sens restrictif pour désigner la plante ou plutôt l'épice américaine, à la suite des Espagnols qui les premiers l'appelèrent « pimiento » c'est-à-dire poivre du Brésil.

HISTOIRE

Plante du nouveau monde, le piment, a été ignoré des Grecs, des Romains, des Hébreux et des Chinois, dans la langue desquels il n'existe aucun nom pour désigner le piment.

Le médecin arabe, Ibn-el-Baithar, spécialiste des plantes orientales n'en parle pas, ni Marco Polo dans la relation de son périple asiatique.

Il n'a jamais été rencontré à l'état sauvage en Océanie, mais les premiers conquistadores de l'Amérique le signalèrent comme étant d'un usage courant chez les Indiens. Sous le nom de Chili, il était d'une culture ancienne et constituait le principal assaisonnement des Aztèques et des Incas.

La première mention qui en est faite est une lettre de Pierre Martyr en 1493. Changa, médecin de Colomb le signale l'année suivante comme un condiment habituel des Indiens, sous le nom de « agi » servant à assaisonner les poissons et la viande.

Importé par les Espagnols en 1514, il est cité par Sahagun, par La Vaga et par Piso et Margraff qui, tous, le virent soit au Brésil, soit au Pérou.

C'est à Valérius Cordus que l'on doit la première description du capsicum dont il ne donne pas l'origine. Après lui Fuchs, sous le nom de poivre de Calicut, en donne une figure assez exacte et Tragus, qui en avait vu, dans un jardin où il était cultivé comme curiosité précise que « aux fleurs succèdent des siliques vertes finissant par devenir rouges comme du corail ou des pattes d'écrevisses cuites ».

C'est Clusius, en 1611, qui en nous apprenant que le Piment fut importé de Pernanbouc aux Indes par les Portugais, puis cultivé en Moravie et en Castille, en fait une des premières descriptions complètes. Puis viennent les travaux de Mathiolle et de Dalechamps qui en donne cinq espèces différentes. Enfin, le genre capsicum fut institué par Tournefort et le piment annuel décrit par Linné, pendant que la plante, sous des noms divers, se répandait rapidement dans toute l'Europe, notamment en Espagne ainsi que l'écrit Monardes :

« quand il est hâché en petites piesses et mis à tremper dans du bouillon, il rend les viandes de meilleur goust que le poyvre commun. Pourquoi on le met en toutes les choses auxquelles on use des espiceries qui viennent de Molucques ne différant en rien d'icelles ».

THÉRAPEUTIQUE

Pendant tout le 17ᵉ et le 18ᵉ, le piment fut peu employé pour ses vertus médicinales et les médecins se contentaient de le prescrire, confit au sucre, pour lutter contre les flatulences et les digestions pénibles.

Ils s'en méfiaient, non sans raison, car à fortes doses le piment peut provoquer les inflammations de l'estomac.

Aujourd'hui, bien qu'on lui reconnaisse des propriétés stomachiques, diurétiques et excitantes, il n'est manié qu'avec précaution.

On l'emploie dans l'atonie digestive, les vomissements incoercibles, les rhumatismes, la sciatique. Comme calmant des affections douloureuses, des maux de dents. Les médecins anglais l'ont administré dans des cas de variole et de rougeole mais comme stimulant des organismes affaiblis par ses maladies. On y a même recouru dans des cas de delirium tremens pour obtenir par son extrait un sommeil suivi d'urines et de sueurs abondantes.

C'est surtout à l'extérieur qu'il est employé comme révulsif et rubéfiant, dans lumbagos, névralgies, rhumatismes sous forme de sinapismes.

On l'emploie sous forme de poudre de fruits desséchés, en pilules ou dans du miel à raison de 2 à 3 g. par jour et, aussi, sous forme d'alcoolature à raison de 1 à 4 g. en potion, et à raison de 15 à 20 g. en gargarisme.

Pour les b o u r d o n n e m e n t s d'oreilles, Leclerc préconise la pommade suivante :

extrait mou de piment	0,25 g
teinture de pyrèthre	1 goutte
essence de girofle	6 gouttes
lanoline	10 g
vaseline	15 g

Les propriétés médicinales du Piment sont dues à son huile essentielle qui contient des principes chimiques tels que la capsicaine qui lui doit sa saveur brûlante et la capsicine qui lui confère son action rubéfiante. En outre, cette huile contient des vitamines, notamment du carotène ou provitamine A et de l'acide ascorbique ou vitamine C. conférant au piment une action certaine dans le traitement du scorbut.

GASTRONOMIE

La culture du p i m e n t s'est étendue en Asie, Afrique et Europe dès le 16e. Diverses variétés ont été employées en cuisine à peu près partout.

Aux Indes, on les mange crus, mélangés aux ragoûts et parfois confits au sucre. Les indigènes en font des boissons appelées « caldo di pimiento » propres à emporter la bouche des Européens. Ils en font une poudre qui réclame tout un art. Pour cela, ils coupent les fruits, y ajoutent de la farine pour les pétrir, puis mettent le tout au four. Une fois cuite, cette pâte est réduite en poudre fine. passée au tamis. Cette poudre entre dans le fameux carry.

En France, où la culture en est surtout répandue dans le Vaucluse, piments et poivrons sont servis verts et frais comme légumes ou en salade, frits comme des aubergines, ou confits dans du vinaigre comme des cornichons pour servir de condiment et pour aromatiser les « pickles ».

En Espagne, la plaine de Murcie est grande productrice de piments. On en fait le « pimenton » poudre rouge condimentaire très forte mais appréciée pendant les chaleurs. En Afrique, les Arabes l'écrasent dans l'huile d'olive pour frire la sauce qui accompagne le couscous.

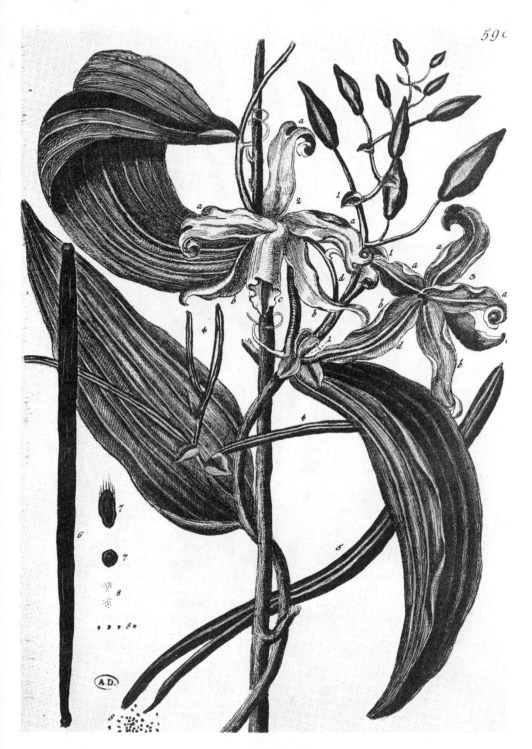

LA VANILLE

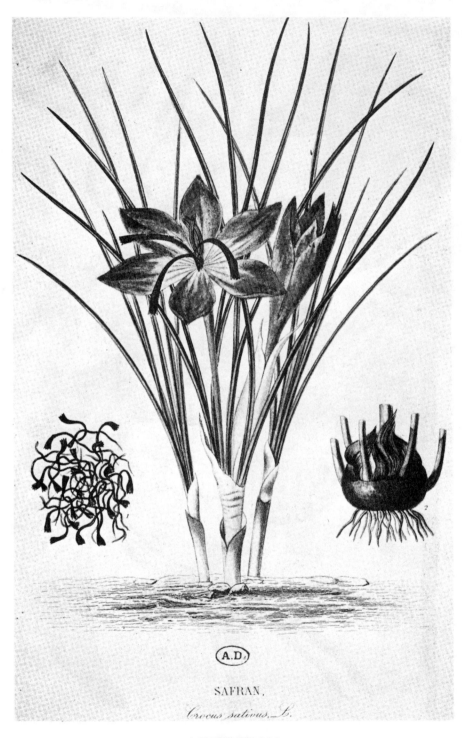

SAFRAN,

Crocus sativus. L.

LE SAFRAN

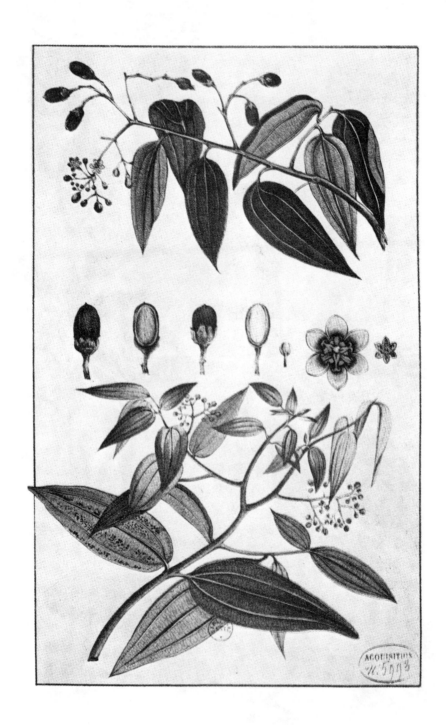

LA CANNELLE

LE PIMENT

En Hongrie, le « paprika » est une poudre de piment rouge, obtenue par une variété de piment annuel, entrant dans la fabrication du goulash national, plat de viande de bœuf mêlée d'oignons hachés et aromatisés de cumin, d'ail et de ce piment.

Le paprika entre en France dans la sauce du « poulet à la diable », plat classique servi au siècle dernier dans les cabinets particuliers et dans celle non moins classique et réputée des « bisques » composées de paprika ou de Cayenne en poudre, de poivre, d'estragon et de basilic, de thym, d'ache et d'oignon, admirable préparation aphrodisiaque, faite pour se marier avec les écrevisses qui sont alors capables dans ces conditions de réveiller les ardeurs amoureuses des vieillards, ainsi que le dit le poète :

> « Et toi, vieux Jupiter, dont l'impuissance bisque
> Si tu veux, Dieu vieilli, rajeunir tes printemps
> Que ta frigidité vers ce volcan se risque
> Elle retrempera mille fois tes mille ans. »

On prépare également, avec le piment, des salades fortement épicées comme la salade de Belzebuth : 6 poivrons verts, 500 g. de haricots verts, 100 g. d'amandes, 1 piment de Cayenne.

la maniguette

La Maniguette, plus connue sous le nom de Graine de Paradis ou de Poivre de Guinée, est, au point de vue botanique comme au point de vue de ses utilisations, très proche du cardamome.

CARACTÉRISTIQUES

La Maniguette est une plante herbacée vivace, à tige florale peu élevée dont le fruit est une grosse baie pulpeuse contenant une infinité de petites graines de la grosseur d'un grain de poivre et de couleur brun rougeâtre.

Ces graines possèdent une saveur particulièrement chaude et brûlante due à une huile essentielle qui leur confèrent des propriétés stimulantes, excitantes, voire même aphrodisiaques.

La maniguette est une plante essentiellement africaine. Elle pousse, en effet, à l'état sauvage dans les anciennes colonies anglaises et françaises de la Gold Coast, de la Sierra Léone, de la Côte d'Ivoire et du Dahomey.

Elle ne fait pas l'objet de cultures ; les indigènes se contentent de recueillir les fruits en coupant les tiges à ras de terre, d'en retirer les graines et de les faire sécher avant de les livrer au commerce.

HISTOIRE

L'histoire de la maniguette est aussi courte que peu précise.

D'après Fluckiger et Hanbury, qui se sont penchés sur l'histoire des drogues exotiques d'origine végétale, les Anciens ont ignoré les Graines de Paradis, et ce n'est qu'en 1214 qu'on en trouve une première mention, à l'occasion d'une fête carnavalesque qui eut lieu en Italie, à Trévise, où elles semblent avoir été introduites depuis longtemps.

Dans une sorte de tournoi, une forteresse gardée par 12 nobles dames était attaquée par des assaillants armés de fleurs, de parfums et d'épices parmi lesquelles était la maniguette, alors appelée aussi meleguette, d'après le nom d'une ville d'Afrique : Méléga, où elle se trouvait en abondance.

A cette époque, elle était plus communément appelée poivre de Guinée car tous ces pays, que nous connaissons aujourd'hui sous leur véritable nom étaient compris sous le terme général de Guinée. Elle était encore appelée graine de Paradis parce que, pendant longtemps, botanistes et pharmacologues, ignorant le lieu exact de son habitat et supposant seulement qu'elle provenait soit des Indes, soit d'Afrique, ils préférèrent lui donner une origine céleste.

Graine de Paradis ou poivre de Guinée, la maniguette arrivait en Europe, plus exactement en Italie, en provenance des états barbaresques, la Tunisie et la Tripolitaine où les caravanes les amenaient à travers le désert.

Le premier, Pierre Pomet, en donna une description, très imprécise d'ailleurs, dans son Histoire générale des Drogues, et l'utilisa dans son baume du Commandeur pour ses vertus bonnes contre la goutte, les morsures des bêtes vénimeuses, les contusions et les hémorroïdes.

Après lui, le père Labat nous apprend qu'elle poussait en telle abondance à Méléga qu'un seul navire pouvait à peine contenir la récolte de toute une année.

UTILISATION

Employée depuis son apparition en Europe comme drogue médicinale pour ses propriétés stimulantes, diurétiques et même aphrodisiaques, la maniguette est énumérée dans une liste des épices vendues à Lyon dès 1245.

A la Renaissance, elle fut très employée dans la cuisine de l'époque. Auparavant, on la trouve souvent mentionnée dans les traités gastronomiques de Taillevent et du Mesnagier de Paris, qui la citent dans la composition de leurs sauces fameuses : la Jance, la Cameline, ainsi que dans certains vins poivrés comme le « nectar ».

Elle était surtout ajoutée aux petits paquets, sous la forme desquels les épices étaient vendues et qui contenaient, en fraude, de nombreuses substances totalement dénuées de goût et de saveur auxquelles la Maniguette communiquait son odeur et sa chaleur poivrée.

Aujourd'hui encore, à cause de cette odeur pénétrante et de son prix peu élevé, elle sert à sophistiquer certaines épices toutes préparées.

Les aromates

Nul besoin d'avoir le nez de Cyrano de Bergerac pour jouir des agréables et subtils effluves des Aromates qui remplissent de joie les plus deshérités au point de vue du sens olfactif et dont l'évocation suffit pour faire venir l'eau à la bouche des gourmets et des gourmands.

Véritables champions du goût et de l'odorat, les Aromates sont un véritable plaisir pour les yeux, même de ceux dont l'esprit est le plus éloigné des beautés de la Nature, tellement les Ombellifères qui en constituent la majorité, sont jolies à contempler dans les champs, les prés ou les bois où elles croissent à profusion à l'état naturel.

Nul besoin non plus, ainsi que le disait Berchoux, de les faire venir de la lointaine île de Ternate. Depuis longtemps, l'homme a su les distinguer parmi les autres « simples » indigènes afin de pouvoir encore mieux les améliorer et les cultiver, avec un soin tout particulier, dans les « jardins d'aromates » comme savait si bien le faire Olivier de Serres.

C'est que tous lui sont nécessaires. Depuis les plus nobles : le laurier, le basilic ou l'hysope ; les plus utiles : la sauge, le persil ou le fenouil ; les plus parfumés : le thym, le romarin ou l'estragon ; jusqu'aux plus modestes : la sarriette, le cerfeuil ou le serpolet.

La gastronomie la plus élémentaire ne saurait se passer de ces auxiliaires si précieux et le dernier des cuisiniers sait judicieusement et harmonieusement en associer les odeurs et les saveurs pour en faire la base indispensable de ses sauces ou de ses courts-bouillons comme le moins doué des thérapeutes sait mettre à profit leurs mille et une propriétés pour en faire des remèdes spécifiques et même réaliser, grâce à toutes leurs vertus, une véritable thérapeutique qui leur a emprunté leur nom générique.

Ces aromates constituent, par leur nombre, la partie la plus importante de cet ouvrage et nous avons dû en limiter volontairement l'étude à 23, soit par ordre alphabétique :

L'aneth, l'anis, l'angélique, la badiane, le basilic, le carvi, le céleri, le cerfeuil, la coriandre, le cumin, l'estragon, le fenouil, le genévrier, l'hysope, le laurier, la marjolaine, la menthe, le romarin, le persil, la sarriette, la sauge, le serpolet, le thym.

Et, à ces aromates tous indigènes, il importe de joindre le plus merveilleux d'entre tous, celui dont les graines et les gousses exhalent le plus délicieux des parfums : la vanille.

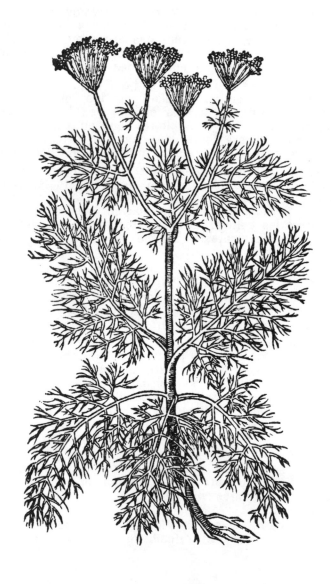

l'aneth

CARACTÉRISTIQUES

Aneth et fenouil sont souvent pris l'un pour l'autre et non sans raison.

Ces deux ombellifères se ressemblent étrangement ; toutes les deux ont les mêmes feuilles filiformes et les mêmes fleurs verdâtres en ombelles.

Mais tandis que le fenouil est vivace, l'aneth est une plante annuelle ; tandis que les fruits du premier sont ovoïdes, ceux du second se présentent comme des petites lentilles aplaties et bordées d'ailes minces.

L'odeur de l'aneth est à peu près celle du fenouil et sa saveur rappelle à la fois celle de son congénère et de la menthe mais nettement moins agréable.

Originaire de l'Europe Méridionale, de l'Inde, de la Perse et de l'Egypte, l'aneth s'est répandu par la culture dans tout le bassin méditerranéen et on le trouve naturalisé dans les champs et les terrains vagues, autour des maisons et des jardins d'où il s'est échappé.

Son nom vient du grec « Anethon » et signifie : croître en peu de temps.

A noter que les fruits, récoltés à l'automne, dès qu'ils sont venus à maturité, sont toxiques pour les petits oiseaux qui n'y touchent pas. Et que ses fleurs qui durent tout l'été sont pauvres en nectar.

HISTOIRE

L'aneth est une des plantes les plus anciennement employées comme condiment, comme légume et comme plante médicinale.

Elle est citée dans le papyrus d'Ebers (les Egyptiens l'utilisaient comme plante potagère) et dans Matthieu XXIII, 23 (les Hébreux en acquittaient la dîme en même temps que le Cumin). Chez les Grecs, c'était aussi une plante médico-magique. Pythagore et Hippocrate enseignaient que tenir une tranche d'Aneth dans la main gauche empêchait l'épilepsie et éloignait les sortilèges, croyance restée populaire et que nous rappelle le dicton :

**« trêfle, verveine, herbe de St-Jean, aneth
arrêtent les sorcières dans leurs desseins. »**

A Rome, l'aneth était le symbole de la joie et du plaisir. C'était aussi un symbole de vitalité, dont les gladiateurs recherchaient l'huile pour se donner des forces.

Et Virgile, toujours poétique, nous montre dans les Bucoliques une Naïade cueillant des violettes et faisant un bouquet de fleurs d'aneth.

Au Moyen-Age, les graines étaient recommandées par Ste Hildegarde dans les saignements de nez, les maladies de poitrine et les rhumes de cerveau. Selon l'Ecole de Salerne :

**« l'aneth chasse les vents, amoindrit les tumeurs
et d'un ventre replet dissipe les grosseurs. »**

Mathiolle considère que le fait de flairer des graines chaudes suffit pour enrayer le hoquet mais que leurs cendres affaiblissent la vue et éteignent les feux de l'amour.

C'est pourtant une plante douée de vertus matrimoniales mises à profit par les mariées de certains pays des Flandres lorsqu'elles allaient à l'autel. Elles s'en fleurissaient le corsage ou en mettaient plus discrètement dans leurs chaussures pour être assurées d'un bonheur conjugal sans nuages.

THÉRAPEUTIQUE

L'aneth comptait parmi les 4 semences carminatives des vieux apothicaires et certains auteurs prétendaient, les uns, que c'était un remède merveilleux pour calmer les crises de hoquet et d'autres, pour supprimer les ronflements sonores d'un dormeur.

P. Fournier lui attribue, de nos jours, des propriétés stimulantes, stomachiques, diurétiques, carminatives et antispasmodiques, dont l'emploi est à conseiller, au même titre que le fenouil, l'anis ou le carvi dans les faiblesses gastriques, la rétention d'urine, l'insuffisance lactée et l'insomnie.

Leclerc, qui en a obtenu d'excellents résultats dans une épidémie de hoquet spasmodique chez les soldats atteints de la fameuse grippe espagnole pendant la guerre de 14/18, l'utilisait surtout comme stomachique et recommandait la formule suivante à prendre pour aider les digestions difficiles et douloureuses :

Semences d'aneth...... 30 g
Semences d'angélique.. 20 g
Tilleul................. 50 g

GASTRONOMIE

Athénée nous apprend dans les Deipnosophistes que l'aneth, déjà cultivé en Grèce, était un des nombreux ingrédients qu'un cuisinier grec devait toujours avoir sous la main.

A Rome, les graines d'aneth cultivées dans les jardins contribuaient à parfumer certaines sauces. Apicius donne une recette de « poulet à l'aneth » tandis que ses parties vertes étaient utilisées en bouquet aromatique.

Aujourd'hui, c'est surtout dans les pays nordiques que l'aneth est apprécié comme condiment. Ses graines entrent dans la composition des marinades de poissons, des conserves d'hiver et dans les pickles des Anglais où ses feuilles parfument agréablement le vinaigre.

Dès le 17e, Evelyne nous donne une recette de pickles au concombre, au chou-fleur et à l'aneth qui semble avoir été appréciée de ses compatriotes.

En Italie, on mange les jeunes pousses et les tiges de l'aneth en salade, tandis que les sommités fleuries servent à assaisonner les sauces et les ragoûts les plus divers.

En France, l'aneth est quelque peu délaissé bien que certains boulangers de l'Est et du Nord en saupoudrent la croûte du pain pour rendre celui-ci plus appétissant, et les confiseurs en aromatisent les gâteaux et les dragées.

Quant aux liquoristes, ils n'ont garde d'oublier cette petite graine si finement odorante dans plus d'une de leurs savantes et délicieuses préparations où son parfum se marie agréablement avec l'anis, le carvi ou la coriandre.

Disons, pour terminer, qu'une grave question divise les médecins et les gastronomes. Les premiers estiment qu'il éteint l'amour, alors que les autres lui attribuent des pseudo-vertus aphrodisiaques, équivalentes à celles du céleri.

Mettons-les d'accord, en rappelant que Pline estimait qu'il suffisait de manger quelques graines d'aneth pour avoir de l'appétit et que cette propriété était suffisante pour lui donner le nom « d'anicetum » c'est-à-dire invincible rappelant parfaitement que, grâce à l'Aneth aucun exploit gastronomique n'était impossible au plus insatiable des gourmands et, aussi, qu'aucun exploit amoureux n'était impossible au moins sensuel des amants.

l'angélique

Cette ombellifère, surtout connue par ses morceaux de tige confits, d'un si beau vert émeraude qu'on les prendrait pour des bijoux d'un maharadjah, est une nordique.

Elle pousse naturellement au nord de l'Europe, en Russie, en Scandinavie et jusqu'au Groëland où on la trouve le long des rivières avoisinant les montagnes.

CARACTÉRISTIQUES

L'Angélique est une plante dont les tiges d'un beau vert, cylindriques et creuses, peuvent atteindre deux mètres.

Ses feuilles, de même couleur, sont grandes, découpées en dents de scie, aux pétioles engainants, de couleur rouge violacé, et les fleurs, petites et nombreuses, présentent des ombelles très larges comptant 30 à 40 rayons.

Son odeur aromatique chaude et musquée très caractéristique est dite « odeur d'Angélique », rappelant celle de la Bénédictine et suffit à la distinguer des autres ombellifères.

L'Angélique, c'est l'herbe des Anges, le don des anges et son nom d'archangélique remonte au 10ᵉ siècle ; il lui a été attribué par les auteurs du Moyen-Age en raison des précieuses vertus qu'elle possédait et que l'on pensait être le fait des anges. Selon une légende médiévale, la révélation de ces vertus était attribuée à l'archange Raphaël qui les aurait indiquées lui-même à un ermite comme spécifique de la peste, d'où son nom populaire d'archangélique repris par la suite par tous les botanistes et pharmacologues de la Renaissance.

En France, il en existe une autre espèce sauvage : l'angélique sylvestre, ou angélique des bois, commune au bord des eaux et dans les prés humides et le long des chemins frais.

Elle se distingue de l'espèce cultivée par des fleurs et des ombelles plus petites et surtout par son odeur moins prononcée.

Portant des noms populaires d'angélique des prés, de faux panais, d'herbe à la fièvre, l'angélique sylvestre est souvent confondue avec d'autres espèces, notamment la petite angélique sauvage qui est l'égopode des goutteux, le pied de chèvre et la berce appelée patte de loup ou d'oie.

HISTOIRE

Inconnue des anciens Grecs et Romains qui n'avaient pas encore exploré les régions hyperboréales où elle pousse, l'angélique semble y avoir été cultivée depuis longtemps. Les « sagas » scandinaves nous apprennent que les populations nordiques en faisaient l'emblème de l'inspiration et de la mélancolie et, comme chez les Grecs, leurs poètes surent se couronner le front de son feuillage d'autant plus beau qu'il était rare.

Apportée en Europe avec les invasions Wikings, l'angélique était déjà cultivée dans les monastères de l'Europe centrale, en Bohème notamment, dès le 13ᵉ siècle. Connue alors sous le nom d'herbe du Saint-Esprit, les bons moines lui attribuaient des vertus préventives contre le redoutable fléau que représentait la peste.

Paracelse la cite comme ayant été particulièrement efficace dans une épidémie de peste à Milan en 1510.

Les Chartreux de Fribourg l'utilisaient en thérapeutique à cause des grandes et divines propriétés contre de « griefves maladies ».

Mais ce n'est qu'au 16ᵉ que Brunswig, à Strasbourg, parvint à distiller la première eau d'angélique qui se répandit alors rapidement un peu partout en France, surtout dans l'ouest et le centre.

O. de Serres, dans son « Théâtre d'Agriculture », en fait les éloges comme préservatif de toutes infections, surtout de la peste et recommande d'en mâcher la racine.

Par la suite elle entra dans de nombreuses préparations pharmaceutiques, depuis la Thériaque jusqu'aux Baumes les plus divers, dont le baume du Commandeur et le vulnéraire.

THÉRAPEUTIQUE

Céphalique, propre à recréer le cœur et à prolonger la vie, telles sont les vertus médicinales les plus efficaces qui lui ont été reconnues.

Ce que confirme Bodard qui écrit en 1810 « que si cette plante avait le mérite d'être étrangère, elle serait aussi précieuse pour nous que le Gin-Seng l'est pour les Chinois ».

Et Cazin, de renchérir en citant le cas d'un habitant de Marseille, Annibal Camoux, qui mourut à 121 ans et 3 mois après avoir mâché toute sa vie de la racine d'Angélique.

Belle preuve de longévité, mais n'oublions pas qu'il s'agit d'un marseillais habitant d'une capitale où les exagérations sont faciles et où les galéjades ont droit de cité.

On reconnait aujourd'hui à l'angélique des vertus : toniques, stimulantes, stomachiques, expectorantes et toutes les parties de la plante jouissant des mêmes propriétés sont utilisées.

Elle active toutes les sécrétions et l'énergie nerveuse ; elle est par suite utile dans l'anorexie, les asthénies des appareils digestifs et respiratoires, pour stimuler un estomac déficient après une convalescence ou une dépression nerveuse.

L'abbé Kneipp en faisait un de ses toniques préférés et la médecine populaire ne saurait s'en passer, l'employant comme stimulant, comme antispasmodique et comme dépuratif mélangée à des feuilles de sauge.

On l'emploie en infusion : 5 à 10 g de racine par tasse, ou en poudre : une cuillerée à café deux fois par jour, ou en vin 50 à 60 g. par litre, après macération pendant 2 jours, 1 à 2 verres à liqueur par jour. C'est radical pour arrêter les vomissements respiratoires. Les cataplasmes de feuilles d'angélique associées à l'aloès, au millepertuis, sont utiles pour les affections cutanées, l'eczéma en particulier.

GASTRONOMIE

Utile en médecine, l'angélique est encore plus précieuse pour la gastronomie où ses propriétés sont encore mieux utilisées et appréciées.

En Norvège, Islande et Sibérie, l'angélique est employée comme aliment et condiment ; les habitants nordiques s'en nourrissent lorsque les tiges sont encore vertes. Les Norvégiens en mettent dans leur pain et les Lapons ne connaissent pas d'autre comestible végétal, en dehors de l'écorce intérieure du sapin. Ils en mangent la racine et les fleurs qu'ils font bouillir avec du lait de renne. Avec les tiges ils accommodent le poisson ; ils les font aussi cuire sous la cendre ou macérer dans du vinaigre et terminent la plupart de leurs repas en mâchant les tiges ou les feuilles.

Les propriétés hygiéniques de l'angélique n'ont pas échappé à la sagacité des cuisiniers qui en font des garnitures d'entremets auxquels elle donne un parfum très agréable ; des confiseurs et surtout des liquoristes qui savent tirer de la tige, des feuilles ou de l'essence des parfums subtils.

Tout le monde apprécie l'angélique confite de Niort ou de Châteaubriant, que l'on obtient en faisant tremper dans l'eau des morceaux d'Angélique que l'on jette dans l'eau bouillante jusqu'à leur attendrissement. Puis, on les pèle pour enlever les filaments et ensuite on les met 24 heures dans un sirop.

Ce sirop est soumis à une cuisson d'au moins 25 degrés avant d'être reversé sur les morceaux d'angélique.

Après avoir répété cette opération plusieurs fois, le sirop est recuit ainsi que les morceaux d'angélique qui sont ensuite saupoudrés de sucre et séchés à l'étuve.

Pour obtenir la liqueur d'angélique, faire macérer un kg de petits morceaux de la plante dans un litre d'eau de vie pendant six semaines. Distiller aux deux tiers, ajouter un sirop composé d'un litre d'eau et d'un kg. de sucre ; mélanger les deux préparations par parties égales puis filtrer le tout.

L'angélique entre dans une foule de liqueurs avec d'autres plantes aromatiques, allant du simple ratafia d'angélique à des liqueurs plus compliquées, le vespetro ou la bénédictine, jusqu'à l'élixir de la Grande Chartreuse dont les Chartreux gardent la formule avec un soin jaloux mais que les chimistes ont pris plaisir à copier et que les amateurs de liqueurs n'ont pas moins de plaisir à déguster.

Nous donnons, à l'index des matières, la plupart de ces liqueurs où l'archangélique entre.

l'anis

CARACTÉRISTIQUES

L'Anis — pimpinella anisum — est une de nos plantes aromatiques les plus répandues et les plus utilisées en médecine comme en gastronomie.

Cette belle ombellifère qu'il ne faut pas confondre avec le fenouil ou anis doux, ni avec le faux anis ou cumin, ni encore avec l'anis bâtard ou carvi, est une plante annuelle à la tige de forme cylindrique, pouvant atteindre 60 à 75 cm, aux feuilles de formes différentes suivant les points d'insertion, ce qui permet de la distinguer aisément de ses congénères. Celles du bas de la tige sont lobées, dentées et arrondies, tandis que celles du sommet possèdent trois lobes étroits et linéaires ; ses fleurs, petites et blanches, sont disposées en ombelles elles-mêmes formées de nombreuses ombellules et ses fruits, de forme ovoïde, sont verts et striés longitudinalement.

L'odeur de ses fruits est très aromatique et agréable ; leur saveur est chaude et piquante.

Son nom grec « anison » est d'origine orientale, ce qui confirme que l'anis est originaire d'Asie Mineure, probablement d'Egypte, bien que pour certains botanistes sa patrie soit la Russie. Ce nom d'anison signifie, en grec « faire jaillir » parce que l'anis dissipe les flatuosités et, selon Pline, serait synonyme d'invincible car, devant l'anis, aucune maladie ne résisterait.

En France, l'anis est aussi appelé boucage, pimpinelle anis, petit anis ou anis d'Europe, pour le distinguer de l'anis étoilé ou badiane d'Asie.

Sur le plan commercial, il en existe plusieurs variétés : l'anis de Russie en provenance d'Odessa, qui est noir et âcre ; l'anis de Touraine, vert et plus doux ; l'anis d'Espagne et de Malte très apprécié ; l'anis du Languedoc, très blanc et très aromatique, très estimé pour la fabrication de l'anisette ; et enfin celui de Flavigny, en Côte d'Or, utilisé surtout dans la confection des dragées.

La culture de l'anis vert réclame peu de soins et n'occupe le sol que pendant quelques mois. On sème les graines à la volée à raison de 15 à 20 kg. par hectare dans des sillons espacés d'un mètre sur des terres légères et bien fumées. Lorsque les fruits sont mûrs, un mois après la floraison en juillet, et qu'ils tournent au brun verdâtre, on coupe les ombelles au ciseau, à la rosée du matin. On les fait sécher au soleil et on les bat au fléau sur une toile. Après criblage et vannage, elles subissent une nouvelle dessication et elles sont ensachées pour qu'elles ne perdent pas leur arôme.

HISTOIRE

L'histoire de l'Anis est liée au mystère de notre origine : une tige — le protoverbe — était composée de racines de myrte, d'encens et d'anis. Ce qui est plus certain c'est que l'anis était connu en Chine comme aux Indes et en Egypte. Pour les Chinois, c'était une plante sacrée dont on brûlait des tiges sur les tombeaux et dont les graines servaient pour aromatiser les mets des repas de noces.

C'était, en Grèce, un des plus vieux médicaments, utilisé par Pythagore.

A Rome, Dioscoride l'appréciait parce qu'elle donnait une haleine parfumée et pour ses vertus calmantes.

Pour Pline c'était une véritable panacée, un antidote précieux contre les morsures de scorpions, et un remède doué de mille vertus : il soulageait les épileptiques, faisait dormir, réveillait l'appétit, provoquait de salutaires éructations, calmait les gonflements stomacaux et les tenesmes intestinaux. Et, pour Héraclite, une pincée d'anis dans du lait d'ânesse suffisait pour venir à bout des dyspepsies les plus opiniâtres.

Connu en France depuis longtemps, il était cultivé en 812 dans les Domaines Impériaux et on rapporte que le roi Jean le Bon, pendant sa captivité en Angleterre en 1359, en demanda en France, pour le soulager de maux d'estomac.

Pendant tout le Moyen-Age, l'anis était employé pour calmer les crises d'hystérie et dissiper les malaises des accouchées. L'Ecole de Salerne résume ses vertus en deux vers :

« l'anis est bon aux yeux, à l'estomac, au cœur
préférez le plus doux, c'est toujours le meilleur. »

Les Arabes, notamment Ibn-es-Saig, en usaient pour purifier la poitrine, calmer les crises de sciatique et comme apéritif mélangé à un peu de miel.

Après Mathiolle qui trouvait « qu'il fait cesser les sanglots et endort », tous les thérapeutes des siècles suivants lui accordèrent les mêmes vertus. Pour Lémery, l'anis était cordial, stomacal, pectoral, carminatif ; il excite le lait aux femmes et apaise les coliques.

Les études faites au siècle dernier par Cadéac et Meunier ont montré que les propriétés de l'anis sont dues à une essence, qui lui donne son parfum anisé, mélange d'anéthol, d'estragol et d'anis-cétone. On ne peut mieux faire, pour résumer ses propriétés, que de citer ce qu'en disent ces auteurs eux-mêmes :

« Les anciens avaient raison de l'employer comme carminatif et stomachique : l'esssence d'anis possède une action sur le système neuro-musculaire d'où son emploi dans les contractions douloureuses. Cette essence est un puissant modificateur réflexe du cerveau déterminant, comme l'opium, de l'analgésie, de l'anesthésie, du sommeil. Prise à petites doses, elle facilite la respiration, active la circulation et tonifie le cœur ».

THÉRAPEUTIQUE

On reconnait, aujourd'hui, les propriétés suivantes à l'anis vert : stomachiques, carminatifs, diurétiques, galactogènes, antispasmodiques.

D'où son emploi pour stimuler l'appétit chez les asthéniques, dissiper les flatuosités, calmer les coliques venteuses et spasmodiques, les contractions douloureuses de l'estomac et des intestins.

L'anis est à la fois un stimulant et un calmant utile dans les migraines et céphalgies nerveuses, dans les spasmes nerveux des bronches : toux, asthme, et dans l'éréthisme cardio-vasculaire (faux angor et palpitations).

Le Dr Leclerc l'emploie dans tous les cas où il faut à la fois stimuler les organes et agir sur la sédation de la sensibilité.

L'anis calme la soif des hydropiques, corrige par son arôme la mauvaise haleine et active la sécrétion du lait auquel il communique même son arôme. On l'associe souvent aux purgatifs pour masquer leur saveur désagréable et au quinquina pour en faire disparaître l'amertume.

Enfin, il sert à composer la tisane des « quatre semences chaudes » ; anis vert, carvi, coriandre et fenouil à raison de 20 g. de chaque par litre.

Mode d'emploi. — Les semences en :
- — Infusion : 10 à 15 g. par litre d'eau bouillante.
- — Teinture : 1 à 3 g. par jour.
- — Essence : 5 à 10 gouttes sur un morceau de sucre, 2 à 3 fois par jour.

Cette essence sert aussi à faire une potion anti-spasmodique :

Essence d'anis vert.... 3 g
Ammoniaque............ 15 g
Alcool................. 72 g
10 à 20 gouttes par jour.

GASTRONOMIE

L'odeur aromatique et la saveur subtile, légèrement sucrée de l'anis, sont mises à profit par les cuisiniers, les pâtissiers, les confiseurs, et les liquoristes.

Et cela, depuis longtemps.

Romains et Gaulois s'en servaient comme condiment du pain. Au 18e siècle, il était d'usage, à l'occasion de Pâques et de Noël, que les boulangers fassent cadeau à leurs clients de pains à l'anis. Aujourd'hui en Pologne et en Bavière, et dans les pays slaves, il est toujours d'usage d'en semer sur le pain ou d'en ajouter à la pâte et, comme le dit le gastronome Pierre Andrieu, sous l'influence de l'anis le pain se transforme en gâteau. On en fait des bretzels à l'anis, des kletzen-brot et aussi du pain d'épices auquel l'anis communique sa saveur.

Les confiseurs font des dragées dites « anis de la Reine » ; celles de Verdun et de Flavigny sont particulièrement renommées. Elles seraient issues d'une longue tradition et auraient été créées et mises à la mode par le romain Fabius Quintus qui distribuait ces « dragati » en signe de réjouissance, ce qui se fait toujours à l'occasion des naissances.

Ces dragées sont faites d'amandes recouvertes d'une enveloppe de sucre d'anis, selon la formule :

40 g. d'anis vert
500 g. de sucre.

Depuis Taillevent, les pâtissiers s'en servent dans maints entremets ou tartes selon les recettes de l'illustre queux de Charles VI qui ajoutait l'anis à la cinamonne et au gingembre dans la pâte destinée aux « tartes de pommes ».

Aujourd'hui, suivant l'exemple d'Apicius qui faisait entrer l'anis dans la sauce destinée à farcir l'estomac de porc et composée, outre l'anis, de silphium, de livèche, de gingembre, de rüe, le tout broyé avec du garum, les cuisiniers modernes font appel aux petites graines d'anis pour aromatiser certains plats.

Ils les font entrer dans la soupe aux poissons, dans la bouillabaisse, dans le loup de mer farci avec échalote, cerfeuil, basilic, fenouil et oseille ; dans des salades, des crèmes, des soufflés à l'anis ; dans différentes préparations de viandes et de gibier auxquelles l'anis, communique son inégalable parfum.

Mais le triomphe de l'Anis, c'est la liquoristerie avec l'eau de vie d'anis, plus connue sous le nom d'Anisette. On peut en faire, soit par macération, soit par distillation selon les formules données en fin de volume.

On peut faire, en famille, l'anisette de ménage avec 60 g d'anis vert, 30 g. de coriandre, deux de cannelle, une noix de muscade. Au tout bien concassé on ajoute deux litres d'eau de vie et un kg. de sucre à moitié fondu dans un verre d'eau. La véritable anisette, celle qui a fait la fortune de Marie Brizard de Bordeaux, se rapproche de la formule que nous avons donnée ; additionnée de cannelle et de zestes de citron, cette anisette est une liqueur tonique et stimulante possédant bien les propriétés de la plante et c'est la liqueur préférée des dames.

Elle a des concurrentes, celle de Fockinck en Hollande, qu'Alexandre Dumas, ce fin connaisseur, était obligé d'avouer, malgré son amour propre national, la première anisette du monde ; il fallait la boire après le café et réserver celle de Bordeaux pour les entremets.

Les liqueurs d'anis ont toujours trouvé, au cours des âges, de très nombreux amateurs, tellement même qu'au Moyen-Age, ils étaient groupés en une corporation qui se confondit longtemps avec celle des épiciers-apothicaires.

Les gastronomes d'aujourd'hui, restés fidèles à l'anis, ont eu l'heureuse idée de faire revivre cette confrérie sous le nom de « Commanderie des Anysetiers du Roy » dont les armes sont « le pilon arrondi en forme de marteau, sur fond de gueules, portant en chef 3 étoiles d'argent lampassé sur sinople burelé d'or ».

Ses disciples et mieux que tous, le Grand Maistre de la Commanderie, — le gastronome Pierre Andrieu — en ont chanté les mérites, dans les Commandements de l'Anisetier :

> « A tous plaisirs t'adonneras
> Sans le faire exagérément
> La bonne chère apprécieras
> En fin gourmet frugalement
> Ripailles oncques ne feras
> Sans de l'anys auparavant.
> Ta digestion assureras
> Par icelle liqueur mémement.
> Pintes et flacons videras
> Sans tabuster l'entendement.

Avec Confucius souhaiteras
Fils et l'Anys naturellement
De faveurs Vénus combleras
Grâce à l'Anys moultement
Protecteur des arts tu seras
Et des muses le confident
Egal des Dieux tu trinqueras
Avec l'Anys évidemment. »

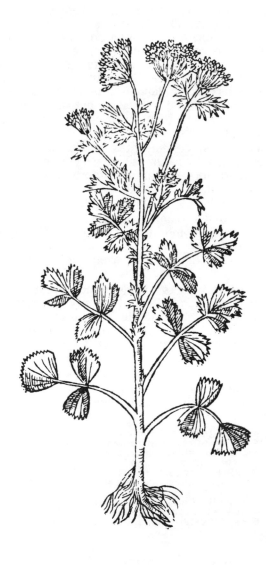

l'anis étoilé
ou badiane

CARACTÉRISTIQUES

La Badiane ou anis étoilé est le fruit d'un arbre exotique de la famille des magnoliacées — l'illicium verum —

Le badianier est un arbre de 7 à 8 mètres de haut toujours très vert, d'un port plutôt pyramidal et reconnaissable à la blancheur de son écorce et à ses feuilles persistantes lancéolées.

Le fruit, en forme d'étoile, d'où son nom d'anis étoilé, est sec et dur. Il se compose de 8 carpelles rayonnant autour d'un axe unique, terminées en pointe, contenant chacune une petite graine dure, de couleur brun pâle.

L'arbre possède une odeur et une saveur très aromatique et agréable, le bois rappelant de très près l'odeur de l'anis vert tandis que celle du fruit se rapproche de celle du laurier.

C'est à cette odeur et cette saveur que le badianier doit son nom de genre : illicium signifiant appât, attrait.

Son pays d'origine est la Chine méridionale où, il croit à l'état spontané. Il est surtout cultivé au Tonkin, dans la région de Langson.

Difficile à élever, il ne commence à produire qu'au bout de 6 ans mais peut vivre jusqu'à cent ans.

HISTOIRE

Depuis longtemps cultivé par les Chinois (et utilisé comme masticatoire et comme parfum religieux), le Badianier constituait, sous la dynastie des Sung Chon (970-1125), un tribut important imposé à la province de Yen-ping-fu et le Pen-t'sao-kang-mu le cite au nombre des plantes culinaires d'odeur forte.

Au Japon, il était vénéré par les prêtres comme l'arbre sacré habituel de leurs temples.

En Chine comme aux Indes, on brûlait ses feuilles pour parfumer les appartements, et après les repas on s'en servait pour rendre l'haleine plus agréable.

Connu à la cour de Russie dès la fin du 13° siècle, il donnait lieu à un trafic important à la foire de Nijni-Novgorod, car les Russes l'appréciaient pour aromatiser leur thé.

Il ne fut connu en Europe Occidentale qu'au 16° siècle quand il fut importé par un marin anglais, Thomas Cavendish, au cours d'un voyage autour du monde qu'il fit en 1588.

Il en remit des échantillons à des apothicaires anglais ce qui permit à Lecluse, qui en avait vu chez Morgan, apothiciaire de la reine Elisabeth, de le décrire en premier sous le nom « danisum philiparum ».

Mais ce n'est qu'au 18° que la badiane fut décrite moins superficiellement par un jésuite portugais, le père Loureiro, description complétée par celle qu'en donna l'anglais Hocker dans le Botanical Magazine de 1888 peu après l'expédition de Francis Garnier de 1873.

Depuis lors, la badiane, qui avait été exportée par la voie sibérienne terrestre, nous vint par mer en provenance directe des ports chinois.

THÉRAPEUTIQUE

D'après Leclerc, 60 kg. de fruits de Badiane fournissent 2 kg. d'une essence peu différente de celle de l'anis vert et contenant surtout de l'anthol, de l'estrargol et de l'acide anisique. Mais aussi d'autres produits qui, à dose élevée, font que la badiane agit comme un véritable stupéfiant, déterminant même une perte de l'intelligence.

On l'emploie pour ses propriétés stomachiques, son action tonique et antispasmodique, prescrite comme l'anis vert chez les dyspeptiques nerveux, pour combattre l'anorexie, les gaz et les renvois, pour faciliter la digestion et calmer les douleurs d'estomac et d'intestin.

Elle est utilisée en infusion 2 % ou en teinture (20 à 30 gouttes par jour).

Voici une formule pour estomacs paresseux préconisée par Leclerc :

Teinture de badiane	10 g.
Teinture noix vomique	10 g.

prendre 10 gouttes à chacun des repas pendant 10 jours.

Mais l'anis étoilé est souvent falsifié, trop souvent remplacé par l'Illicius religiosum japonais, plante amère et toxique, ainsi appelée parce qu'on la plante devant les tombes et sans laquelle aucun Japonais n'aurait fait hara-kiri.

GASTRONOMIE

La badiane est utilisée en cuisine comme condiment, partageant avec le curcuma, le cardamome, le piment et la coriandre l'honneur d'entrer dans la confection du curry.

On en met également dans la bière, dans les élixirs dentifrices et dans le quinquina dont elle fait disparaître l'amertume.

Peu utilisée en pâtisserie ou en confiserie, l'anis étoilé trouve son emploi majeur en liquoristerie et cela depuis longtemps.

En Chine, il sert à faire des infusions théiformes avec le ging-seng pour rétablir les forces et, aux Indes, une liqueur obtenue par fermentation.

Sous Louis XIV, on en faisait une liqueur appelée « liqueur d'Arabie » dont l'absorption était saluée d'un « Dieu vous vienne en aide ». Mme de Sévigné et, plus tard, la Marquise de Pompadour avaient toujours des flacons de liqueur d'Arabie à leur portée pour créer un état d'euphorie propre aux causeries intimes.

Rien d'étonnant à ce qu'elle ait inspiré des poètes qui chantent

**« les étoides d'anis savamment triturées
colorant la liqueur de teintes azurées
des alambics ventrus coulent en perles d'or. »**

Moins poétiques et plus pratiques, nos liquoristes ont su en fabriquer d'excellentes liqueurs.

En famille, on peut en faire un excellent vermouth en y joignant quinquina, cannelle, sureau, absinthe, écorce d'oranges, girofle, coriandre, badiane (voir formule à l'Index).

Mais rien ne vaut l'anisette, qui a fait la gloire de Marie Brizard de Bordeaux, obtenue par distillation avec adjonction de cannelle et de zestes de citron.

On peut obtenir une liqueur équivalente par les essences selon la formule :

essence d'anis vert.... 2 g
essence de badiane.... 1 g
essence de cannelle.... 0,06 g
essence de néroli...... 0,04 g
alcool................. 2 l

D'autre part, préparer un sirop, ajouter ce sirop à la préparation alcoolique, filtrer et mettre en bouteilles, servir l'été avec de l'eau glacée.

Vous pouvez encore obtenir la liqueur de badiane selon la formule de Buchloz, parue en 1711 dans le « Manuel alimentaire » :

« Pilez en poudre fine six onces de badiane, faites infuser cette poudre pendant 15 jours dans neuf pintes d'eau de vie ; puis faites distiller jusqu'à ce que l'esprit de vin soit suffisamment imprégné de l'odeur de la badiane. Mélangez l'eau de vie obtenue avec un sirop préparé avec cinq livres de sucre et cinq pintes d'eau. Ce mélange contractera un œil désagréable, louche et laiteux : il faudra le clarifier au blanc d'œuf et le filtrer selon l'art ; on pourra teindre cette liqueur en violet ou en gris de lin ».

Quel soin apportaient nos prédécesseurs à leurs liqueurs ! mais parions que nos gourmandes d'aujourd'hui préfèreront se donner moins de travail et sauront mieux apprécier l'anisette, la vraie Marie Brizard, et utiliser son délirant parfum dans de nombreux entremets comme savait si bien le faire le fin gourmet qu'était A. Dumas. Tandis que leurs maris plus amateurs de liqueurs fortes pourront tout à loisir se servir des graines de badiane pour appâter les poissons aussi gourmands que leurs épouses.

le basilic

CARACTÉRISTIQUES

C'est une labiée particulièrement aromatique qui offre de nombreuses variétés dont la plus commune, le basilic commun — occimum basilicum —, se présente comme une plante annuelle, trapue et touffue de 20 à 30 cm, ramifiée, dont les feuilles ovales et lancéolées vertes ou violettes exhalent une odeur aromatique très prononcée et dont les petites fleurs d'un blanc rosé forment en haut des tiges des grappes allongées.

Suivant les variétés, le parfum intense de basilic rappelle l'anis ou le girofle. Se rencontrant rarement à l'état subspontané, le basilic commun ou grand basilic est la seule variété cultivée pour la parfumerie des jardins.

A côté de lui, on distingue le basilic grand vert, plus trapu et le grand v i o l e t, croissant par touffes compactes.

Le basilic à feuilles de laitue qui, une fois séché, est employé comme le thym pour aromatiser les sauces et condimenter les mets.

Le basilic anisé, le basilic frisé et enfin le basilic fin vert, plus petit ce qui permet de le cultiver en pots. Restant toujours vert et doué lui aussi d'un parfum pénétrant, il est utile à toutes les ménagères à la fois comme plante d'agrément et comme condiment aromatique.

Originaire dès Indes et très anciennement cultivé en Egypte et en Grèce, son nom botanique d'occimum reproduit l'appellation grecque d'okimon dérivée de « oxios » qui signifie rapide parce que. selon Lemery, il pousse très rapidement, ou avec plus de raison, de « oza » : odeur.

Son nom de Basilic est plus poétique ; il vient du bas-latin basilicum, tiré du grec basilikon : « royal » que lui avaient donné les princesses de Byzance en raison de sa beauté et surtout de son parfum. Dans les campagnes, on lui attribue quelques noms plus communs et plus vulgaires : basilic des sauces, basilic des cuisinières, balicot, baime de provence mais aussi et toujours « herbe royale ».

HISTOIRE

Herbe royale, le basilic était chez les **Hindous** la plante sacrée par excellence consacrée à Vichnou et utilisée dans les cérémonies religieuses et les funérailles.

Elle y est toujours l'objet d'un culte véritable car le basilic protège le corps pour la vie et pour la mort, donnant des enfants aux femmes stériles, guérissant toutes les maladies, chassant le venin.

Dans leur thérapeutique médico-magique, le basilic était réputé pour protéger contre un serpent légendaire du même nom, sorte de reptile fabuleux dont les yeux lançaient un venin mortel.

En Egypte, il servait dans les offrandes et les sacrifices aux Dieux avec la myrrhe et l'encens, et entrait dans la composition des embaumements.

Il jouait un grand rôle dans les traditions populaires grecques et romaines où on lui attribuait à la fois une signification érotique et funéraire.

A Rome plus particulièrement, c'était l'emblème des amoureux qui l'associaient au jasmin et à la rose. En Grèce c'était un symbole de deuil.

Traditions qui sont parvenues jusqu'à nous, notamment en Serbie où le basilic est déposé le jour des morts sur les tombes, et dans certaines de nos campagnes où les amoureux vont rendre visite à leurs aimées, un brin de basilic à l'oreille.

A Byzance, d'après Oribase, qui reprend la tradition des Hindous, celui qui est piqué par un scorpion ne sentira aucun mal s'il a mangé du basilic.

A toutes les époques et encore maintenant la cueillette du basilic s'accompagnait d'un rite quasi sacré : il fallait s'asperger la main droite de l'eau de trois sources et seuls les hommes pouvaient le faire en ne se servant d'aucun instrument de fer.

Aussi ne doit-on pas s'étonner si le basilic est précieusement cultivé en pots, sinon pour ses vertus plus ou moins magiques mais plus certainement pour ses propriétés condimentaires.

THÉRAPEUTIQUE

Tous les médecins anciens ne sont pas d'accord sur ses propriétés médicinales.

Pline l'employait contre l'épilepsie et au Moyen-Age on en vantait les bienfaits pour chasser les obsessions, les idées fixes et noires.

A la Renaissance, Ch. Estienne estime « qu'il donne des lourdeurs de tête, engendrant des petits vers semblables à des scorpions, tandis que Dodoens, en vrai précurseur, s'en servait le premier pour pratiquer l'accouchement sans douleurs : « une femme au travail d'accouchement, si elle tient dans une main une tige de basilic et de l'autre une plume d'hirondelle sera délivrée sans souffrances ».

Pour Lemery enfin, le basilic est doué de nombreuses vertus « propres pour exciter les urines et le mois aux femmes, chasser les vents, fortifier les nerfs ».

La médecine moderne ne semble pas avoir ratifié toutes ces croyances : on ne reconnaît plus au basilic que des propriétés antispasmodiques et stimulantes utilisées assez rarement d'ailleurs dans :

— l'asthénie nerveuse, les insomnies, les migraines, les dyspepsies nerveuses.

On s'en sert sous forme d'infusion de feuilles et de sommités fleuries, 20 à 25 g. par litre. Mais plutôt de son essence suivant la formule préconisée par Decaux :

Essence de basilic...... 1 g
Essence de marjolaine.. 1 g
Sucre en poudre........ 50 g

à prendre dans une tasse de tilleul après les repas.

A la campagne, il est encore utilisé parmi les herbes lactagogues et en infusion de ses feuilles et de ses fleurs, ajoutées à l'eau de roses, en compresses contre l'engorgement des seins. Contre les orgelets, nos bonnes femmes savent se servir de brins de basilic hachés, en compresses imbibées d'eau de roses et que l'on applique sur l'œil.

D'ailleurs les hommes savent bien concilier l'utile et l'agréable en préparant un vin obtenu par macération de 50 g. dans un litre de vin rouge.

Les graines appliquées en cataplasmes sont réputées pour enlever les verrues et parfois utilisées, à la place du tabac, par les asthmatiques qui peuvent aussi s'adonner à leur passion tout en étant soulagés de leur mal.

GASTRONOMIE

Dédaigné par la médecine, le basilic a pris sa revanche à la cuisine comme condiment aromatique.

Chez les Grecs, Chrysippe en faisait 200 ans avant Jésus-Christ un de ses condiments préférés. Les Romains, qui le cultivaient, l'utilisaient en bouquets associés à d'autres herbes potagères. Les Byzantins ne manquaient pas —

noblesse oblige — d'aromatiser de son parfum pénétrant les sauces qui étaient l'accompagnement ordinaire le leurs mets lourds et indigestes.

Dans la cuisine moderne, le basilic est utilisé de différentes façons.

Ses feuilles finement hachées, surtout celles du basilic à feuilles de laitue, sont souvent ajoutées aux salades pour les parfumer.

Elles peuvent aussi être servies seules comme salades.

Les rameaux sont ajoutés au vinaigre au même titre que l'estragon ou la sarriette. Toute la plante séchée entre dans la composition des bouquets de persil pour assaisonner les ragoûts, les sauces les plus diverses et surtout les courts-bouillons de poissons.

En Angleterre, le basilic entre dans la fameuse soupe à la tortue et en Yougoslavie dans le plat national que constitue la soupe de poule (la tchorba).

En France, la soupe provençale au « pistou » ne saurait se concevoir sans basilic — le piste — qui lui a donné son nom et qui se compose de pommes de terre, de tomates, de fèves et de haricots avec quelques gousses d'ail et un bon brin de basilic absolument nécessaire pour mettre un frein aux tumultueuses tempêtes intestinales provoquées par les féculents.

Aussi, toute bonne maîtresse de maison provençale ou autre sait toujours réserver un coin de fenêtre pour cultiver, dans un pot, une plante si utile à la médecine comme à la gastronomie.

Les Parisiens sont, ou tout au moins étaient, aussi friands de basilic que les Provençaux et le temps n'est pas si lointain où, dans les rues de la capitale, retentissait le cri des regrattiers appelant les ménagères : « le basilic fin vert, j'ai du beau basilic ».

le carvi

CARACTÉRISTIQUES

Le Carvi est une ombellifère bisannuelle dont la racine odorante et sucrée a été rendue comestible par la culture.

Ses tiges, grosses comme une plume d'oie sont droites et rameuses, s'élevant à 50 cm environ.

Les feuilles supérieures sont finement découpées et les inférieures portent une paire de folioles enserrant la tige comme deux oreillettes, caractéristique qui permet de distinguer le carvi des autres ombellifères .

Ses fleurs sont blanches ou rosées et ses fruits, très aromatiques, sont formés comme ceux du Cumin de deux graines accolées et portent 5 côtes filiformes ce qui les distinguent de celles du Cumin qui en portent 9.

Contrairement à ce que l'on pourrait croire, le carvi n'est pas originaire d'Orient. On le trouve à l'état spontané dans toute l'Europe Centrale et septentrionale.

En France, on le rencontre de préférence dans les pâturages alpins et vosgiens.

Si son origine n'est pas orientale, son nom l'est cependant ; il vient du persan « karavyja » qu'il porte un peu partout dans l'Orient ; selon Lemery il viendrait de Carie, province d'Asie mineure où les Anciens l'auraient trouvé.

Très voisin de l'anis et du cumin, il porte les noms d'anis des Vosges, de faux anis, de cumin des prés, de cumin des montagnes.

Il en existe d'autres espèces dont le « carum copticum » l'Ammi des anciens, employé autrefois mais presque entièrement disparu aujourd'hui.

HISTOIRE

Le carvi était un condiment déjà utilisé par les peuples préhistoriques et dont on retrouve des graines dans les palafittes.

Presque ignoré des Grecs et des Romains qui utilisaient le cumin, il est cependant cité par l'Arabe Ibn-el-Baitha et par Aetius le Byzantin pour chasser les vents et les flatulences.

Sainte Hildegarde en vante les bienfaits, ce que confirme l'Ecole de Salerne qui lui ajoute des vertus diurétiques et vermifuges :

« **Il dissipe les vents et chasse l'urine**
combat dans l'intestin les vers qu'il extermine
répare l'estomac, s'il vient à me manquer
la fièvre rarement hésite à m'attaquer. »

Très populaire en Angleterre, il a l'honneur d'être cité par Shakespeare qui, dans Henri IV, nous montre le squire Shallow invitant Falstaff à « manger une pomme de reinette de sa propre greffe avec une assiette de carvi ». Condiment plus que remède, il est utilisé sous forme confite et Culpeper nous le signale comme « un merveilleux remède pour ceux que gênent les vents ».

S'il fallait une attestation, digne de foi pour donner au Carvi une renommée thérapeutique justifiée, voici celle de Lemery qui le trouve « incisif, apéritif, carminatif, propre pour la colique et augmenter le lait des nourrices ».

Appréciation plus simple et certainement plus valable que celle de Chomel qui préconise un curieux mode d'emploi du carvi :

« On prend un pain à la sortie du four, on le saupoudre avec de la graine de carvi, on l'arrose d'eau de vie et on l'applique en cataplasme ».

Reste à savoir si les patients n'appréciaient pas mieux ses propriétés condimentaires ou gastronomiques que ses prétendues vertus médicinales et si, au lieu de s'appliquer un cataplasme de carvi, ils ne préféraient pas manger ce véritable biscuit aromatisé et alcoolisé selon la recette de Chomel, qui constituait exactement ce que de nos jours nous appellerions un « baba au rhum ».

THÉRAPEUTIQUE

Depuis longtemps, les semences du carvi sont utilisées en médecine et entrent dans la composition des 4 semences chaudes.

Elles sont considérées comme : stimulantes, digestives, carminatives et vermifuges et utiles dans l'atonie des voies digestives, les flatuosités, les coliques des enfants, les accès fébriles, l'aérophagie.

· Elles présentent sur l'anis et le fenouil, douées des mêmes propriétés, l'avantage d'exciter la sécrétion urinaire.

Son mode d'emploi le plus fréquent est l'infusion de semences à raison d'une cuillerée à café pour une tasse d'eau bouillante, une tasse après chaque repas. Souvent on y ajoute, comme le conseillait Leclerc une cuillerée à café d'oléo-saccharure au 1/20°.

GASTRONOMIE

Le carvi a été utilisé chez les Romains comme légume, sa racine étant comestible comme celle de la carotte. Sa graine aromatique — le careum — était également appréciée dans les sauces d'Apicius.

D'après J. César, cette racine — la chara — aurait sauvé les soldats de Valerius menacés de famine.

Toujours comme légume, le carvi a été surtout apprécié des populations nordiques, à peu près à toutes les époques : les racines améliorées comme du panais et les feuilles nouvelles en salade.

Les graines, elles, ont été également utilisées en Europe Centrale. Dans l'est de la France elles sont un condiment pour aromatiser les soupes, les ragoûts, la choucroute surtout.

Les fromages en ont aussi bénéficié ; le livarot est parsemé de graines de carvi ainsi que le munster ; le fromage de Leyde est parfumé au carvi additionné de girofle.

Traditionnellement, le carvi aromatisait le pain en Allemagne, en Hongrie et au Caucase. Les pâtisseries et les gâteaux en bénéficiaient également.

En Angleterre, selon une des rares traditions culinaires d'Oxford, les pommes au four étaient accompagnées d'une sauce au Carvi et il servait pour assaisonner le « biskuit d'York » comme en Allemagne le « Karvi biscuit ».

En France, il entre dans la préparation des dragées des Vosges au même titre que l'anis.

Vieille coutume qui remonte à la Renaissance ainsi que nous le rappelle le Mesnagier de Paris, que le « Karvi » c'est une semence que l'on mange en dragées.

C'est surtout dans la fabrication des liqueurs que le carvi est utilisé : il sert de base au Kummel obtenu généralement par distillation.

Mais on peut, en famille, en obtenir une bonne liqueur, soit par macération, soit par emploi de son essence, selon les deux formules ci-dessous :

KUMMEL PAR MACERATION :

alcool à 80°........	2 L
semences carvi....	60 g
sucre..............	500 g
eau................	100 g

faire macérer 8 à 10 jours, filtrer, faire fondre le sucre et l'ajouter, refiltrer et mettre en bouteilles.

KUMMEL A L'ESSENCE :

alcool................ 4 L
essence de carvi.... 7 g
sucre.......... 2 kg 500

mélanger l'alcool à l'essence de Carvi et faire un sirop avec le sucre, l'ajouter au mélange, puis amener la liqueur obtenue à 45° par adjonction d'eau.

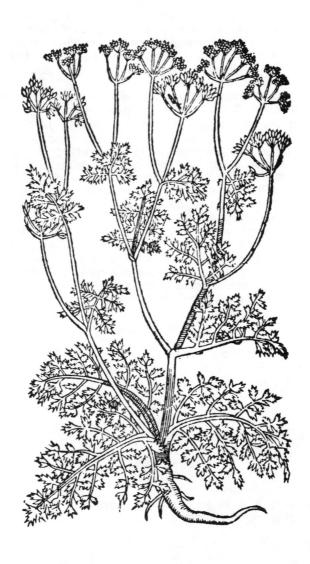

le céleri

CARACTÉRISTIQUES

Le Céleri constitue probablement une des plus belles réussites de nos jardiniers, car que de modifications subies par l'espèce primitive sauvage — l'ache — pour en arriver au savoureux légume cultivé que nous connaissons, soit sous sa forme de céleri rave, soit sous celle de céleri plein blanc en branches.

Entre les deux, bien peu de caractères botaniques communs sauf leur odeur caractéristique, peu agréable pour certains, et bien moins forte dans le Céleri cultivé comme aussi la saveur.

L'ache sauvage — apium graveolens — est une ombellifère aquatique qui aime les terres salées et les eaux saumâtres du bord de mer. Elle présente des grandes feuilles luisantes, pennées et découpées, portées par des tiges creusées de cannelures hautes de 50 cms à 1 mètre ; ses fleurs sont petites, d'un blanc jaunâtre. Son odeur et sa saveur sont très fortes, peu agréables et tellement odorantes qu'elles lui ont valu son nom de « graveolens ».

Le céleri cultivé, lui, présente de nombreuses variétés, toutes caractérisées par des pétioles pleins et charnus qui le rendent comestible. L'une de ces espèces est encore bien plus différente, c'est le céleri-rave, au renflement bulbeux et charnu de la tige.

Par sélection et amélioration de l'espèce primitive, les jardiniers ont obtenu de nombreuses variétés portant sur l'ampleur du feuillage, la grosseur et la couleur des pétioles, le bulbe charnu et plein qui rendent la forme initiale méconnaissable : tels sont le céleri à couper, le plein blanc, le plein blanc frisé, le nain frisé, le céleri rave...

Originaire des bords de la Méditerranée, l'ache sauvage s'est naturalisée un peu partout dans le monde. Elle tire son nom d'apium de « apis » herbe aux abeilles ou du sanscrit « apua » qui croît dans l'eau. Quant au terme de céleri, il dérive du grec « selinon » — herbe aromatique, devenu selinum en latin pour donner seleni, selery.

HISTOIRE

Il est d'ailleurs bien difficile de savoir à quoi se rapportaient les termes d'apium et de selinum, chez les Anciens, ces mots désignant tantôt l'ache des marais, tantôt le persil.

Il semble que sous le nom de selinon, employé par Homère dans l'Odyssée et par les autres poètes Grecs, il faut voir l'ache odorante, le céleri sauvage qui jouait un rôle important dans les cérémonies funéraires, pour orner les tombeaux.

Par contre, l'apium — ache verte ou persil — servait toujours chez les Grecs, à récompenser sous forme de couronnes, les vainqueurs des Jeux Néméens. Chez les Romains, le même terme d'apium servait à désigner une plante qui, associée aux roses et aux lys, faisait l'ornement des festins, comme nous le rapporte Horace.

Ce même « apium » était considéré, par Dioscoride et Pline comme une plante aux vertus diurétiques, mais aussi comme une plante légumière et condimentaire, surtout une variété déjà cultivée qui présentait moins d'amertume.

Au Moyen-Age, il semble que seule, l'espèce sauvage était connue comme plante médicinale diurétique si l'on en croit l'Hortulus de Strabon (9e) et, au 13e, Pierre de Crescences nous dit que « l'ache sauvage est appelée ache de riz pour ce qu'elle purge les humeurs mélancoliques dont est engendrée tristesse ».

Le Grand Herbier du 15e précise que l'ache commune « ouvre les conduits du foie et de la rate, fait bien uriner, brise la pierre et la gravelle, vaut contre jaunisse et les morsures de bêtes ».

C'est dans le « de re cibaria » de Bruyerin Champier que l'on trouve, au 16e, mentionnée la première transformation du céleri creux, en céleri à couper, plante aromatique condimentaire.

Après lui, Ch. Estienne et O. de Serres signalent l'ache des jardins, c'est-à-dire le Céleri à pétioles creux et le « sellery » à côtes pleines venu d'Italie, comme des fines herbes propres aux assaisonnements, dont les sommités sont utilisées dans les bouillons, les ragoûts et comme fourniture de salade.

Les livres de cuisine de l'époque mentionnent un céleri à côtes, dont les pétioles s'apaississent pour constituer le « cœur » du céleri. Le « Cuisinier Français » de 1651 précise que c'est un mets de carême, un condiment mangé avec poivre et sel. Dans le Maître d'Hôtel de 1659, le « sellery », appelé encore « apuy » entre dans une recette où, après cuisson, il est garni de citrons, de grenades et de betteraves.

Sous Louis XIV, le céleri est encore amélioré grâce à La Quintynie qui l'attendrit par étiolage, ce qui permet aux cuisiniers de l'accommoder au jus, en ragoût, à la sauce blanche ou encore, selon la « cuisinière bourgeoise » d'en faire une rémoulade avec du sel, poivre, huile, vinaigre et moutarde.

Par la suite, le céleri subit encore de nombreuses améliorations au point qu'en 1904 le catalogue de Vilmorin en décrit plus de 30 variétés : le plein blanc, le Céleri à côte rose, le violet de Touraine, etc...

La variété qui a subi la plus importante transformation est le Céleri rave, dont le feuillage est resté à peu près le même mais dont la base de la tige et la partie supérieure de la racine ont été développées au maximum pour former une masse tubéreuse et charnue à pulpe moelleuse, fine et parfumée.

Décrite pour la première fois à la Renaissance par Bauhin, sous le nom de «selinum tuberosnum», le céleri rave a été longtemps regardé comme une fantaisie ; peu à peu perfectionné, il est enfin devenu ce que les jardiniers allemands ont appelé le céleri d'Erfurt et les maraîchers parisiens le « grand lisse de Paris ».

THÉRAPEUTIQUE

Le céleri sauvage, l'ache des marais devenu plante légumière, est cependant resté une plante médicinale sous sa forme primitive.

On lui reconnaît des propriétés diurétiques, stomachiques, stimulantes, cholagogues et fébrifuges, ce qui permet son emploi dans : l'hydropisie, la gravelle, l'ictère, l'œdème, les affections rhumatismales et goutteuses, l'atonie des voies digestives, toutes propriétés mises à contribution dans le Sirop des 5 racines avec l'asperge, le fenouil, le persil, le petit houx, et dans les 4 semences chaudes avec les graines d'anis, de carvi et de fenouil.

On emploie généralement ses feuilles sous forme d'infusion à raison de 50 g. par litre, et ses racines en décoction à raison de 50 g. par litre.

A l'extérieur, ses feuilles sont appliquées en cataplasmes contre les contusions et les ulcères.

A noter que l'ache est employée dans les extinctions de voix : 30 g. en infusion dans un litre d'eau additionnée d'un peu de lait.

La médecine populaire ne se prive pas d'utiliser aussi bien l'ache que le céleri rave, ce dernier étant remarquable, parait-il, contre les engelures : 250 g. de tiges et de quartiers de céleri mis à bouillir pour en faire une décoction dans laquelle on trempe les doigts malades.

Les racines des deux espèces sont encore utilisées contre les rhumatismes, la goutte, les catarrhes bronchiques, l'asthme et surtout comme diurétiques.

On en fait même dans certaines campagnes un vin diurétique, qui a le goût d'ananas, en mélangeant la pulpe broyée avec du sucre et laissée à macérer dans du vin blanc.

GASTRONOMIE

Surtout destiné à l'usage culinaire, le céleri permet d'accorder la science médicale avec la bonne cuisine.

Il peut ainsi servir, au titre de légume pour des cures sinon médicales du moins diététiques, en entrant dans certaines préparations culinaires comme garniture et comme condiment.

Le potage au céleri est à recommander pour les rhumatisants ; le céleri rave, cuit ou cru en salade, est un excellent dépuratif.

Pour l'obtenir, on fait cuire un céleri rave, coupé au milieu dans l'eau salée et on l'assaisonne à chaud avec moutarde, ciboule et du vert de feuilles de Céleri finement hachées.

Le Céleri se prête à maintes combinaisons : à la sauce béchamelle, à la maître d'hôtel, à la crême, sauté ou braisé et même en ragoût, selon la recette du Dr Bonnafous :

« Faire cuire du Céleri haché comme des épinards ; l'assaisonner de sel, poivre et de muscade, y ajouter un peu de bouillon et servir avec des croûtons bien dorés ».

Jusqu'à Huysmans qui se targuait de gastronomie et qui recommandait d'en faire infuser dans de l'eau de vie pour en obtenir une liqueur agréable :

« C'était, disait-il dans « Là-Bas », une liqueur épaisse sucrée comme l'anisette, mais encore plus féminine et plus douce ; seulement quand on avait avalé cet inerte sirop, dans les plus lointaines des papilles, un léger fumet de céleri passait ».

N'oublions pas, enfin, le sel de Céleri obtenu par évaporation et qui, réduit en poudre et mélangé avec du sel fin, constitue un excellent condiment qui fait ressortir l'odeur du Viandox ou du jus de tomate.

Pour terminer, rappelons que la tradition populaire accorde au céleri des propriétés génésiques et aphrodisiaques illustrées par un vieux dicton franc-comtois :

« Si l'homme savait l'effet du céleri il en remplirait son courtil. »

Si cette propriété, jadis attribuée à l'ache, n'est pas officiellement reconnue, elle peut néanmoins, par son seul effet psychique, redonner l'espoir aux vieux maris nantis d'une jeune épouse.

A moins que, plus sages, ils ne se contentent, plus prosaïquement de s'en ceindre le front, tout comme les Anciens.

En Charente, on le considère comme « le balai des rhumatismes qui guérit radicalement et soulage des vieilles douleurs ».

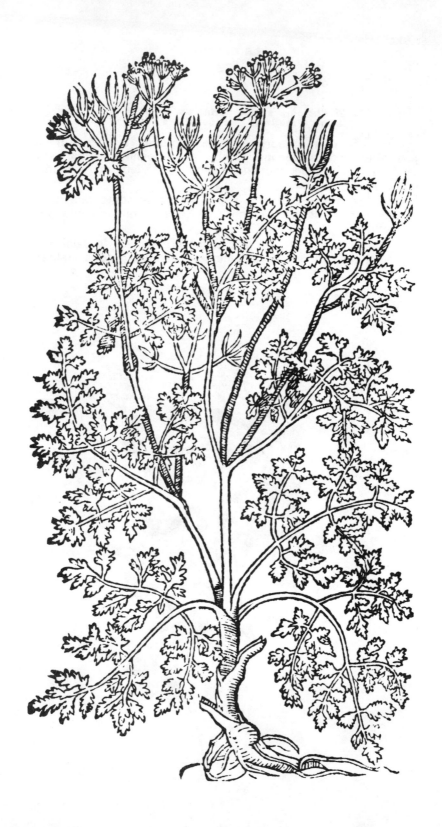

le cerfeuil

CARACTÉRISTIQUES

Les Grecs, toujours enclins à la poésie, lui avaient donné le joli nom « d'enfant de l'amour » — pœderos — tandis que nos botanistes ont affublé cette petite plante potagère, si commune dans nos jardins, du terme moins poétique d'anthriscus.

En réalité, la plante connue des Grecs n'était pas celle de nos jardins dont il existe plusieurs variétés fort différentes.

D'abord le cerfeuil cultivé, le « cerefolium anthriscus » puisqu'il faut bien l'appeler de son nom scientifique, qui est le cousin germain du persil, appartenant comme lui à la famille des ombellifères.

Ses feuilles plusieurs fois subdivisées et profondément découpées ressemblent à celles du persil frisé mais sont d'une couleur moins verte et plus luisante ; elles exhalent une odeur aromatique très prononcée qui varie suivant le lieu où on le cultive et la tige se termine par une délicate ombelle de fines fleurs blanches.

Ensuite, le cerfeuil sauvage ou sylestre, qui abonde dans les prés, au bord des chemins, et qui se distingue du précédent par son odeur presque fétide et sa saveur amère.

Le cerfeuil bâtard ou enivrant — telulum — auquel on attribue des propriétés toxiques.

Enfin, le cerfeuil musqué — myrrhis odorata — remarquable par ses feuilles plus larges, comme des ailes, qui lui donnent l'aspect de fougère plus découpée, et surtout par son odeur fortement anisée lorsqu'on les froisse.

Les uns et les autres possèdent de nombreux noms populaires : persil d'âne, fausse cigüe, myrrhe odorante, cerfeuil anisé, fougère musquée, persil d'anis...

Quant au cerfeuil cultivé, il tire son nom latin de cerefolium ou « feuille de Cérès » parce que le Cerfeuil était employé dans les repas présidés par Cérès. Déesse des moissons.

HISTOIRE

Les Grecs se servaient déjà du cerfeuil comme condiment, mais le nom d'anthriscus, qu'ils lui attribuaient, était une variété sauvage indéterminée.

Dioscoride et Pline distinguaient le cerefolium que l'on mangeait cuit comme légume et le « myrrhis » semblable à la cigüe, mais moins robuste et de saveur agréable.

Devenu plante potagère à l'époque gallo-romaine, le cerfeuil s'est rapidement répandu dans les jardins du Moyen-Age. Les glossaires de l'époque le désignent successivement sous les noms de sermenna, de cierfuel, cerfeuil, cherfeult dans les recettes médicales.

De condiment, il était devenu plante médicinale vantée par l'Ecole de Salerne :

« le Cerfeuil mondicatif
pour guérir le cancer est bon détersif
et souvent rétablit l'estomac dévoyé.
quand sur l'endroit malade on l'applique broyé. »

L'Anglais Gerarde lui attribue, dans son « Herball », des vertus diurétiques, reprises ensuite par tous les auteurs des siècles suivants, notamment du Four de la Crespelière :

« le jus de Cerfeuil rompt la pierre
aisément comme on fait du verre
et la pousse après hors du rein. »

Pour Lemery : « il atténue la pierre du rein, dissout le sang caillé ; on l'applique en cataplasmes pour les coliques néphrétiques et l'érésipèle » (sic).

Et Lazare Rivière vante dans l'hydropisie, en frictions sur les reins, le « Cerfeuil frit dans l'huyle de scorpion ».

THÉRAPEUTIQUE

Les modernes lui accordent les mêmes propriétés, mais à un degré plus faible que les autres ombellifères, anis et fenouil.

Pour eux, il est apéritif, dépuratif, stimulant, diurétique et à l'extérieur résolutif.

D'où son emploi dans l'hydropisie et la goutte, les petites affections du foie, la jaunisse et, à l'extérieur dans les douleurs hémorroïdaires, l'érésypèle, les contusions et les plaies.

On préconise l'infusion de feuilles à 50 g. par litre d'eau dans la plupart des affections. Mais il est plus souvent employé dans le bouillon d'herbes ou apozème d'oseille composé de :

Feuilles d'oseille.......... 40 g
Feuilles de laitue.......... 20 »
Feuilles de poirée........ 10 »
Feuilles de cerfeuil........ 10 »
Eau..................... 1 000

Ajouter beurre et sel marin. Comme dépuratif, dans la formule suivante :

Pissenlit.............. une poignée
Orties fraiches........ »
Cerfeuil et Ciboule.... »
Oseille............... »
Rhubarbe.............. une branche
Aloès................. 5 g
Beurre et sel

En médecine populaire, il sert dans la jaunisse, l'hypertension, comme tonique de l'estomac et surtout, en mélangeant ses feuilles écrasées à du sel en cataplasmes contre les abcès froids, les contusions, les ulcères rebelles à la cicatrisation, les maux de gorge.

Bien souvent, ses feuilles mélangées à des feuilles d'aulne sont appliquées sur les seins et constituent un antilaiteux énergique.

Dans du lait contre les douleurs hémorroïdaires, tandis que chez les asthmatiques il remplace le tabac pour favoriser les expectorations.

GASTRONOMIE

En cuisine, le cerfeuil est une des herbes condimentaires les plus utilisées, pour son odeur fine et agréable, pour assaisonner les salades, les omelettes, les vinaigrettes et pour aromatiser les potages.

Autrefois, on consommait surtout les graines: « les graines, dit Gérarde, mangées en salade lorsqu'elles sont vertes avec de l'huile, du vinaigre, sont meilleures que les autres salades, par l'agrément de leur goût, la douceur de leur parfum et rien n'est plus sain pour les estomacs faibles ».

Porta le prônait dans l'alimentation : « tous les jardins en regorgent pour qu'il ne manque pas dans les salades ; le bouillon est un régal, c'est la boisson des fines gueules ».

Aujourd'hui, c'est une des fines herbes, avec la ciboule, les cives, le persil avec lesquels il forme une harmonie de goût et d'arôme fort engageante à condition de ne hâcher le cerfeuil qu'au moment de le servir et de ne pas la soumettre à une longue ébullition.

Mais, où le cerfeuil triomphe encore, c'est dans la préparation des bouquets garnis, indispensables aux ragoûts et aux sauces les plus diverses.

Grave question que celle du bouquet garni, nous dit d'Aigrefeuille, « les diverses parties devraient en être pondérées au trébuchet d'un orfèvre et évaluées au carat, comme les diamants ».

Mais les cuisiniers, eux, font appel à leur expérience et à leur inspiration, veillant surtout à ce qu'aucun des ingrédients ne prime les autres.

Nous en donnons quelques formules à la fin de ce volume.

Pour terminer, citons un emploi de cerfeuil qui ne relève ni de la médecine ni de la cuisine mais de l'esthétique, utilisé par les élégantes de nos campagnes.

Pour éviter les rides, elles se contentent de se laver matin et soir le visage avec une poignée de feuilles de cerfeuil dans un litre d'eau bouillante. Le remède est simple, c'était celui de la célèbre Ninon de Lenclos qui, à 80 ans, faisait encore des ravages parmi les violentes passions qu'elle suscitait chez ses admirateurs.

la coriandre

Cette ombellifère est une plante toute de contrastes : double et opposée dans son odeur comme dans son action.

En effet, la plante fraîche exhale une odeur désagréable qui disparait pour devenir agréable en séchant. Sur le plan médicinal, elle est d'abord excitante pour devenir déprimante.

CARACTÉRISTIQUES

La Coriandre est une plante herbacée qui se distingue de ses nombreux congénères par une tige petite, de 30 à 50 cm, rameuse, d'un vert clair luisant ; ses feuilles inférieures ont des folioles presque entières à segments cunéiformes tandis que ses feuilles supérieures sont très divisées et découpées en lanières fines et étroites.

Les fleurs, elles-mêmes, se différencient ; les unes, celles de la périphérie, sont larges tandis que les autres, au centre des ombelles, sont petites. Les unes et les autres sont blanches ou rosées et s'épanouissent de juin à août.

Quant aux fruits, ils présentent eux aussi une particularité qui les caractérise. Ils sont formés de deux petites sphères très régulières réunies en une masse globuleuse et parcourues de côtes si petites qu'il faut une loupe pour les apercevoir.

Originaire de l'Orient, la coriandre peut être considérée comme une mauvaise herbe cultivée. Elle s'est naturalisée aux abords de la Méditerranée, en Grèce et en Egypte, au Sahara même où elle est recherchée comme condiment légumier dans les oasis, au même titre que le cerfeuil.

Elle est surtout cultivée en France et au Maroc, ce dernier pays en étant le principal centre de culture.

La coriandre fraiche est douée d'une odeur pénétrante très agréable, si forte qu'elle donne envie de dormir tout en rappelant l'odeur de la punaise.

C'est d'ailleurs cette odeur propre qui lui a donné son nom, du grec « koris » punaise et « andros » c'est-à-dire « mari de la punaise ».

En langue populaire, la coriandre est plus communément appelée punaise mâle ou encore persil arabe.

HISTOIRE

La coriandre est une plante condimentaire dont l'emploi se perd dans la nuit des temps.

Aux Indes, elle servait dans les incantations magiques adressées aux Dieux ; et, en Egypte, surtout plante médicinale et pour rendre le vin plus énivrant ; on en a trouvé des graines dans les tombeaux royaux.

Pour les Hébreux, c'était le « gad » souvent comparé à la manne du désert parce qu'elle servit, elle aussi, à nourrir les Israélites pendant l'exode.

Les Grecs, Hippocrate en tête, utilisèrent ses propriétés antispasmodiques pour combattre l'épilepsie, provoquer le sommeil, calmer les douleurs utérines, favoriser la conception et atténuer les spasmes intestinaux.

> « s'il advient quelquefois de follement goûter
> la mortelle coriandre si fâcheuse à dompter
> l'homme plein de fureur et l'esprit tout malade
> va, causant en public et comme une Thiade
> il éclate sa voix, touché du Than sans peur. »

Dioscoride et Galien ne sont pas d'accord sur ses vertus médicinales. Le premier la considère comme un réfrigérant et pour le second c'est, au contraire, un médicament qui réchauffe.

Pline, toujours mi-sérieux, mi-fantaisiste, dit qu'il suffit d'en mettre quelques graines sous l'oreiller, avant le lever du soleil, pour dissiper les maux de tête et prévenir la fièvre et ajoute que, prise intérieurement avec la rue, elle combat la peste.

C'est Varron qui nous fait connaître une des premières recettes où la coriandre est employée comme condiment : légèrement pilée avec du cumin et du vinaigre, elle empêche toute espèce de viande de se gâter pendant l'été.

Les médecins arabes sont, eux aussi, partagés sur les vertus de la coriandre. Pour les uns, c'est un poison — le kozbera — ; pour d'autres, dont Rhazès, elle calme les douleurs de tête et fait cesser l'ivresse. Quant à Ibn Rezzin, un précurseur en obstétrique s'il en fut, il dit qu'il suffit d'attacher quelques graines de coriandre à la cuisse d'une femme enceinte pour la faire accoucher sans douleur.

Au Moyen-Age, Aemilius Macer, reprenant les affirmations de Xénocrate, nous dit qu'elle fait cesser les règles autant de jours que la femme en consomme de graines. Propriété confirmée par l'Ecole de Salerne qui ajoute :

> « **Pour l'estomac vous pouvez prendre**
> **De la graine de coriandre**
> **Les vents à son approche, ou par haut ou par bas,**
> **Sortent à petits bruits ou même avec fracas.** »

Les médecins de la Renaissance, eux, se méfiaient de la coriandre et Tragus invitait à être prudent avec les apothicaires qui en vendaient et recommandait de la faire macérer dans du vinaigre pour en corriger les méfaits à moins, disait-il « qu'ils ne veuillent vendre du poison au lieu de remède ».

Presque tous considèrent que la coriandre est dangereuse, entraînant un état de folie, la perte de l'intelligence et même faisant mourir de stupeur.

Les poètes-apothicaires de l'époque sont moins pessimistes, tel Thibault de Lespleigney qui la considère :

> « **en premier lieu confortative**
> **conséquemment est digestive**
> **à l'estomac santé prochasse**
> **elle tire du corps le mort-vent**
> **et les ventosités deschasse**
> **pour conseil, prenez en souvent.** »

Quant à Du Four de la Crespelière, à l'encontre des Arabes qui la considéraient comme anaphrodisiaque, il déclare :

> « **l'on tient qu'elle rend plus paillards**
> **les jeunes gens et les vieillards** »

Les médecins des siècles suivants reprennent la plupart de ces nombreuses vertus : fortifier l'estomac, corriger la mauvaise haleine, arrêter la dysenterie, combattre les céphalées, chasser les vents et guérir les métrorragies.

On vit même une femme, souffrant d'une métrorragie qui, après avoir pris un mélange de coriandre et d'anis, vit non seulement son flux sanguin se tarir mais devint enceinte...

D'autres médecins estimaient que c'était un poison aussi violent que la cigüe dont il faut se méfier et c'est Dom Alexandre qui a le mot de la fin, en 1716 :

« On a cru longtemps que la Coriandre avait quelque chose de malin et, pour ôter cette prétendue mauvaise qualité, il suffit de la faire macérer dans du vinaigre et d'en faire un électuaire ».

C'est simple, mais il fallait y penser.

THÉRAPEUTIQUE

La coriandre, qui compta autrefois parmi les 4 semences chaudes des apothicaires, en compagnie du fenouil, de l'anis et du carvi, ne jouit plus, aujourd'hui, de la même vogue qu'autrefois.

Elle possède, cependant, des propriétés non négligeables comme toutes les autres ombellifères. Ses graines sont stimulantes, digestives, carminatives et aussi antispasmodiques d'où son emploi : dans l'aérophagie, les flatulences, les digestions pénibles, les spasmes, l'anorexie nerveuse.

Le Dr Leclerc la prescrivait, en outre, dans les états de fièvre adynamique, la grippe, les sensations de malaise indéfinissables, la fatigue cérébrale, l'inaptitude à l'effort.

Considérée comme euphorisante, elle est susceptible d'être utilisée chez les pessimistes, les personnes atteintes de tristesse et d'idées noires. Elle possède également des propriétés antiseptiques mises à profit dans les fermentations putrides et même des propriétés bactéricides permettant de l'utiliser dans les fièvres typhoïdes.

Cette action bactéricide sur le bacille d'Eberth a été reconnue par Cadéac et Meunier qui ont trouvé dans son huile essentielle du coriandrol, du pinène et des terpènes.

Malheureusement, cette essence, qui possède une action comparable a celle de l'alcool éthylique, n'est pas sans toxicité et doit être maniée avec prudence. Elle excite d'abord, procure une sorte d'euphorie bientôt suivie d'une action déprimante et de prostration.

On emploie surtout ses fruits :

— en infusion à 3 %, soit une cuillerée à café de semences par tasse,

— en teinture , 10 g de semences pour 80 g d'eau de vie à raison de 10 à 20 gouttes après les repas.

Pour obtenir une action euphorisante, le Dr Leclerc recommandait de prendre 2 à 5 g de poudre de coriandre dans du miel ou, mieux, un œnolé composé de :

semences   L gouttes
lactose   )
) à 25 g
saccharose   )

N'oublions pas que la coriandre entre dans la composition de l'Eau de Mélisse et dans diverses préparations pharmaceutiques. En médecine populaire, les semences de coriandre jouissent du même prestige que celui accordé à l'anis et au fenouil. De plus, les bonnes femmes savent les utiliser, dûment pilées, sur les inflammations, les contusions, les ulcères et surtout chez les animaux atteints de coliques.

Elles savent aussi, réminiscence probable de la théorie des signatures, utiliser son odeur pour faire fuir la punaise mais, auparavant, elles n'omettent jamais de faire sécher ces graines sans quoi le remède serait, paraît-il, plus fort que le mal et totalement inefficace.

GASTRONOMIE

Depuis toujours, la coriandre a été utilisée largement comme condiment pour assaisonner la plupart des plats. La coriandre d'Egypte était particulièrement appréciée des Romains qui en mettaient dans le pain, les ragoûts et le « moretum ». Plaute signale qu'elle aromatisait les bouillies d'orge et les sauces. Apicius a laissé une recette de « coriandratum » ou sauce à la coriandre utilisée pour déguster les coquillages.

Aujourd'hui, on s'en sert dans maintes préparations culinaires, souvent confite dans du vinaigre, pour aromatiser les viandes et les charcuteries, surtout dans les pays nordiques et anglo-saxons.

En Angleterre et en Allemagne, la coriandre aromatise et relève la saveur de la bière ; on en saupoudre le pain et les gâteaux au même titre que le cumin.

En France, la coriandre est moins à la mode ; on s'en abstient habituellement mais les boulangers savent s'en servir pour masquer la saveur des farines avariées ou moisies et donner au pain une agréable odeur aromatisée.

On s'en sert également, seule ou confite dans du vinaigre, pour donner plus de goût aux viandes, au gibier et aux charcuteries. Elle entre dans la composition du « curry » et aromatise certaines préparations comme les champignons à la grecque.

Mais, en France, c'est surtout dans la fabrication des liqueurs que la coriandre trouve ses emplois majeurs. Elle entrait autrefois dans le vieil Hypocras et dans le Vespetro. Elle fait toujours partie de l'eau de Mélisse et est une des bases de la Chartreuse, de l'Izarra ou liqueur d'Hendaye avec l'anis vert et l'iris de Florence. Elle entre dans le ratafia des 4 graines avec l'angélique, le fenouil et le céleri et sert de base, avec le carvi, au cordial qui porte son nom et au « Cordial d'or » composition assez compliquée où entrent de la cannelle, de la réglisse, des figues, des clous de girofle et même de l'eau de roses : agréable préparation de beaucoup préférable, par son goût et son action, aux cordiaux de nos pharmaciens.

N'oublions pas, enfin, que la coriandre mâchée est incomparable pour neutraliser l'odeur de l'ail et procurer une bonne haleine aux gosiers des Méridionaux après absorption d'un bon aïoli.

Toujours paradoxale dans ses propriétés, l'essence de coriandre permet d'obtenir, en parfumerie et en savonnerie des parfums agréables, comparables à celui du muguet et bien éloignés de l'odeur désagréable du « mari de la punaise ».

le cumin

Le cumin — cuminum cyminum des botanistes —, est souvent confondu avec d'autres plantes aromatiques : le cumin des prés ou carvi, le cumin royal ou sison, le cumin bâtard ou sauvage ; enfin le cumin noir ou nigelle.

Le véritable cumin est une ombellifère originaire de l'Asie centrale et du Turkestan.

Répandu depuis longtemps sur les bords de la Méditerranée, il aurait été apporté en Europe à l'époque chrétienne, mais ce sont surtout les Arabes qui constribuèrent à l'y introduire.

Le cumin est une plante annuelle et grèle, aux tiges de 25 à 30 cm, aux feuilles découpées en lanières presque capillaires qui ressemblent à celles du fenouil, aux fleurs petites et blanches, quelquefois rosées ou purpurines en ombelles dont chacune produit deux graines oblongues, très petites, striées et hérissées de poils rudes.

Son odeur forte et aromatique se rapproche de celle du fenouil ; sa saveur est chaude, piquante et âcre.

Plante très ancienne, le cumin tire son nom de l'hébreu « kamon », mot d'origine babylonienne devenu kuminon en grec.

Le cumin, plante orientale, est non seulement cultivé dans ses pays d'origine, à Malte, au Maroc, en Egypte, mais aussi dans les régions septentrionales : en Prusse où on le désigne sous le nom de « keummel », en Russie et jusqu'en Norvège.

En France, il n'est pas indigène ; il est surtout cultivé dans certaines régions du midi, le Var, le Vaucluse notamment où il se trouve également à l'état subspontané.

HISTOIRE

On a trouvé des graines de cumin dans les tombeaux des Pharaons, ce qui est une preuve de l'ancienneté de sa culture.

Chez les Egyptiens et les Hébreux, il était vendu parmi les herbes potagères, comme aujourd'hui encore, et la Bible nous apprend que l'on en mettait dans la soupe, dans les ragoûts, dans le pain.

Au temps du prophète Isaïe, c'était une plante à laquelle les cultivateurs apportaient de grands soins.

« Le laboureur avant de répandre la semence sur la terre, commençait par niveler celle-ci et lorsque les tiges étaient-elles (????) mais les battait avec le fléau ».

Selon Matthieu, il était reproché aux Pharisiens d'en verser la dîme au Temple alors qu'ils négligeaient les commandements de la loi (Matth. XXIII - 23).

Les Hébreux s'en servaient aussi dans la circoncision pour hâter la cicatrisation et éviter l'infection.

Chez les Grecs, le cumin était un symbole de cupidité en raison de la petitesse de son fruit et on disait d'un avare :

« il partage tout, même le Cumin »

Chez les Romains c'était un accessoire obligé des festins, personnifiant le Dieu Crépitus en raison de ses propriétés carminatives, mais ces bruits incongrus ne les choquaient pas et un édit de Claude les avait même autorisés à la table.

Il servait, dans leur cuisine, à aromatiser l'huile d'olive, l'amurque, le vinaigre pour en faire l'oxycuminum. Ils mangeaient le poisson grillé au cumin, conservaient les viandes avec du cumin et en faisaient des sauces, notamment le « cuminatum » dont Apicius a donné une recette.

Pour Pline c'est la meilleure des épices et Dioscoride l'appréciait pour dissiper les flatuosités et provoquer une action stimulante sur l'estomac.

Dans les banquets, il était apprécié des ivrognes, car il était réputé pour leur donner un teint pâle.

Pline, jamais pris en défaut d'anecdotes, reconnaît qu'il rend pâles ceux qui en boivent et raconte que les disciples de Portius Latron, orateur fameux, imitait de cette façon la pâleur que leur maître devait à ses études. Au Moyen-Age Ste Hildegarde, femme médecin mais aussi gastronome, estime que pour manger un bon fromage il faut le saupoudrer de cumin et de poivre.

Cultivé, à cette époque dans les Domaines Impériaux, il est mentionné dans les Capitulaires. Pour l'Ecole de Salerne :

« il stimule à la fois l'amour et l'appétit
d'uriner plus souvent cause un besoin subit
des vents de l'estomac, chasse la vapeur
et, mâché, sur la face étale la pâleur. »

Cette dernière propriété fut reprise par tous les pharmacologues de la Renaissance et des siècles suivants, notamment par Mathiolle qui nous dit : le cumin est fort usité en viandes et s'en parfument, notamment, souvent, les hypocrites pour se faire pâlir et tromper leur monde sous l'ombre de quelque sainteté ».

Tandis que pour Lemery, le cumin reste avant tout résolutif, excitant le mois aux femmes, et carminatif.

Le cumin faisait partie des 4 semences chaudes avec le carvi, coriandre et fenouil.

THÉRAPEUTIQUE

Les propriétés du Cumin que reconnait la thérapeutique moderne sont celles de l'Anis.

Ses semences sont antispaspodiques, stomachiques, carminatives utilisées dans les flatuosités, les dyspepsies, l'aérophagie, les états atoniques de la muqueuse gastrique, l'éréthisme cardio-vasculaire.

On l'emploie :

— en infusion : 2 à 4 g pour une tasse d'eau bouillante,

— en poudre : 1 à 2 g pour une tasse d'eau bouillante,

— en teinture : 1 à 3 g

Moins actif que l'Anis, il est, de plus, doué d'un goût qui rappelle celui de la punaise et se rapprocherait de la coriandre.

La médecine populaire en fait des cataplasmes pour combattre les engorgements des mamelles et des testicules et s'en sert aussi, en décoctions, contre la surdité.

GASTRONOMIE

A toutes les époques le Cumin a été utilisé en cuisine et on le trouve dans la plupart des recettes culinaires du Moyen-Age et de la Renaissance, notamment dans le Mesnagier de Paris qui donne une recette de « cumminée de poulailles » - 1393.

Le viel usage des orientaux de se servir du Cumin comme condiment du pain a été repris en Europe notamment en Allemagne où, appelé « mutter kummel », il passe pour facilité la fermentation.

En Bohème et en Bavière, on en met soit dans la pâte, soit dans le pain, vieille coutume que l'expression « kummel brot unser tod » — pain de Cumin notre mort — laisserait supposer que le Cumin aurait été introduit par les moines.

Il était d'usage à Pâques que les boulangers offrent du pain au Cumin, au Safran et à l'Anis, ainsi que nous le rapporte Olivier de Serres.

Aujourd'hui le Cumin entre dans maintes préparations culinaires des pays nordiques ; les Hollandais le font entrer dans leurs fromages, les Allemands dans leurs charcuterie ; les saucisses et surtout la choucroute bénéficient de son parfum.

On en fait aussi des liqueurs ; il sert à aromatiser certaines Crèmes de Munich mais, contrairement à ce que l'on pourrait supposer, le Cumin n'entre pas dans la fabrication du kummel, où il laisse sa place au Carvi.

Les Arabes s'en servent comme aphrodisiaque et préparent avec du miel, du poivre et du Cumin une pâte liquide dont il mangent plusieurs fois par jour pour réveiller leurs cinq sens.

Si les hommes l'apprécient médiocrement, certaines volailles, pigeons et perdrix en raffolent. Les chasseurs, mauvais tireurs, plutôt que de tirer maladroitement ces dernières, préfèrent déposer quelques graines de Cumin dans des endroits choisis où il n'y a plus ensuite qu'à les capturer.

l'estragon

Si le laurier peut être considéré comme le roi des aromates, l'estragon en est certainement le premier prince royal, tellement son arôme fin et pénétrant arrive à charmer les palais les plus difficiles, capable à lui seul de remplacer sel, poivre et vinaigre.

CARACTÉRISTIQUES

L'estragon est un des rares aromates qui ne soit pas originaire du bassin méditerranéen. Cette petite plante appartient, en effet, à la grande famille des armoises et comme ses congénères est originaire des vallées de la Russie méridionale, des plaines de Tartarie et de Sibérie d'où elle nous est venue avec les invasions mongoles, en passant par les pays arabes du Proche-Orient qui lui ont donné son nom initial de « tarkhoun » qui devient d'abord tarchon, puis targon en vieux français, d'où est finalement issu le mot actuel d'estragon, ainsi que l'indique Liebault dans sa Maison Rustique du 16° : « Targon, que les jardiniers appellent estragon ».

Mais pour beaucoup, l'estragon est toujours l'herbe-dragon, la dragonne ou la serpentine, nom aussi belliqueux que sa racine première pouvait être barbare.

L'estragon est une plante voisine des absinthes qui lui ont légué leur nom botanique. C'est une petite plante vivace, à tiges herbacées en forme de touffes ne dépassant guère 60 cm ; ses feuilles lancéolées sont étroites et charnues et possèdent une odeur agréable très pénétrante ; ses petites fleurs blanchâtres, disposées en capitules globuleux, présentent une particularité propre à l'espèce cultivée : elles ne donnent pas de graines et la multiplication de l'estragon est obtenue par la division des touffes, travail effectué au printemps.

Aujourd'hui, l'estragon est cultivé dans les plus modestes potagers et on le trouve également à l'état semi-naturalisé dans le voisinage de ces jardins dont il s'est échappé. Nul ne saurait s'en passer tant il est utile à l'art médical comme à l'art culinaire.

HISTOIRE

L'estragon était inconnu des Anciens bien que le « chrysecomme » de Dioscorite ait été identifié par certains botanistes comme étant l'artemisia dracunculus. La légende mythologique des gréco-romains s'en est d'ailleurs emparée. Pour eux, l'herbe-dragon était le « drakuntium » parce que la racine de l'estragon rappelle, par sa forme, le fameux dragon marin qui causa la mort d'Hippolyte, fils de Thésée.

En fait, il s'agissait probablement de la serpentaire, la dragantea des Capitulaires de Charlemagne, car suivant un manuscrit du 13ᵉ : « serpentaire, dragontée, colebrine, tôt est un ».

Les Arabes connurent l'estragon bien avant nous et le tarkhoun jouissait d'une grande faveur auprès de leurs médecins. Avicenne et Rhazès en parlent avec éloges dans leurs traités médicaux, comme d'une plante utile pour dissiper les vents et purifier l'air infecté par la peste tandis qu'Ibn-el-Baithar le considère « comme un légume de table dont on utilise les pousses pour exciter l'appétit et parfumer l'haleine ».

Introduit en Europe par les Croisés, la première mention en est faite par Siméon Sethi, médecin byzantin du 12ᵉ qui ne voit en lui qu'une plante condimentaire, surtout bonne en salade. Encore peu répandue à la Renaissance, le botaniste lillois Dodoens l'appelle toujours « herbe dragon ». Ruellius consière « que c'est une des salades les plus agréables qui n'a besoin ni de sel, ni de vinaigre, car elle possède le goût de ces deux condiments ».

Aussi ne doit-on pas s'étonner que le modeste estragon ait rapidement acquis par la suite une grande renommée parmi les herbes potagères à tel point qu'en 1756, La Quintynie, jardinier de Louis XIV, en fait le plus grand cas, le considérant comme « une des meilleures fournitures parfumées ».

THÉRAPEUTIQUE

L'estragon, depuis son apparition en Europe, a été utilisé en thérapeutique, comme les autres armoises, pour ses vertus apéritives, digestives, pour exciter les règles et la salive, et même comme remède aux maux de dents.

Les phytothérapeutes du siècle dernier, Chomel et Cazin, en obtenaient de bons résultats dans « les faiblesses d'estomac et les indigestions, ainsi que comme emménagogue et anthelminthique ».

L'estragon doit ses propriétés thérapeutiques à une huile essentielle, piquante, d'odeur anisée et de saveur térébenthinée, contenant environ 70 % d'estragol et 20 % de terpènes, propres à lui conférer un large éventail d'actions : stimulante, apéritive, stomachique, diurétique, emménagogue et vermifuge, qui trouvent leur emploi dans les anorexies, les dyspepsies, les coliques, les constipations, les parasites intestinaux, les dysménorrhées.

On l'emploie généralement en infusion à raison de 25 à 30 g par litre, à prendre après les repas en trois ou quatre fois par jour.

Ou mieux, en macération, après avoir hâché les feuilles et en les mettant à macérer pendant une heure dans un peu de vin blanc et, après filtrage, à prendre avant les repas à raison d'un verre à bordeaux.

Quant à l'essence, elle se prend à raison de 3 à 5 gouttes sur un morceau de sucre ou en solution alcoolique 3 à 4 fois par jour.

A noter que l'estragon, pouvant remplacer le sel, les malades cardiaques, hypertendus ou obèses, astreints à un régime sans sel, trouvent en lui un remède simple et de bonne efficacité.

GASTRONOMIE

En raison de son odeur aromatique et de sa saveur à la fois fine et pénétrante, si fortes toutes les deux que le simple froissement de quelques feuilles entre les doigts suffit pour les dégager, l'estragon jouit d'un prestige et d'une réputation bien mérités comme aromate, d'autant plus qu'il n'irrite pas l'estomac.

Condiment aromatique complet, remplaçant sel, poivre et vinaigre, il est utile dans les salades, la laitue notamment dont il relève la fadeur ; dans le vinaigre qui sans lui, selon l'expression de Leclerc, « se renfrognerait dans la raideur monotone d'un produit chimique » ; dans la composition des bouquets garnis dits de « persil » et des fines herbes où il complète si harmonieusement le cerfeuil, la ciboulette ou la pimprenelle.

En cuisine, il est l'élément indispensable pour communiquer au gigot, dont la souris aura été soigneusement garnie de quelques brins d'estragon, une odeur et une saveur qui atténuent celles de l'ail pas toujours prisé ni bien toléré par certains palais ou estomacs délicats. C'est lui encore qui, dans les sauces béarnaise, rémoulade, ravigote et autres chefs-d'œuvre de la cuisine française parvient à communiquer son noble parfum et qui, dans les poulets de grain ou les chapons farcis, permet de dégager un suave fumet si apprécié des gourmets. Un filet de vinaigre à l'estragon relève la blanquette, mets particulièrement fade et le vinaigre à l'estragon communique une saveur délicieuse aux salades les plus variées.

Aux Indes, le mélange d'estragon et de jus de fenouil était une des boissons préférées des maharadjahs. En Syrie, les belles n'hésitaient pas à offrir, malgré son nom belliqueux, des pousses de jeune estragon aux convives qu'elles voulaient honorer.

Son plus beau titre de noblesse est probablement celui qui permit à l'illustre Carême, de prolonger la vie du Prince de Galles, usé par les plaisirs de la vie et les excès de table, en remplaçant dans ses menus les irritantes épices par le fin estragon, ce dont l'héritier de la couronne d'Angleterre se montra reconnaissant envers Carême, en lui faisant cadeau d'une tabatière en or.

S'il n'a pas tous les jours les honneurs princiers, l'estragon a pour lui la gloire d'être un des aromates les plus populaires.

le fenouil

Une des plus gracieuses plantes champêtres, un des plus beaux ornements des sèches garrigues du Midi et des terres sablonneuses des bords de mer, le fenouil est certainement la plus aromatique des ombellifères.

CARACTÉRISTIQUES

Le fenouil se distingue de ses nombreux congénères, de l'aneth en particulier, par ses tiges élevées et grêles, ses feuilles divisées en lanières absolument filiformes et ses grandes ombelles qui peuvent compter jusqu'à vingt rayons, à l'extrémité desquelles se balancent au gré du vent ses petites fleurs d'un beau jaune d'or.

Mais, ce qui le caractérise surtout, c'est l'agréable et fine odeur aromatique qui se dégage de toute la plante et qui surpasse toutes les autres.

Par ses tiges frêles mais hautes, ses ombelles dorées et la suavité de son parfum, le fenouil est un véritable enchantement des yeux et de l'odorat, apportant dans la campagne sa note de gaieté, sa poésie et son air embaumé, d'autant mieux qu'il est très commun dans les lieux secs et pierreux du Midi et de l'Ouest de la France où il croit à l'état sauvage, affectionnant à la fois les terres arides ou sablonneuses qu'il finit par embaumer littéralement de ses effluves pénétrants.

Son nom latin de « fœniculum » dont dérive directement son nom français, est un diminutif de « fœnum » — c'est-à-dire foin, par allusion à l'aspect si fin de ses feuilles desséchées.

Il est aussi appelé fenouil aneth, aneth doux avec lesquels il est souvent confondu. On en distingue plusieurs variétés : le fenouil amer, le fenouil d'âne aux fruits âcres et poivrés ; le fenouil doux ou de Florence qui s'en distingue par ses feuilles à pétioles charnus se recouvrant les uns et les autres pour former une sorte de grosse pomme aplatie.

Le fenouil officinal est cultivé de préférence dans des champs d'alluvions et aussi dans les jardins à la terre légère. Semé au printemps, il est éclairci ou transplanté pour donner sa floraison en juin et des fruits mûrs au début de l'automne. Les ombelles sont alors coupées avant complète maturité, disposées sur des claies et battues au fléau avant d'être vannées.

En France, le fenouil est largement cultivé dans les départements du Midi, notamment le Gard, le Vaucluse et l'Ardèche.

HISTOIRE

Originaire des bords de la Méditerranée, le fenouil a été connu et cultivé depuis la plus haute antiquité, même en Chine et aux Indes, mais surtout en Egypte où il est mentionné dans les papyrus.

Pour les Grecs, qui l'appelaient « marathron », c'était la plante qui fait briller les yeux et dont ils se servaient pour se couronner la tête dans le culte offert à Dionysios.

Selon Dioscoride, il avait la réputation d'être favorable aux yeux et d'être doué de propriétés galactogènes et diurétiques.

Pline ne manque pas de lui conférer de nombreuses vertus ; ses feuilles expulsent les calculs de la vessie et, de plus, sont aphrodisiaques ; son suc instillé dans les oreilles y tue les vers ; ses racines sont bonnes pour les hydropiques. En gastronome, il en vante les bienfaits comme assaisonnement pour garnir les croûtes du pain auquel il communique sa saveur agréable et aussi pour obtenir, en le mélangeant au vin, des liqueurs douées de propriétés digestives.

Mais, à côté de ces vertus depuis longtemps prouvées, il ne manque pas de raconter la vieille fable des serpents qui viennent, à l'époque de la mue, se frotter les yeux contre des tiges de fenouil pour recouvrer leur vue.

Après lui, Galien reconnaît au fenouil de nombreuses vertus médicinales tandis que Columelle en vante les bienfaits en cuisine où il entre dans tous les assaisonnements.

A l'époque gallo-romaine, Marcellus Empiricus, en bon bordelais qu'il était, ne pouvait manquer de l'associer au vin de Bordeaux pour l'utiliser contre les plus mauvaises toux.

Au Moyen-Age, il est cité dans les Capitulaires comme une des plantes majeures des jardins impériaux et les auteurs médiévaux : Strabon, Sainte-Hildegarde et Albert le Grand, ne tarissent pas d'éloges à son égard, lui conférant de nombreuses propriétés même jusque dans le traitement des maladies mentales.

C'est encore l'Ecole de Salerne qui reste la plus laudative dans des vers justement célèbres dont le dernier est d'un réalisme frappant, difficilement traduisible en bon français :

> **« La graine de fenouil dans le vin détrempée**
> **Ranime, excite une âme à l'amour occupée**
> **Du vieillard rajeuni sait réveiller l'ardeur**
> **De la semence encore le salutaire usage**
> **Du foie et du poumon dissipe la douleur**
> **Bannit de l'intestin le vent qui fait rage. »**

Les auteurs des 17e et 18e siècles ne sont pas moins laudatifs. Lémery associe feuilles, racines et semences dans un même éloge : elles sont toutes bonnes, dit-il, « pour les maladies des yeux, pour fortifier l'estomac, pour exciter le lait aux nourrices, pour chasser les vents et purifier le sang ». C'était un excellent diurétique, faisant alors partie des cinq racines apéritives majeures avec l'ache, l'asperge, le persil et le petit roux et ses fruits formaient avec l'Anis, le Carvi et le Coriandre les « 4 semences chaudes majeures » réputées pour être un remarquable stimulant tonique, apéritif et stomachique.

THÉRAPEUTIQUE

Aujourd'hui, on est un peu revenu des vertus médicinales exagérées du fenouil mais les derniers phytothérapeutes lui reconnaissent cependant de nombreuses propriétés.

Selon eux, le fenouil est diurétique, stomachique, stimulant, carminatif et galactogène, employé utilement dans les oliguries urinaires et les lithiases du même ordre, dans l'atonie des voies digestives, dans l'aérophagie et dans l'insuffisance lactée.

La plupart de ces propriétés sont dues à son essence qui contient 50 % d'anéthol, du fénol, de l'estragol, du phellandrène... et dont l'action dominante consisterait, d'après Cadéac et Meunier qui en firent des études sérieuses, dans une excitation générale augmentant la puissance motrice des organes intérieurs.

On emploie le fenouil :

> — en infusion diurétique : 25 g de racines pour un litre d'eau, à raison de 3 ou 4 tasses par jour,
>
> — en infusion digestive et carminative : une cuillerée à café de semences pour une tasse à prendre après chaque repas,

— en vin stimulant : 50 g de semences pour un litre de vin généreux, laisser macérer 8 jours et en prendre un verre à Bordeaux après chaque repas,

— sous forme d'essence : 2 à 10 gouttes sur un morceau de sucre deux à trois fois par jour.

On peut encore employer le fenouil sous forme de teinture associée à d'autres plantes pour en faire une mixture carminative des plus efficaces, selon la formule :

teinture de fenouil)
teinture de carvi)
teinture d'angélique) AA 5 grammes
teinture de coriandre)

Ses feuilles sont souvent utilisées, en cataplasmes pour servir de résolutif sur les tumeurs, les ecchymoses et les engorgements laiteux.

La médecine populaire se sert d'un mélange de semences de fenouil, de séné et de racines de réglisse comme laxatif doux. L'abbé Kneipp l'a utilisé comme expectorant dans les maladies de poitrine et comme calmant dans l'asthme et la coqueluche.

Bref, c'est une panacée dont on ne compte plus les emplois ni les succès !

GASTRONOMIE

Le fenouil n'est pas moins précieux comme plante condimentaire.

Après les Grecs qui utilisaient ses tiges et ses feuilles vertes, le fenouil servait, chez les Romains, à parfumer le pain et les conserves d'olives. Les cuisiniers de Rome en mettaient des graines à la croûte du pain pour lui communiquer une bonne odeur aromatique. Le fenouil faisait d'ailleurs partie des épices que, d'après Apicius, un bon cuisinier devait toujours avoir sous la main.

La gastronomie moderne sait, encore plus habilement, utiliser l'odeur aromatique du fenouil dans la préparation de nombreuses sauces.

L'addition de fenouil, finement hâché, à certains mets de digestion difficile tels que haricots, fèves, choux ou navets... permet au tube digestif de mieux les supporter et d'éviter les flatulences qui les accompagnent habituellement.

On en fait des litières pour les poissons grillés, notamment le loup qui lui doit une bonne partie de sa réputation, et le rouget souvent farci au fenouil avant d'être grillé sur ses tiges.

Préparation qui ne date pas d'hier puisque Shakespeare fait dire à un de ses acteurs « qu'il mange le congre en même temps que le fenouil ».

Il sert à aromatiser le pain, le fromage, la choucroute, les légumes et les gâteaux suivant l'inspiration du cuisinier ou du pâtissier.

Ses graines entrent fréquemment dans les conserves de cornichons, de concombres et de câpres. En Provence, ses sommités si aromatiques parfument les conserves d'olives tandis qu'ailleurs elles servent à relever la fadeur des châtaignes bouillies.

Quant aux ménagères de nos campagnes, qui savent si bien l'utiliser pour corser leurs daubes et leurs sauces, elles ne manquent pas d'en donner à manger à leurs lapins qu'elles décoreront ensuite de quelques tiges parfumées dans leurs gibelottes.

En liquoristerie, on se sert des graines de fenouil comme succédané de l'anis ou du carvi dans la fabrication de l'anisette, de la chartreuse ou de l'absinthe.

En famille, on en faisait autrefois une excellente liqueur — liquor fœniculo conditus — plus vulgairement appelée « Fenouillette » dont la recette est indiquée au chapitre des recettes gastronomiques.

Cette liqueur très agréable était offerte aux dames après les vins de dessert et Madame de Sévigné, qui ne devait pas s'en priver, car elle était gourmande, raconte dans une de ses lettres, que c'était une friandise que les dévotes devaient se garder d'accepter :

« Madame de Thianges, lorsqu'elle eut renoncé aux joies de ce monde, cache sa gorge et ne se met plus de rouge aux joues. L'autre jour, je me trouvai à côté d'elle à dîner. Un laquais lui présenta un verre de « fenouillette » et elle me dit : « Madame, ce garçon ne sait donc pas que je suis dévôte ».

Mais l'aimable Marquise ne dit pas si elle refusa la fenouillette, ce qui serait bien étonnant, elle qui rafollait des liqueurs aussi bien que du café et du chocolat.

le genièvre

CARACTÉRISTIQUES

Le genévrier ou genièvre est un petit conifère de la famille des cyprès ; c'est un arbrisseau touffu et buissonneux toujours vert, à feuilles très piquantes et aiguës comme des aiguilles. Ses fleurs dioïques produisent des petites baies rondes, pulpeuses, de la grosseur d'un grain de poivre qui, d'abord d'un bleu noirâtre, finissent par atteindre une teinte violet-noir atténuée par une fine poussière résineuse qui les recouvre à maturité complète.

Baies et feuilles possèdent une odeur aromatique résineuse ; leur saveur douce et sucrée laisse un arrière goût de térébenthine.

Tels sont les principaux caractères botaniques du genévrier commun — juniperus communis — répandu un peu partout en France, dans les landes, les bois, les côteaux. Une autre variété, plus connue sous le nom d'oxycèdre et familière des garrigues provençales, se distingue de la première par une plus petite taille et des fruits rouges ou bruns, deux fois plus gros que ceux du « juniperus ».

Comme tous les termes chers aux botanistes, l'origine du nom de « juniperus » est assez discutée. Pour les uns, il viendrait de « juniores » parce que, comme le dit Lémery, l'arbre porte ses fruits nouveaux en même temps que les anciens. Pour d'autres, il dériverait du celte « gen » petit buisson et de « prus », âpre.

Quant au terme « oxycèdre », il provient du grec « oxus », c'est-à-dire aigü et de « kédros », cèdre, c'est-à-dire un cèdre à feuilles épineuses, ce qu'il représente assez bien.

Le langage populaire, toujours imagé, a décerné au genévrier commun, les appellations de génibre, péteron, pictet et, au second, celles de cèdre piquant, cadier, cade. Ce dernier terme est surtout commun en Provence, en raison de l'huile de cade qu'il fournit et qui est employée dans la pharmacopée populaire provençale.

HISTOIRE

L'usage du genévrier remonte à la préhistoire ; des restes de baies ont été trouvés dans les palafittes suisses ; aussi est-il probable que nos lointains ancêtres avaient déjà reconnu les propriétés antiseptiques de ses baies et de son bois brûlé pour purifier l'air.

Ce sont ces propriétés qui le firent apprécier des Grecs pour combattre les épidémies et c'est sans doute avec des oxycèdres qu'Hippocrate parvint à lutter victorieusement contre la grande peste d'Athènes.

Les Romains utilisèrent ces mêmes propriétés antiseptiques mais en découvrirent d'autres. Les baies, en raison de leur âcreté, servirent à remplacer le poivre, très rare et très cher à l'époque, dans bien des sauces de la cuisine romaine. Caton, le premier, leur trouva des vertus diurétiques sous forme d'un vin dont il a laissé la formule : « pilez du genévrier, ajoutez-en une livre à deux « conges » de vin vieux que vous ferez chauffer dans un vase d'airain, mettez en bouteilles et prenez en un verre le matin à jeun ».

Pline et Galien lui trouvèrent des propriétés susceptibles de « purger le foie de ses humeurs épaisses ». Oribase, le byzantin, préconise, en sa qualité de diététicien, d'utiliser surtout le genièvre à la place du poivre en raison de ses vertus astringentes et aromatiques « qui échauffent à cause de l'âcreté ».

Au Moyen-Age, le genévrier était considéré comme une panacée, recommandée dans les Réceptuaires des monastères contre les maux de tête, les maladies des reins et de la vessie.

Sainte Hildegarde l'emploie, en outre, dans les affections des poumons et préconise les bains de genièvre pour lutter contre les fièvres, ce que confirme l'Ecole de Salerne :

« Bonne pour le poumon, sa baie aromatique
Dissipe encore l'accès de toux vive et chronique
Elle expulse du corps un venin dangereux,
Son grain brûlé apaise un mal affreux. »

A la Renaissance, le botaniste allemand Fuchs y voit un « antidote universel » et pour Mathiolle, si les baies de genièvre sont un excellent diurétique, son bois soulage les goutteux et les hydropiques auxquels il recommande de prendre des bains : « faire bouillir 12 livres de bois de genévrier, les jeter dans une baignoire, s'y plonger jusqu'au nombril, en bassiner les membres malades et les goutteux, même cloués au lit, sortent de ce bain tout à fait ingambes ».

Les poètes font chorus avec les médecins et Clément Marot d'écrire : « puis es cantons, feux de genèvre allument et leurs maisons esventent et parfument ».

Guillaume Busnel met à l'honneur ces vertus antiseptiques dans son « Œuvre excellente à chascun désirant soy de peste préserver » :

> **« avant que ouvrez vos fenestres**
> **parfumez vos abillements**
> **soyez-vous mariez ou prestres**
> **avec storax ou ensens**
> **bois de genévrier bien odorants. »**

A la même époque, René Bretonnayau, ancêtre du grand Bretonneau, y voit un excellent remède contre les hémorroïdes :

> **« jette encor sur ce mal deshonnête et humide**
> **de l'aloé poudroyé en vin cuit espessy**
> **du genèvre odorant jette-y la gomme aussi. »**

Les auteurs suivants, Lémery en tête, n'ont que l'embarras du choix pour prôner les nombreuses vertus des baies de genièvre : « elles sont, nous dit-il dans son Dictionnaire, des drogues, céphaliques, propres pour fortifier le cœur, les nerfs, l'estomac, pour exciter le mois aux femmes, résister au venin, pour la douleur néphrétique... ».

Il y a plus, et ce même Lémery, de médecin devient gastronome : « les confiseurs, nous apprend-t-il, couvrent ces bayes de sucre et font une espèce de dragée qu'ils appellent dragées de St-Roch à cause qu'elles sont propres pour la peste et que les gens portent enfermées dans de petites boêtes pour se donner bonne bouche ».

Après quoi, le genièvre fut si bien utilisé par tous les médecins et pharmacologues des 18e et 19e siècles qu'il passait, selon Chomel, « pour un remède universel ».

THÉRAPEUTIQUE

Toutes les propriétés prônées par les Anciens : toniques, stomachiques, diurétiques, sudorifiques et dépuratives ont été reprises par les thérapeutes modernes.

Au siècle dernier, Cazin s'en servait dans le traitement des fièvres accompagnées de cachexie et rebelles à la quinine. Il préconisait, dans ce cas, un vin de baies de genièvre et d'absinthe. Roques se servait également d'un vin qualifié de merveilleux par lui pour guérir les fièvres « mieux que le quinquina » et aussi les affections scorbutiques.

Ce vin de genièvre, à la mode tout au long du 19ᵉ, offrait plusieurs variantes dont le célèbre « Vin diurétique de la Charité » à la formule suivante :

genièvre	15 g
racines d'asclépiade	15 »
racines d'angélique	15 »
squames de scille	15 »
macis	15 »
feuilles d'absinthe	30 »
feuilles de mélisse	30 »
écorce de citron	30 »
quinquina	60 »
alcool à 60°	200 »
vin blanc	4 000 »

et le fameux « vin de Trousseau » qui, lui, était additionné de digitale :

feuilles de digitale	5 g
squames de scille	7 »
baies de genièvre	75 »
acétate de potasse	50 »
vin blanc	900 »
alcool à 60°	100 »

Aujourd'hui, bien des médecins utilisent encore le genièvre sous forme de sirop ou d'apozème diurétique dans l'arthritisme selon les formules du Dr Leclerc : le premier associé à l'extrait de prêle et au sirop des 5 racines, le second associé à l'écorce de sureau.

Malgré leurs mérites, ces préparations semblent avoir été éclipsées par la célèbre « huile de Harlem » à base de genièvre, d'huile de lin et de térébenthine renforcées par des baies de laurier, selon la formule inventée il y a près de 300 ans et longtemps restée secrète. Cette huile de Harlem est excellente dans les crises hépatiques et néphrétiques chez les gros mangeurs, à gros foie et à grosse rate.

Une autre préparation, non moins célèbre, est l'huile de Cade, obtenue par distillation des rameaux d'oxycèdre. Déjà utilisée par les Anciens sous le nom de « cedria », elle était appelée « thériaque d'Allemagne » et Madame Rivière dans ses « Remèdes populaires du Dauphiné » a consacré toute une étude sur les applications de cet onguent qui fait des miracles dans l'eczéma, la teigne de Provence, la fameuse « acadie », l'acné, le psoriasis, la gourme — cet impétigo qui fait le désespoir des mères — grâce à l'essence pyrogénée contenue dans le bois odorant de l'oxycèdre.

On l'emploie encore, à la campagne, en applications sur les paupières des enfants atteints d'ophtalmies scrofuleuses et comme odontalgique sur les dents carriées.

Si le genévrier est largement utilisé dans la plupart de nos provinces contre l'arthritisme, les rhumatismes, les rétentions d'urine et dans la plupart des affections des voies biliaires ou urinaires, dans d'autres comme le Dauphiné, c'est un véritable porte-bonheur dont on brûle des rameaux dans le lit des nouveaux mariés. En Provence, on en fait une recette pour le traitement des blénorragies en ajoutant, à une infusion de baies concentrée, des rhizomes de chiendent, des bourgeons de pin et des bulbes d'ail dont l'absence eût été bien extraordinaire dans un remède provençal.

GASTRONOMIE

En dehors de ses propriétés médicinales, le genévrier offre de grandes ressources à la gastronomie. Si ses graines ne sont plus, depuis longtemps, utilisées à la place du poivre, elles le sont, ainsi que les baies, comme condiment dans les charcuteries les plus diverses et surtout la choucroute.

Le bois sert à fumer les viandes avant de les saler et les baies pour aromatiser la chair du gibier à poils et à plumes. D'ailleurs, certains oiseaux, les grives et les cailles, n'attendent pas d'être tuées pour s'imprégner de la saveur agréable du genièvre et affectionnent tout particulièrement ses baies qui communiquent à leur chair un goût aromatique très recherché. Les chasseurs qui l'apprécient beaucoup savent bien, quand ils reviennent bredouilles, utiliser les fruits du genièvre pour en faire, avec la sauge, le basilic et d'autres aromates, des marinades susceptibles de communiquer aux chairs des oiseaux de basse-cour et aux viandes de boucherie un parfait goût de véritable gibier qui trompe les palais les plus experts (voir formule).

Mais le véritable emploi du genièvre en gastronomie est celui que l'on en fait pour obtenir des boissons plus ou moins alcoolisées, très appréciées des populations du Nord ou de l'Est : la genévrette, la crème de genièvre, le ratafia et surtout celle qui, pour les palais nordiques et anglo-saxons, est le seul « genièvre », c'est-à-dire l'eau de vie du même nom ou le « gin ».

La « génevrette » est une simple boisson obtenue par la fermentation de baies de genièvre, suivant la formule classique suivante :

baies fraiches de genièvre. 60 décalitres
eau..................... 100
sucre................... 2 kg
sommités d'absinthe...... 250 g

On obtient aussi une boisson agréable, à la fois tonique, stimulante et diurétique grâce à l'action conjuguée du genièvre et de l'absinthe.

En Lorraine, on prépare un ratafia de genièvre pour faciliter la digestion (voir formule).

Mais ce sont des boissons plutôt familiales dont ne se contentent pas les palais des nordiques, ceux des Flamands surtout qui leur préfèrent la véritable eau de vie de genièvre, plus connue sous le nom de « gin » (voir formule).

Cette eau de vie, forte, âcre et brûlante, n'est pas toujours appréciée des palais délicats, tels celui de Banville :

> « Laisser à l'Angleterre
> Les brouillards et la bière
> Laissons-la dans le spleen
> Boire le « Gin ».

l'hysope

« C'est pour le botaniste, une plante vivace
A la tige carrée, feuillage ténu
Aux fleurs d'un bleu nattier ou d'un rose ingénu
D'ou s'exhale un parfum pénétrant et tenace
Et c'est le sceptre aussi, dont la pointe porta
L'éponge qu'un acerbe breuvage qu'imprégnait
Jusqu'aux lèvres du Christ, à l'heure où, sous l'ou-
[trage
S'achevait dans un cri l'œuvre du Golgotha remar-
[quable. »

Ces vers, dus au talent poétique du phytothérapeute qu'était le Dr Leclerc, méritaient bien d'être mis en tête du chapitre consacré à l'Hysope, plante sacrée entre toutes.

CARACTÉRISTIQUES

L'hysope est un sous-arbrisseau touffu, aux rameaux légèrement dressées formant des petits buissons de 30 cm de haut environ ; aux feuilles étroites et elliptiques, d'un vert grisâtre, dont les fleurettes réunies en épis allongés représentent une gamme de couleurs allant du bleu vif au pourpre foncé en passant par le rose ou le violet, réjouissant la vue pendant tout l'été.

Toute la plante exhale une odeur forte mais agréable et aromatique et possède une saveur amère, piquante, légèrement camphrée. Très mellifère, elle fournit aux abeilles un nectar parfumé et de grande finesse.

Comme tant d'autres, l'hysope est originaire de la Méditerranée et de l'Asie méridionale. En France, on la rencontre surtout dans le Midi dont elle fait son habitat préféré et, comme le Thym ou le Romarin, elle affectionne les régions pierreuses, les rocailles arides et on la rencontre surtout autour des vieux murs et des ruines.

Son nom est tiré du grec hyssopos, probablement dérivé de l'hébreux « ezob » — herbe de la bonne odeur —.

C'est le « zufi » des Indes, l'azzof des Arabes, deux noms qui rappellent eux-aussi le caractère sacré de la plante qu'elle semble avoir possédé chez tous les peuples.

Peu cultivée, sauf dans quelques régions notamment le Doubs et la Haute-Saône, l'Hysope se plait dans les terres légères mais riches des jardins et les parcs où elle sert souvent de bordure.

HISTOIRE

L'Hysope était connue de toutes les anciennes civilisations. Le « livre des rois » nous apprend que Salomon, qui s'en parfumait, avait composé un traité sur « les arbres, depuis le cèdre jusqu'à l'hysope » voulant, par ce titre ,conférer à la petite hysope une importance comparable à celle d'un des géants du régne végétal.

Lui et David en ont parlé dans les livres Saints et la Bible la mentionne sous le nom « disobis ». C'était l'herbe sacrée des Hébreux servant à la préparation de l'eau lustrale et des parfums liturgiques.

Elle était également à l'honneur dans les cérémonies religieuses des païens qui s'en aspergeaient pour se purifier.

Et aujourd'hui, dans le « Miserere des chrétiens », on psalmodie : « asperge-moi, Seigneur, avec l'hysope et n'aurai plus de souillure, tu me laveras et, plus que la neige, je deviendrai blanc ».

Sous le nom d' « hysopos » les Grecs semblent avoir désigné l'hysope, à moins que ce ne fut une espèce d'origan ou de sarriette.

Hippocrate, reconnaissant ses vertus expectorantes, s'en servait « dans les cas de pleurésie où le malade ne crache pas suffisamment ».

Mais c'était aussi au début du christianisme un condiment utilisé par les ermites et les cénobites. Des guirlandes d'Hysope ont été trouvées dans des tombes où elles avaient été offertes en souvenir des repas fraternels de la Thébaïde.

Au Moyen-Age l'hysope était cultivée dans les jardins avec la Sauge considérée comme une plante à usage culinaire dont les feuilles, hâchées, entraient dans les soupes et les farces.

C'était aussi une plante médicinale. Pour Albert le Grand, reprenant Dioscoride et Avicenne, « l'hysope procure un teint florissant, calme en décoction avec vinaigre et oxymel les maux de dents ; sa décoction avec des figues et du miel est bonne pour la poitrine et les poumons ».

Après les maîtres salernitains pour qui :

**et par une vive couleur
d'un teint corrige la paleur. »**

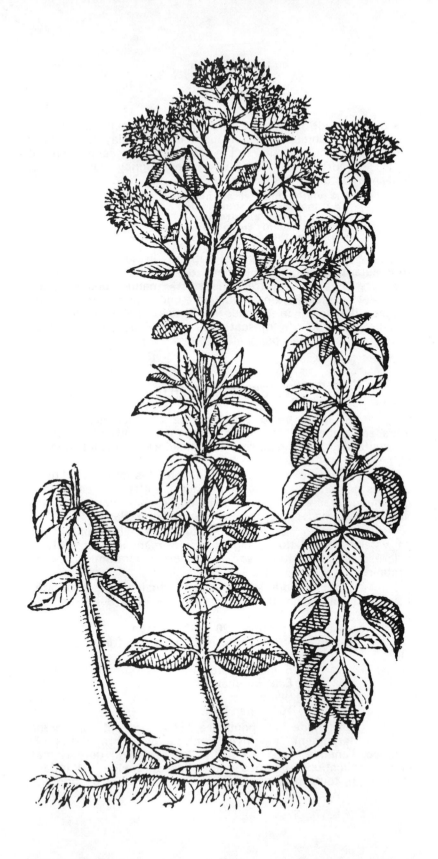

les médecins de la Renaissance lui reconnaissent les mêmes propriétés béchiques, rapportées dans l'Arbolayre : « pour froide toux, vault le vin ou l'hysope et figues sèches auront cuit » et surtout par Thibault de Lespleigney qui s'en fait le panégyriste le plus ardent :

> « **A vieille toux et au poulmon**
> **au mal appelé squinancie**
> **court aleine et idropisie**
> **rhume fluant en la poictrine**
> **Hissope est de grande médecine.** »

Après eux, tous les auteurs du 17 et du 18e en font autant, notamment Rosière de la Chassagne qui lui consacre tout un chapitre dans son « manuel des pulmoniques » et l'anglais Parkinson qui vante une potion faite d' « une poignée d'hysope, de 2 onces de figues, une once de sucre bouillie dans du vin muscat, très utile boisson pour ceux qui sont tourmentés par vieille toux ».

THÉRAPEUTIQUE

Si cette vertu expectorante et béchique est toujours reconnue par les phytothérapeutes modernes, ceux-ci en confèrent aussi d'autres, la considérant surtout comme stimulante et tonique.

L'hysope doit son action dans les affections bronchiques à son huile essentielle qui fluidifie les sécrétions des muqueuses et pour les pallier on l'associe souvent à des fleurs de guimauve, de lierre et de bouillon blanc.

Quant à ses propriétés toniques, elles sont mises en valeur dans l'atonie digestive, le manque d'appétit, la chlorose en association avec des amers : gentiane ou petite centaurée.

On l'emploie surtout : en infusion de sommités fleuries à raison de 10 à 20 g par litre, 2 à 3 tasses par jour.

— en alcoolature : 20 à 30 gouttes ;
— en sirop de préférence selon la formule de Leclerc :

> Sommités fleuries d'hysope ...... 100 g
> Eau bouillante .... un litre
> Sucre .... un kg
> 100 g par jour.

En médecine populaire, l'hysope est un grand remède largement employé contre toux, bronchites, la cholose, l'anémie, dans les maux de gorges en gargarismes et en applications externes contre les contusions et inflammations de toute nature : oreilles, yeux et maux de dents.

Certaines bonnes femmes l'emploient aussi contre leurs ennemis de toujours : les vers intestinaux.

GASTRONOMIE

Si O. de Serres s'en servait, toujours désireux de se prémunir contre la famine, comme légume d'hiver :

« Les brins de sommitez couppez et sechez servent à fayre poudre pour la potagerie de l'hyver »,

et si Lemery nous donne une recette d'épiceś « avec thym, marjolaine et écorche d'orange pour faire la plus saine des espiceries dont on puisse user » l'hysope est moins utilisée aujourd'hui comme aromate.

On se sert des rameaux d'hysope pour aromatiser les sauces et les ragoûts, pour en faire du bouillon pectoral et des bouquets de Persil (voir formules à l'index).

On s'en sert aussi, dans certaines régions du midi, sur des tranches de pain bis, recouvertes de lait, saupoudrées de sel, et recouvertes de feuilles d'hysope fraîches et hachées menues. C'est un régal pour les enfants, qui en sont friands.

Mais, au point de vue gastronomique c'est encore dans la fabrication des liqueurs que l'hysope trouve son emploi le plus important en dehors de l'eau de mélisse, de l'alcoolat vulnéraire, formules classiques toujours appréciées et utiles. L'hysope entre dans de nombreuses préparations moins connues « la sinanthérine », composée d'estragon, d'hysope et d'alcool ; dans l'élixir de la Grande Chartreuse ; ou dans l'absinthe suisse ; et dans une autre, qui s'en rapproche, ne doit contenir que des plantes des alpes dauphinoises et des épices nobles.

Essence d'hysope	2 g
Essence de mélisse	2 g
Essence d'angélique	10 gouttes
Essence de menthe	20 gouttes
Essence de muscade	2 gouttes
Essence de girofle	2 gouttes
Sucre	400 g
Alcool	2 litres

Chaque famille a sa recette jalousement gardée secrète, mais les liqueurs y sont largement et aimablement offertes.

Pour terminer, n'oublions pas l'usage que font des femmes âgées, pieuses et gourmandes à la fois de Suisse et de Bavière, qui mettent dans leurs missels des feuilles d'hysope dont le parfum aromatique les préserve du sommei! et les aide peut-être, grâce à cette précaution, à être absoutes de leurs pêchés si les paroles du Miserere leur font défaut.

le laurier

Aucun arbre n'a été plus célèbre, aucun n'a été chanté par les poètes davantage que le Laurier qui est, au règne végétal, ce qu'est le lion au règne animal : le plus noble entre toutes les plantes, entre tous les arbres.

CARACTÉRISTIQUES

De la famille des lauracées, comme le cannelier et le camphrier, le laurier est un arbuste à l'écorce noire, au feuillage persistant toujours vert et très ornemental, aux feuilles rigides et lancéolées, luisantes et dégageant une forte odeur aromatique. A leur aisselle, sont groupées en petites ombelles des fleurs d'un blanc jaunâtre. Celles-ci sont mâles ou femelles, quelquefois hermaphrodites.

Les fruits du laurier sont des petites baies ovoïdes, de la grosseur d'une petite olive, de couleur noir bleuâtre.

Originaire de l'Asie Mineure, le laurier très commun en Grèce était un des plus beaux ornements du Mont-Ida. Importé en Italie peu avant l'ère chrétienne, il poussе à l'état rustique en Provence et dans l'Ouest de la France mais nécessite d'être planté pour vivre dans la région parisienne ou dans le Nord.

Le nom latin de « laurus » serait dérivé du celte « lawer » qui signifie verdoyant, mais son nom grec, sous lequel il est bien connu des botanistes, était « daphné » en souvenir de la nymphe Daphné qui, selon les récits mythologiques, était l'objet des assiduités d'Apollon. Poursuivie par le Dieu des Dieux, cette nymphe appela à son secours les autres Dieux de l'Olympe qui, pour la rendre méconnaissable aux yeux d'Apollon, changèrent ses cheveux en feuilles, ses bras en rameaux et ses pieds en racines.

En souvenir de cette aventure, le nom de Laurier d'Apollon lui a été fréquemment décerné par les Anciens tandis que pour nous, gens vulgaires et moins amis des Muses, c'est plus prosaïquement le laurier-sauce, le laurier à jambons par allusion à ses vertus culinaires.

HISTOIRE

Chez les Grecs qui prétendaient qu'aucun arbuste n'était plus apte à communiquer l'inspiration poétique, le laurier servait à couronner les poètes.

Symbole de gloire littéraire, il était également celui de la gloire militaire, de la victoire comme de la paix obtenue par les armes. Les généraux vainqueurs s'en ceignaient le front et en portaient toujours un rameau à la main.

Le laurier avait le pouvoir de prophétie, des vertus médico-magiques : éloigner la foudre et préserver des maladies contagieuses. Aussi, Aesculape, Dieu de la Médecine, était-il toujours représenté le front ceint de feuilles de laurier.

Chez les Romains qui le regardaient comme un instrument de divination, il jouait un rôle important dans les mystères religieux et les rites païens. Pline, qui s'y est longuement attardé dans son Histoire Naturelle, lui doit une de ses plus belles anecdotes. Quand Augusta, fiancée de César, reçut sur ses genoux une poule blanche tenant dans son bec un rameau de laurier, les Haruspices, frappés de ce prodige, ordonnèrent de planter cette branche dont il naquit rapidement un bel arbre. Et ce furent des branches de ce Laurier que, par la suite, Auguste triomphant, portait à la main et en formait sa couronne, emblème de gloire porté après lui par tous les généraux vainqueurs. Il est vrai que des esprits malveillants prétendaient que la couronne portée par César n'avait d'autre but que de cacher sa calvitie complète.

Toujours selon Pline, le laurier est un emblème de paix et de trève « c'est un messager de joie et de victoire qui ornait les javelots des vainqueurs », mais c'était également le seul arbre qui n'était pas frappé par la foudre et, à cause de cette croyance, l'Empereur Tibère s'en couronnait afin d'en être préservé.

De leur côté, les médecins lui accordaient maintes vertus. Dioscoride considérait ses feuilles comme vomitives, ses fruits comme pectoraux et sa racine douée de propriétés lithontriptiques, tandis que Galien le trouvait excellent dans les affections du foie.

Au Moyen-Age, le laurier était considéré comme une véritable panacée. Pour Sainte-Hildegarde, célèbre abesse de Bingen et la grande phytothérapeute de l'époque, c'était un remède souverain contre toutes sortes d'affections : les migraines, la goutte, l'asthme, les fièvres, les obstructions du foie. Il était, de plus, doué de vertus miraculeuses capable de chasser les démons, les épidémies et éloigner la foudre, ainsi que le rappelle le diction médiéval : « foudre ne chiet sur le lorier ».

Dicton qui permit à Corneile de lui valoir quelques-uns de ses plus beaux vers de sa tragédie célèbre des Horaces en faisant dire au vieux Romain prenant la défense de son fils :

> « Lauriers, rameaux sacrés, qu'on veut réduire en [poudre
> Vous qui mettez la tête à couvert de la foudre
> L'abandonnerez à l'infâme couteau
> Qui fait choir les méchants sous la main des bour-[reaux. »

A la Renaissance, les escholiers, vainqueurs universitaires, voyaient leurs têtes couronnées de rameaux garnis de baies de laurier — les bacca laureati —, coutume que rappelle aujourd'hui encore le terme si envié de baccalauréat pour désigner le diplôme universitaire après lequel courent tant de jeunes étudiants.

Et les apothicaires, inspirés eux aussi par le glorieux laurier, chantèrent les louanges de l'arbre d'Apollon comme sut si bien le faire Thibault de Lespleigney :

> « En cet arbre vertu abonde,
> Autant qu'en arbre de ce monde. »

Les Arabes ne manquèrent pas d'utiliser les vertus médicinales d'un arbuste qui poussait si bien dans leurs pays. Pour Rhazès, c'était le spécifique des tics et de l'épilepsie et pour Ibn-el-Baithar, une seule feuille de laurier mise derrière l'oreille suffisait pour boire du vin sans crainte de s'enivrer.

Toujours réputé à la Renaissance pour ses vertus magiques, on trouve dans le « Book of notable things » de l'Anglais Lupton : « Ni le haut mal , ni le diable n'importuneront ou blesseront celui qui se trouve sous un laurier ».

Et, au fil des siècles, tandis que les médecins continuèrent à prôner ses nombreuses vertus et à l'utiliser sous les formes les plus diverses, ils le firent entrer dans maintes préparations, notamment dans le Baume de Floravanti en vertu d'une qualité occulte qui lui est propre. Le Laurier resta toujours le symbole de la gloire militaire et du triomphe illustrant les exploits guerriers de François 1er, d'Henri IV et de Louis XIV.

THÉRAPEUTIQUE

La thérapeutique moderne n'a pas trouvé dans le laurier la panacée universelle ni les vertus médicinales admises par les Anciens. Et, cependant, comme le disait Cazin au siècle dernier : « toutes ses parties sont puissamment excitantes ».

Ses feuilles sont, aujourd'hui, considérées comme douées de vertus stomachiques, carminatives, sudorifiques, diurétiques, expectorantes et emménagogues.

Par suite, on a longtemps employé et on emploie encore le laurier dans des dyspepsies, les flatuosités, le manque d'appétit, les angines, les bronchites, les règles insuffisantes et surtout les fièvres d'origine grippale.

On l'emploie de préférence :

— en infusion de feuilles à la dose de 20 g par litre ou de baies à la dose de 10 g, à raison de 2 à 3 tasses par jour.

Cazin, qui s'est attaché toute sa vie à lutter contre les fièvres de toute nature, le recommande plus particulièrement sous forme de tisane sudorifique : 30 g d'écorce de laurier et autant de bois de buis, le tout rapé dans un litre et demi d'eau additionnée d'un peu d'écorce de citron à raison de 3 verres par jour.

Dans les dyspepsies atones, les grippes, les bronchites chroniques, le Dr Leclerc, autre phytothérapeute célèbre, préconise la tisane stimulante suivante :

feuilles de laurier........   4 g
écorces d'oranges sèches.   8 g
eau bouillante............ 200 g

faire infuser le tout, passer et sucrer avec du miel.

La médecine populaire, toujours à l'affût des remèdes simples, emploie le laurier comme sudorifique, sous forme de poudre de ses baies dans de la bière chaude ; elle en fait un diurétique et un emménagogue sous forme d'infusion de baies mélangées par parties égales à des baies de genévrier macérées dans du vin blanc.

A l'extérieur, ses feuilles sont utilisées dans des bains aromatiques antirhumatismaux, tandis que la poudre de ces mêmes feuilles est mise à profit dans le torticolis et sur les ulcères de toute nature.

En fumigations, enfin, les feuilles de laurier sont brûlées pour assainir l'air vicié et même pour calmer les douleurs rhumatismales, surtout si on prend soin de les appliquer sur le cou : « cela soulage et donne le col rigide ».

Ajoutons que, bien souvent, l'huile de laurier, extraite des fruits desséchés et douée d'une forte odeur balsamique, est mise à profit dans les campagnes contre les foulures et les douleurs hémorroïdales. Et cette huile, qui a parfois la consistance du beurre est encore plus souvent employée dans les douleurs rhumatismales, un peu comme les applications d'Huile de Cade.

GASTRONOMIE

Aujourd'hui, si le laurier a perdu ses nobles privilèges réservés aux triomphes et aux victoires, s'il ne ceint plus les fronts chargés de gloire des généraux, des rois ou des poètes, il régne plus prosaïquement mais non moins glorieusement dans les cuisines où, avec son compère le thym, il réalise la plus aromatique des associations, élevant par son arôme pénétrant maintes préparations culinaires, les sauces les plus variées, les courts bouillons, les marinades à la hauteur de chefs-d'œuvre.

Grâce aux « bouquets de persil » dont il est un des éléments indispensables, il communique aux viandes les plus fades ou aux venaisons les plus fortes ses effluves les plus fins et les plus subtils, méritant à la fois le nom de laurier-sauce et celui de laurier-noble.

Voici une recette de marinade, plus particulièrement destinée à la préparation des saucissons, dans laquelle entrent de nombreux aromates mais où le laurier donne le ton :

Faire macérer dans un 1/2 litre de vin blanc, un bouquet de thym, de serpolet, de sarriette, quelques échalotes, 3 ou 4 gousses d'ail, 2 ou 3 feuilles de laurier et quelques clous de girofle. Après 24 heures, ajouter 250 g de sel et 15 g de poivre moulu. Préparer 5 kg de viande de porc hâchée et 1 kg de lard coupé en petits morceaux. Laissez le tout macérer pendant 24 heures et ensuite garnir les boyaux de bœuf préparés à l'avance. Une fois les saucissons garnis, les mettre dans la saumure ; les faire sécher et les fumer.

C'est dans la préparation des saucissons ou des jambons que le laurier d'Apollon, devenu un vulgaire élément des sauces, devait prendre une éclatante revanche et mériter à nouveau le titre décerné par les Anciens, grâce à l'emploi qu'en fit le roi de Prusse Frédéric II, aussi grand mécène des Belles Lettres que fin connaisseur des merveilles de l'art culinaire.

Un jour qu'il était en conversation littéraire avec Voltaire, il n'hésita pas à interrompre son célèbre interlocuteur pour faire à Noël, son cuisinier français, compliment d'un jambon de Mayence préparé avec une saumure bien pourvue d'aromates : thym, laurier, genièvre et sarriette et lui dire :

« Et je prétends, dans ma reconnaissance
Dérobant les lauriers d'un jambon de Mayence
D'une couronne, un jour, décorer ton bonnet. »

Et poursuivant ses louanges, dans une épître adres-
sée à son prestigieux cuisinier, le grand Roi, de le comparer
à Epicure, probablement à cause du laurier :

« Surpassant le philosophe antique
Noël réduit ses leçons en pratique
Ses mets exquis amorçant les Prussiens
Les ont changés en Epicuriens. »

On ne peut que s'incliner, après de telles louanges,
devant le laurier-sauce redevenu le laurier-noble.

la marjolaine et l'origan

On comprend habituellement sous le même nom de Marjolaine, deux labiées qui présentent de fortes ressemblances entre elles. L'une étant la marjolaine vraie — la Majorana hortensis —, c'est-à-dire l'espèce cultivée ; l'autre étant la forme sauvage, plus généralement appelée l'origan, — l'origanum vulgare —.

CARACTÉRISTIQUES

Toutes les deux forment une parure aussi agréable qu'odorante l'une dans les jardins, l'autre sur les côteaux ensoleillés.

En dehors de quelques caractères botaniques différents, elles ont la même histoire et les mêmes utilisations bien que la marjolaine des jardins soit plutôt considérée comme plante médicinale pour ses propriétés plus actives, et la marjolaine sauvage comme plante aromatique condimentaire.

La marjolaine cultivée est une plante ramifiée et touffue avec des tiges droites de 50 cm environ, des petites feuilles ovales, velues sur les bords, dont l'odeur rappelle le basilic et dont la saveur est âcre et amère.

Elle se distingue des autres labiées par ses fleurs minuscules, blanches ou roses, cachées au sommet des rameaux, dans des sortes de pelotes vertes sphériques qui sont les épillets des bractées disposées en écailles.

Telle se présente la marjolaine des jardins qui porte aussi les noms de grand origan, de marjolaine à coquilles.

Cette plante est originaire d'Asie Mineure où elle est vivace. En France elle est cultivée depuis le 16e après avoir été importée de Palestine.

La marjolaine sauvage ou origan s'en différencie par des feuilles plus grandes et ses fleurs roses quelquefois pourpre vif et sa taille plus petite.

On l'appelle aussi marjolaine batarde, thym de ·berger, mais pour les habitants des campagnes c'est la marjolaine tout court.

On la trouve un peu partout en France, sur les collines, dans les bois montueux et secs, au bord des chemins et dans les lieux incultes.

Le nom de marjolaine vient du latin médiéval « maiorana » qui est peut-être dérivé du vieux français « mariol », sorte de figurine religieuse ou de marionnette par allusion à des petites fleurs qui font penser à de petites poupées.

Quant au terme origanum, il est formé de deux mots Grecs : oros (montagne) et genos (éclat) signifiant ensemble ornement des montagnes, ce qu'elle représente bien, car c'est une des très belles parures odorantes, des côteaux ensoleillés.

Pour éviter des répétitions fâcheuses, nous emploierons le terme général de « marjolaine » se rapportant aux deux plantes dans les chapitres suivants.

HISTOIRE

Plante sacrée des Anciens, elle était consacrée aux Indes à Siva et à Vichnou, et en Egypte à Osiris.

Chez les Grecs, c'était « l'amarakos » symbole de l'honneur et de l'amour dont se couronnaient les jeunes époux.

D'après la mythologie Grecque, Vénus allait cueillir la marjolaine sur le mont Ida pour guérir les blessures d'Enée et les élégantes grecques, toujours avides de parfums en faisaient des pommades réservées aux cheveux et aux sourcils.

Mais leurs médecins, ainsi que ceux des Romains, lui reconnaissaient aussi des propriétés médicinales mises en valeur par Dioscoride et Pline qui fabriquèrent, le premier un onguent appelé « amaricimum » pour réchauffer les nerfs et le second une potion pour ceux « qui ont l'estomac frangile et font des rots acides et fascheux ».

Au Moyen-Age, Sainte-Hildegarde a de la marjolaine une opinion assez curieuse et contradictoire. Il faut éviter d'y toucher dit-elle, car « elle donne la lèpre mais c'est un remède pour ceux qui sont atteints de cette maladie ».

Pour l'Ecole de Salerne, la marjolaine est douée de propriétés antispasmodiques et expectorantes :

« son suc de la poitrine apaise la douleur
d'un long enfantement abrège la lenteur
et de l'utérus vide, expulse, le délivre,
des douleurs de côté le suc aussi délivre. »

A la Renaissance, les femmes appréciaient l'arôme de la marjolaine, la cultivaient dans des pots et en faisaient des confitures et des sachets parfumés.

« On le lesche confict au miel, il profite à la toux. La décoction d'iceluy appliquée et mise dans le baing, guérit gratelles, démangeaisons et jaunisse ».

Et Fabricius, le beau père de Simon Paulli le médecin danois, guérit avec une décoction de marjolaine l'illustre Wallenstein d'un rhume tenace et reçut de son malade 200 écus d'or après avoir été reconduit dans un carrosse attelé de 4 chevaux blancs.

Les apothicaires du 18° en firent un sternutatoire, admis plus tard au Codex et composé de feuilles de marjolaine, de bétoine, d'asarum et de fleurs de muguet.

THÉRAPEUTIQUE

On attribue aujourd'hui à la marjolaine les propriétés suivantes, dues à son huile essentielle : stomachiques calmantes, antispasmodiques, expectorantes, qui permettent de l'utiliser dans les bronchites, la coqueluche, les coliques, les spasmes du tube digestif et respiratoire, les insomnies, les migraines et les règles douloureuses.

On l'emploie en infusion calmante et stimulante à raison de 50 g par litre, aussi sous forme d'essence (5 à 8 gouttes) et quelquefois sous forme d'huile et d'hydrolat antispasmodique, associée à d'autres antispasmodiques :

> hydrolat de marjolaine.... 50 g
> hydrolat de valériane...... 25 g
> hydrolat de laitue........ 25 g

La médecine populaire l'emploie surtout comme plante pectorale, associée au marrube et à l'hysope, comme expectorant dans les catarrhes, les toux coquelucheuses, comme stimulant dans l'atonie digestive et sous forme d'onguent fait de feuilles hâchées chauffées dans la poêle contre les rhumatismes, les torticolis et les lumbagos.

GASTRONOMIE

Depuis longtemps, utilisée en cuisine, on trouve la Marjolaine mentionnée dans un Traité des Aliments de 1702 :
« La marjolaine est une plante dont on se sert dans les sauces, pour donner aux viandes une saveur plus rele-

vée » et le Dr Lemery donne une formule d'épices qui est, selon lui, la « plus saine des épiceries » :

> écorce d'oranges........ 2 onces
> marjolaine.............. 1 once
> thym et hysope.......... 1 once

La marjolaine entre, comme condiment, dans les marinades et dans la confection des épices diverses pour hâchis, ragoûts, sauces diverses, tomates farcies ; ses feuilles toniques et excitantes sont utiles pour les pois, les fèves, et elles entrent dans maintes salades pour les parfumer.

Elles facilitent particulièrement la digestion des choux et des navets et servent en Allemagne et en Suisse à assaisonner les charcuteries.

Dans les boissons, elles aromatisent la bière ; en Suisse on en fait le thé bien connu sous le nom d'origan ou thé rouge.

Enfin, l'essence d'origan ou de marjolaine est une des bases de la parfumerie et des savons de toilette. Elle entre dans la fabrication de certaines liqueurs fortes auxquelles elle communique une agréable odeur d'herbe aromatique.

Si utile en médecine pour ses propriétés antispasmodiques, et en gastronomie pour sa fine odeur aromatique, la Marjolaine est cependant peu utilisée par l'une et l'autre de ces disciplines et risquerait de tomber dans l'oubli si une chanson d'enfants bien connue ne venait la remettre dans la mémoire des adultes et ajouter, si besoin était, un autre charme.

la menthe

Walafrid Strabon, moine abbé de Reichenau à l'époque du Moyen-Age, appelé Gœffroy le Louche en raison d'un strabisme prononcé, qui ne l'empêchait pas d'y voir clair en ce qui concerne les variétés et les propriétés de la Menthe, disait que, si l'on voulait énumérer toutes les espèces de menthe, il faudrait pouvoir indiquer combien il y a de poissons dans la mer Rouge et combien il y a d'étincelles lorsque l'Etna est en éruption.

Il avait raison, car le genre est tellement polymorphe qu'il en existe environ 1.200 variétés d'espèces hybrides et de formes intermédiaires, parmi lesquelles seul un botaniste peut s'y retrouver tellement il y a entre elles peu de différences notables.

CARACTÉRISTIQUES

Malgré leur diversité les menthes présentent toutes un point commun : leur odeur bien caractéristique due à une essence particulièrement aromatique : le menthol.

Parmi les espèces les plus importantes, on distingue :

     — la menthe pouliot, c'est-à-dire, l'herbe de St-Laurent, le fretillet, la menthe des marais,
     — la menthe poivrée ou menthe anglaise, le mitcham,
     — la menthe verte, c'est-à-dire : la menthe des jardins, menthe de N.-Dame.

A côté de ces espèces principales, il y en a d'autres sauvages ou cultivées, plus ou moins aromatiques : la menthe des champs, la menthe sauvage, la menthe aquatique, la menthe crépue, la menthe des jardins, la menthe baume.

Nous ne donnerons que les caractères principaux des deux premières espèces, chacune d'elles donnant lieu à de nombreuses variétés.

La menthe poivrée possède des tiges d'un beau vert et sans poils, plutôt droites, d'un vert glabre, des feuilles lancéolées, aiguës, et dont les rameaux se terminent par des fleurs roses ou rougeâtres, effilées en pyramides aiguës.

Le pouliot est plus rampant, ses tiges couchées, ses feuilles plus petites et ses fleurs lilas, disposées en paquets le long de la tige, presque aussi longues que les feuilles.

Ces deux espèces se distinguent aussi par leur odeur, celle de la menthe poivrée est forte et pénétrante, et sa saveur piquante laisse dans la bouche une sensation de fraicheur très caractéristique. De plus la menthe poivrée est stérile et ne donne pas de graines susceptibles de germer.

Toutes deux se rencontrent un peu partout, de préférence dans les lieux humides, dans les champs et les prairies fraîches, au bord des étangs.

D'après Lemery, le nom de menthe viendrait du latin « mente — pensée — parce que cette plante, dit-il, en fortifiant le cerveau, excite les pensées et la mémoire ».

Mais la brillante imagination des Grecs a trouvé une explication plus poétique. Selon la mythologie, Pluton, époux de Proserpine, s'était épris d'amour pour Minthe, fille de Cocyte, et Proserpine, ayant surpris sa rivale avec son époux, s'en vengea en la changeant en une plante qui, depuis, porte son nom.

La menthe poivrée demande de nombreux soins culturaux et des terres copieusement fumées pour obtenir un bon rendement.

Elle est très cultivée en Angleterre dont surtout à Mitcham, un petit pays qui a fini par lui donner le nom sous lequel elle est universellement connue.

En France, elle est surtout cultivée dans les Alpes Maritimes et dans la région parisienne, à Milly-la-Forêt, principal centre de production justement réputé.

HISTOIRE

Il est difficile, sinon impossible, de dire quelles étaient les espèces de menthe dont parlent les Anciens sous les noms de « blechon », qui serait le « pulegium » des latins ; c'est-à-dire le Pouliot — et le « menta », la menthe cultivée — ou de « menstratum », qui serait la menthe sauvage. Quant à la menthe poivrée, considérée comme une hybride de la menthe aquatique, elle n'apparait que bien plus tard.

Quelles qu'aient été les variétés, la Menthe était connue des Hébreux (Mathieu, XXIII) qui en faisaient grande consommation. Le Christ ne reprocha-t-il pas aux Pharisiens la dîme énorme qu'ils payaient pour s'en procurer?

A Athènes, la menthe entrait dans le breuvage sacré d'Eleusis — le kykeon — et tandis que les jeunes filles en tressaient des couronnes aux mariées, on en parfumait les tables au cours des festins.

Pour les Hippocratiques, la menthe était le « blechon » parce qu'elle provoquait le bèlement des moutons qui en broutaient.

A Rome, le « pulegium », ainsi appelé parce qu'il avait la propriété d'attirer les puces et de les tuer, était considéré par les disciples de Bacchus, qui s'en tressaient des couronnes, comme susceptible de faire disparaitre l'ivresse. Une épigramme de Martial nous rappelle, d'autre part, combien elle était précieuse dans les usages domestiques en précisant que, dans le déménagement de son ami Vacerra, il y avait des guirlandes de menthe pouliot et des chapelets d'aulx et d'oignons.

Pour Dioscoride, la menthe était aphrodisiaque bien que, appliquée sur les organes sexuels de la femme, celle-ci ne put concevoir.

Et Pline prétend que la menthe — menstratum — s'oppose à la génération et rend l'homme incapable d'exercer l'acte vénérien en empêchant le sperme de se coaguler. Il lui trouve de nombreuses propriétés médicinales : arrêtant les règles, les hémoptysies, bonne pour la voix, guérissant les ulcères, l'occlusion intestinale, la lèpre, facilitant l'expectoration.

Mais l'odeur de la menthe éveille l'esprit, son goût excite l'appétit. Aussi entre-t-elle dans la composition des sauces, empêchant notamment le lait de cailler et d'être converti en fromage.

Apicius considère que la menthe donne une agréable odeur aux mets rustiques et qu'elle est conservée à cet effet dans du vinaigre.

Dans ses Excerpta, il nous apprend qu'elle faisait partie des épices du parfait cuisinier.

En Gaule, les Druides jetaient des feuilles de menthe dans la flamme des sacrifices pour éloigner les mauvais génies.

Au Moyen-Age, les Capitulaires différencient les principales espèces de menthe : le « sysimbrium » étant la menthe verte, la « menta » la menthe cultivée, le « mentastratum » la menthe sauvage, toutes douées d'une foule de propriétés qui en faisaient de véritables panacées.

L'Ecole de Salerne distingue elle aussi, le pouliot de la menthe, le premier « expulsant l'atrabile et guérissant le podagre débile « tandis que dans le second » :

« l'estomac trouve en elle un secours étonnant lorsqu'il veut réveiller son appétit dormant ».

Aux siècles suivants, les menthes continuèrent à être appréciées des médecins : pour Platine « le pouliot vaut grandement pour recréer les esprits lassez » et pour Mathiolle « il était fort propre au jeu d'amour ».

Pour Borhaeve, les feuilles du pouliot « soulagent les asthmatiques, sont excellentes dans la chlorose et affections de poitrine, balsamiques et aromatiques contre la toux ».

Pour Lemery, toutes les menthes fortifient le cerveau, le cœur, l'estomac, chassent les vents, résistent au venin, aident à la respiration, excitent l'appétit, tuent les vers.

THÉRAPEUTIQUE

Que reste-t-il aujourd'hui de toutes ces vertus ?

Le pouliot est surtout utilisé pour ses propriétés expectorantes. Leclerc le préconise avec la formule suivante dans les affections respiratoires et la coqueluche :

extrait fluide de pouliot...... 2 g
infusé de racines de violettes. 150 g
sirop de capillaire............ 50 g

Comme stimulant des fonctions digestives et biliaires, Leclerc utilisait une autre formule :

extrait fluide de pouliot...... 20 g
extrait fluide de polypode.... 10 g
extrait fluide de romarin...... 10 g

Il raconte que cette préparation eut même l'honneur d'aider le maréchal Foch à mieux supporter les lourdeurs d'un repas de guerre causées par des « fayots et des charcutailles ».

Les autres menthes s'emploient surtout en infusions stomachiques et antispasmodiques à raison de 4 à 5 g. Le grand Trousseau, lui-même, ne dédaignait pas d'employer la menthe poivrée dans tous les troubles dyspeptiques.

Bien entendu, la médecine populaire en fait grand usage dans ces mêmes indications et, en outre, dans les cas d'insomnies, de migraines et de névralgies. La menthe fraîche, appliquée en cataplasme, est parfois utilisée par les bonnes femmes pour faire cesser la sécrétion du lait et favoriser sa disparition dans les engorgements des mamelles des nourrices.

Pour faire revenir les règles, ces bonnes femmes savent préparer une infusion infaillible composée de feuilles de menthe sauvage, de romarin, de sauge et d'armoise dans du vin rouge.

Ses propriétés sont dues à ses constituants, surtout à son essence (2 à 3 %) qui contient du menthol, 30 à 60 % environ, des terpènes et une cétone.

Particulièrement douée de propriétés bactéricides, cette essence tue le staphylocoque en 3 heures et neutralise le bacille de Koch à la dose de 0,5 %, d'après les intéressants travaux de l'école lyonnaise et en particulier de Sévelinges.

Le menthol est, en outre, utilisé dans maintes préparations pharmaceutiques en association pour la plupart avec d'autres essences ou teintures :

— le benjoin et l'eucalyptus dans des mixtures pour des innalations.

— le camphre et le gaïacol dans les névralgies sous forme de liniment et de baume analgésiques.

GASTRONOMIE

Tandis que la menthe poivrée est surtout utilisée, pour la force de son parfum et du menthol qu'elle contient, en parfumerie, toutes les autres espèces de menthe peuvent être mises à profit par l'art culinaire ou la liquoristerie.

En cuisine, elles servent à faire la célèbre sauce à la menthe, soit la sauce française où la menthe une fois réduite et mélangée avec du vin d'Espagne convient fort bien aux venaisons, soit la sauce anglaise où la menthe est d'abord macérée dans du vinaigre avant d'être servie avec des gigots d'agneau ou de mouton.

Très chère aux Anglais qui s'en font une gloire, cette sauce est si forte qu'elle étonne le palais et déconcerte l'estomac autres que ceux d'un insulaire.

Cette sauce à la menthe, soit l'anglaise ou la française, est d'ailleurs considérée comme une hérésie culinaire par certains gastronomes, comme A. Maurois qui la qualifiait de coutume barbare qui ne peut que gâter le gigot, ou comme Berchoux et tous ceux qui :

**« Aiment mieux un tendre gigot
qui sans pompe et sans étalage
se montre avec un entourage
de laitue ou de haricots ».**

Par contre, sa saveur amère et aromatique, chaude d'abord, à la fois fraîche et piquante ensuite, convient parfaitement pour accompagner certains légumes, tels que les petits pois et les pommes de terre et surtout les salades que quelques feuilles de menthe suffisent à aromatiser.

Mais les menthes sont surtout utilisées, à la satisfaction de tous, pour en faire du sirop, de la crème et de l'alcool qui portent tous son nom.

La crème de menthe est une simple infusion de sommités de fleurs de menthe, additionnée d'alcool de menthe et de sucre. Le sirop se prépare en faisant fondre du sucre dans de l'alcool de menthe distillée. L'alcool de menthe est obtenu en faisant distiller des sommités fleuries de plantes à raison de 4 kg de feuilles et 20 litres d'eau.

On fabrique encore avec la menthe, soit des élixirs stimulants, en y ajoutant de la cannelle, soit des élixirs dentifrices en incorporant de l'eau de vie de gaiac et de camphre, de l'essence de romarin à de l'essence de menthe.

Enfin, l'essence de menthe entre dans la préparation de liqueurs plus compliquées, comme la Bénédictine où elle se trouve en compagnie de mélisse, d'hysope, d'angélique et de muscade.

Et, ceux bien rares d'ailleurs qui n'apprécient pas les liqueurs préfèrent se contenter, comme les Orientaux, d'un thé parfumé à la menthe, accessoire obligatoire de tout festin dans les pays de l'Islam.

Rappelons ici que c'est sous l'influence bienfaisante de cette infusion que le général La Moricière put convaincre l'émir Abd el Kader de mettre bas les armes et de se rendre avec toute sa « smalah ».

Légende militaire ? La menthe est pacifique !

le persil

Après avoir eu la g l o i r e de couronner les vainqueurs des Jeux Olympiques chez les anciens Grecs, le Persil ne règne plus aujourd'hui que dans les cuisines ou il sert à confectionner des bouquets dits « de persil » qui, s'ils sont moins honorifiques que les couronnes antiques, n'en sont pas moins indispensables pour l'art culinaire.

CARACTÉRISTIQUES

Le nom de persil vient du grec « petroselinuon » qui signifie « ache des rochers », soit parce qu'il pousse sur les endroits pierreux et rocailleux, soit parce qu'il était réputé capable de briser les pierres des reins.

Il était connu des Romains sous le nom « d'apium » sans qu'on puisse préciser s'il s'agissait bien de notre persil ou de l'ache, le céleri sauvage, car il y avait, chez eux, une confusion entre les deux plantes. qui étaient désignées indifféremment par le même nom.

Aujourd'hui, la confusion n'existe plus. Les deux plantes sont bien distinctes quoique appartenant à la même famille des ombellifères.

Notre persil cultivé le « petroselinum hortense » des botanistes se reconnaît à son odeur caractéristique. à ses feuilles vert foncé divisées en trois folioles et à ses petites fleurs verdâtres ou jaunâtres disposées en ombelles, mais peut prêter à confusion avec la petite ciguë.

Il en existe plusieurs variétés dont le persil frisé aux feuilles crépues et plus grandes qui, lui, ne peut être confondu avec la ciguë.

Le persil passe pour être originaire de Sardaigne ; on le rencontre à l'état sauvage dans toute l'Europe méridionale. En France, on le trouve parfois dans les endroits frais et ombragés en dehors des jardins d'où il s'est échappé pour retourner à l'état de nature.

Le nom de persil ne daterait que du 15°. Auparavant on trouve le mot de « presin », puis de « perreseil » dans un traité de cuisine du 13° avant que le Mesnagier de Paris, au 14°, donne le terme presque définitif sous lequel il est connu de tous.

Signalons toutefois qu'en Languedoc, il est encore appelé jaubert, gimbert ou jauver.

HISTOIRE

Connu des Anciens, comme nous l'avons vu, sous le nom de selinon, la mythologie grecque n'avait pas manqué de s'emparer d'une plante aussi illustre que le Persil ; d'après les récits légendaires, Hercule s'en était couronné après avoir tué le lion de Nemée et c'est pour cela que les vainqueurs des Jeux Neméens s'en couronnaient la tête. Suivant un autre récit, il était apprécié des chevaux, ayant servi de nourriture aux chevaux rapides de Junon et le centaure Chiron, qui tenait la science médicale d'Esculape lui-même, l'avait enseigné à Achille pour guérir ses blessures.

Les poètes grecs et romains, qui appréciaient son odeur forte et pénétrante ne manquaient pas de s'en couronner, eux aussi, pour exciter leurs cerveaux et produire l'exaltation créatrice.

Aussi le persil servait-il d'ornement aux festins :

« que les roses disait Horace, l'âche toujours verte et le lis éphémère ne manquent jamais à vos repas. »

En réalité, cette ache verte était bien le persil, par opposition à l'ache des marais qui était une plante funéraire réservée aux tombeaux.

C'était aussi une plante médicinale et condimentaire. Dioscoride et Pline le considéraient comme diurétique et emménagogue, et en décrivaient 5 espèces dont le meilleur « l'estreat » venait de Macédoine. Et si Galien, en médecin, le trouvait bon à la bouche et à l'estomac, il l'indiquait aussi pour assaisonner la laitue et les sauces.

D'ailleurs, dans son traité culinaire, Apicius en vante les bienfaits dans les bouillons et les sauces sous le nom d'apium viride. Collumelle et Palladius lui accordent les mêmes louanges et précisent qu'il y en avait deux espèces dont une à feuilles frisées, ce qui semble indiquer que le persil faisait déjà l'objet d'une culture horticole.

Les Byzantins, plus particulièrement diététiciens, admettent que le persil était à la fois un simple : « botan » et un légume : « laganon ». En aliment, disait Aetius, c'est une plante qui amollit l'estomac et est diurétique. Bouillie et en infusion elle fait cesser la dysurie et sert contre la gravelle.

Oribase ajoute qu'il est excellent pour remédier à la suppression des règles et combattre la stérilité.

LA MUSCADE

LE GENÉVRIER

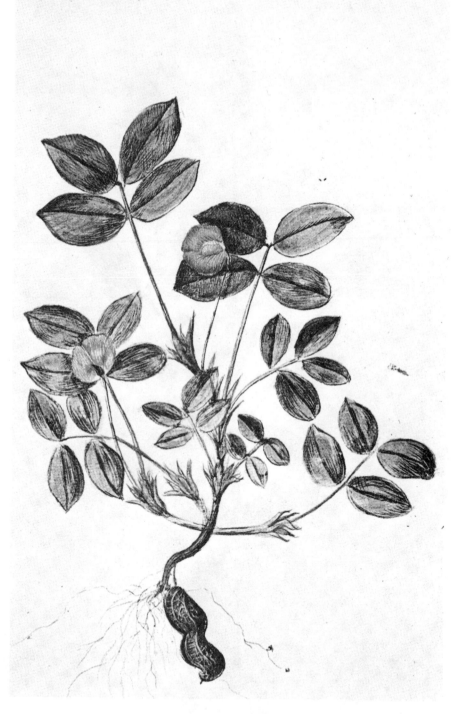

L'ARACHIDE

LA MENTHE SAUVAGE

Au Moyen-Age, il était cultivé dans les jardins impériaux de Charlemagne et des monastères. Pour l'Ecole de Salerne c'est un légume de printemps et d'hiver :

« avec ail, sauge et serpolet, c'est un condiment utile qui réveille un estomac débile »

et le Grant Herbier du 15ᵉ en fait l'éloge : « l'herbe aussi myse cuyte avec des viandes conforte la disestion et oste les ventosités du ventre ».

Depuis la Renaissance, le persil entre dans les 4 semences chaudes mineures avec l'ache, l'ammi et la carotte, et les 5 racines apéritives majeures : ache, asperges, fenouil, petit houx tandis que pour Dalechamps c'est plutôt un légume « d'un goût si plaisant et aromatique que tous en sont fort friands pour le manger en salade ».

Un auteur anglais nous apprend que les jardiniers anglais l'avaient reçu vers 1548 et que « la graine prise aide ceux qui n'ont pas la cervelle solide à mieux supporter la boisson ».

THÉRAPEUTIQUE

Toute la plante est considérée, au point de vue médicinal, comme ayant des propriétés : diurétiques, apéritives, stimulantes, dépuratives, alors que ses semences sont emménagogues et fébrifuges.

Aussi le persil a-t-il été employé dans l'hydropisie, les œdèmes, les maladies du foie, la jaunisse, les flatulences et surtout dans les dysménorrhées et les affections des reins et de la vessie.

Dans ces cas, on emploie la décoction de la semence à raison de 100 g par litre et aussi le suc, 100 à 150 g par jour.

Mais c'est surtout l'essence du persil qui a été utilisée, pour son composant l'apiol qui est réputé exciter la contractilité du muscle utérin et régulariser le flux menstruel dans l'atonie utérine, en capsules glutinisées dosées à 0,20 à raison de 2 à 3 par jour.

A l'extérieur, les feuilles de persil sont utilisées par les bonnes femmes, héritières des vieilles traditions. C'est un remède populaire employé par elles comme vulnéraire et surtout comme lactifuge, par application de ses feuilles pilées sur les meurtrissures et sur les seins des accouchées qui ne veulent pas nourrir, encore qu'un simple bouquet de persil mis autour du cou soit suffisant pour faire partir le lait.

On peut même dire que c'est un remède type de bonnes femmes. Elles se servent du suc frais instillé dans

les yeux pour guérir les ophtalmies ; contre la grangrène
c'est un remède souverain à raison de 3 cuillerées de suc,
une de sel, une de poivre, le tout macéré dans du vinaigre.

Broyé avec du sel et introduit dans l'oreille il apaise toutes douleurs ; contre les piqûres d'abeilles une fric-
tion de feuilles est radicale ; contre les hématomes les compresses de feuilles cuites dans du vin rouge ou arrosées
d'eau de vie ; tandis qu'une angine cède à une infusion de
tiges prise dans du lait additionné de miel. Même la calvitie
ne résisterait pas à une décoction de semences de Persil
malaxées avec de la graisse de bœuf...

GASTRONOMIE

S'il sert peu en médecine, sauf à la campagne, le
persil est une des herbes condimentaires les plus employées
à cause de son odeur aromatique et sa saveur agréable légèrement piquante, propre à relever les mets et les parfumer.

Déjà il en était ainsi au grand siècle et Boileau
nous rappelle que :

**« deux assiettes suivaient dont l'une était ornée
d'une langue en ragoût de persil couronnée. »**

Cuit, ou cru, le persil à la propriété d'exciter l'appétit et de faciliter la digestion. S'il n'est quelque fois qu'une
simple garniture pour orner les plats, cet emploi décoratif, à
l'imitation de la coutume des Anciens, est loin d'être le seul.

Avant tout, c'est la base des célèbres « bouquets »
auxquels il a donné son nom, dont il existe de nombreuses
formules, obtenues en l'assemblant à des épices et des plantes aromatiques fraîches ou sèches, les plus diverses : thym,
estragon, sarriette, laurier, girofle, ail, basilic... suivant qu'on
le destine à la cuisson des poissons, des viandes, des ragoûts, du gibier ou des crustacés (voir en fin de volume).

Sans entrer dans le détail de leur préparation, disons que ces fameux « bouquets de persil » nécessitent tout
un art : celui d'assembler en proportions égales de la force
de leur arôme, les différents ingrédients, de façon à donner
à chaque combinaison un haut goût sans en laisser dominer
aucun.

Par la subtilité de son arôme, et la délicatesse de
sa saveur, le persil permet de relever les sauces et les
viandes les plus fades, de parfumer agréablement l'omelette
aux fines herbes, les salades les plus neutres, les féculents
les plus lourds, les potages les plus ordinaires.

Grâce à lui, le moindre poisson bouilli prend une
saveur légèrement piquante, la pâle tête de veau devient
attirante et les escargots agréables à mâcher.

S'il sert encore de garniture autour des viandes froides, le persil frit réalise une incomparable litière pour les poissons ou croquettes de toute nature.

Ajoutons, enfin, que le persil entre dans la composition de la sauce verte, depuis sa création qui remonte au Moyen-Age ; il en constituait la base avec l'ail, l'oignon, les échalotes. Sa formule variait suivant les saisons. Aujourd'hui, la sauce verte est plutôt une mayonnaise améliorée de persil, de cerfeuil et d'estragon.

Il entrait et entre toujours dans la persillade qui est un des meilleurs accompagnements du bœuf bouilli.

On peut dire encore que le persil est la base de nombreuses sauces, mélangé avec d'autres herbes condimentaires : échalotes, fines herbes, oignons, etc...

Les cuisinières avisées ne sauraient s'en passer...

Aussi ne doit-on pas s'étonner si tant de vertus médicinales et de victoires gastronomiques ont fini par faire oublier les vieilles superstitions qui lui étaient attachées et suivant lesquelles il suffisait, pour se débarrasser d'un ennemi, de prononcer son nom en arrachant simplement un pied de persil.

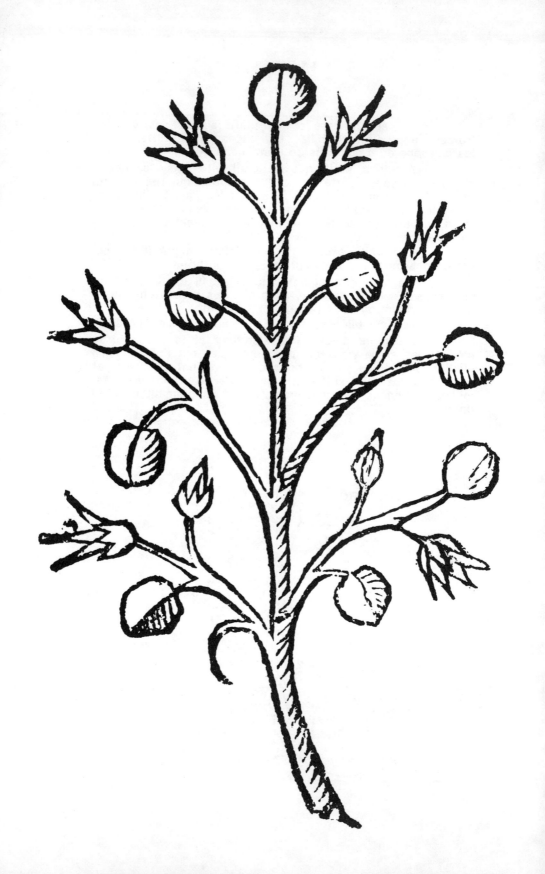

le pourpier

Une des rares plantes grasses de nos pays tempérés, le Pourpier est presque un exilé des climats chauds.

CARACTÉRISTIQUES

Le pourpier est une plante annuelle, à tige et feuilles épaisses, charnues, un peu visqueuses, sans dents ni poils, et aux fleurs petites et jaunes.

On en distingue deux espèces : l'une, le pourpier à grandes fleurs, n'est cultivée que comme plante ornementale et ne présente aucun intérêt alimentaire.

L'autre, le pourpier commun ou potager, est cultivé dans les jardins comme légume. En France, il s'est naturalisé autour des habitations, dans les chemins, les décombres ; et sur les rocailles où il prend le nom de perce-pierre, il pullule comme une mauvaise herbe.

Tandis que l'espèce cultivée possède des tiges légèrement dressées et des feuilles jaunâtres, l'espèce sauvage est couchée et ses feuilles sont plus vertes et aussi plus petites.

Par culture et sélection, la première a donné une variété dite pourpier doré, à feuilles plus larges d'un jaune doré accentué.

D'après de Candolle, le pourpier proviendrait du Proche-Orient, de la Russie méridionale, de l'Iran et de la Grèce.

Le nom de pourpier, primitivement poulpied, lui a été donné par allusion à sa forme qui rappelle celui d'un pied de poulet. Le nom latin « portulaca » vient de ce qu'il était recherché des porcs.

De ce nom sont dérivées maintes appellations fréquentes dans les campagnes :
pourcellaine, prochaille, porcellane qui indiquent bien que la plante constitue une excellente nourriture pour les porcs, tandis que dans d'autres c'est le mot piepou ou poulpié qui prévaut, rappelant la trace laissée par la patte d'un poulet et assez semblable à la forme de la fleur du pourpier.

HISTOIRE

La culture du pourpier, ou tout au moins l'emploi comme plante alimentaire et médicinale, remonte à des temps très lointains.

Dans un document assyrien, le pourpier est mentionné sous le nom de puru-pu-hu et recommandé pour les maladies intestinales.

Chez les Grecs, il était appelé « andrachné » par allusion au mucilage contenu dans l'épaisseur de ses feuilles.

Théophrate, Dioscoride et Galien lui attribuaient de nombreuses vertus contre les maux de tête, les douleurs de la vessie, les hémorroïdes et les vers intestinaux. Il suffisait, d'après Apollonius, d'en mettre dans son lit pour éloigner les rêves érotiques.

Très apprécié des Arabes, comme émollient, Ibn-el-Baithar le qualifiait de « légume béni ». Ce qui était devenu son qualificatif habituel, depuis que Mahomet s'était guéri d'une blessure au pied en marchand sur une touffe de pourpier et qu'il lui aurait dit : « Béni sois-tu de Dieu, mon cher enfant partout où tu seras ».

Au Moyen-Age, le pourpier sauvage était réputé comme doué de propriétés hémostatiques dans les épanchements de sang.

Dès le 15ᵉ siècle, il apparaît que le pourpier était cultivé dans les jardins seigneuriaux et apprécié comme condiment dont Dalechamps nous a laissé le mode de préparation :

« On trempe les grosses tiges dans du verjus d'aigrum et on les agence en des pots de terre, faisent premièrement un lict de fenouil et un autre de pourpier, lequel est saupoudré de sel à suffisance et puis derechef un autre lict jusqu'à temps que le pot soit plein ; puis on couvre le dessus d'herbe de fenouil, enfin on y met la sausse qui est faite de deux tiers de vinaigre et d'un tiers de verjus ».

Ce pourpier confit devait avoir beaucoup d'amateurs puisque mention en est faite dans les Cent et Sept cris de Paris de Truquet de 1545 :

« A mon beau pourpier
Ne trouverai-je point quelque sire
Pour en acheter pour confire
Tout est beau jusques aux piedx. »

C'était, au dire de Nicolas Andry, un excellent plat de carême, « on fait avec le pourpier et la perce-pierre des compotes fort usitées en carême ».

Au 17ᵉ, le pourpier était une plante potagère de qualité, dont les jardiniers avaient obtenu l'amélioration, sous forme de pourpier doré à larges feuilles, estimée au point que la Quintynie la faisait figurer dans les salades sur la table de Louis XIV.

Ce pourpier doré digne d'un repas royal ou d'apparate était probablement le pourpier jaune que Boileau met en parallèle avec d'autres salades dans son « Repas Ridicule » :

« L'une de pourpier jaune et l'autre d'herbes fades dont l'huile de très loin, saisissait l'odorat et nageoit dans des flots de vinaigre rosat. »

Apprécié des gourmets, il l'était aussi des apothicaires qui le faisaient entrer dans de nombreuses préparations pharmaceutiques : l'électarium de psylliio, le requies de Nicolai, le diaprunis, le clyster refrigerans...

THÉRAPEUTIQUE

Si les médecins comme Lemery et Borhaave le recommandaient « à cause de son phlegme et de son huile pour adoucir les âcretés de la poitrine, purifier le sang et contre le scorbut », le pourpier, qu'il soit cultivé ou sauvage, fut peu à peu délaissé au point de n'être plus employé aujourd'hui que dans la médecine populaire pour ses propriétés diurétiques, rafraîchissantes et vermifuges.

On en fait des bouillons rafraîchissants en le mélangeant à la laitue ou à la bourrache pour combattre les inflammations internes des voies digestives et urinaires. Cru ou cuit, il agit dans diverses maladies chroniques comme laxatif et adoucissant.

Contre le ver solitaire, on l'emploie bouilli dans du lait à raison d'un verre le matin à jeun et, dans les insomnies nerveuses, une décoction de 25 g de feuilles dans un litre d'eau sucrée avec du miel n'est pas sans effet.

A l'extérieur, les feuilles hâchées s'appliquent sur les brûlures, les cors, et son suc peut être utile dans les bains de bouche contre les maux de dents et servir de base à des collyres contre les conjonctivites.

En raison de la pectine qu'il contient, et à la suite des travaux de Violle et de Destrat, les praticiens ont peut-être tort de négliger ce simple, et, comme le fait remarquer Leclerc « on ne peut lui refuser une action très adoucissante, celle d'un émollient qui joue, vis à vis des muqueuses enflammées des voies digestives et intestinales, le rôle salutaire d'un cataplasme interne ».

GASTRONOMIE

Délaissé par la médecine, le pourpier l'est aussi de la cuisine.

On emploie encore ses feuilles et ses tendres sommités comme légume cuit, à la place de l'oseille et de l'épinard.

Dans le midi de la France, il est mangé cru en salade, fortement relevée à l'ail ; dans le Nord, on en fait des potages qui n'ont rien de désagréable, par la saveur âcre qui s'en dégage.

Mais l'amateur de salade parisien est obligé, lui, d'aller en ramasser dans la campagne, s'il veut s'offrir une salade de son goût, car les maraîchers n'en apportent plus aux Halles, et il y a longtemps que le Pourpier a disparu des baladeuses de Crainquebille.

le romarin

Une des plus belles parures, avec la lavande, des garrigues du Midi et du littoral méditerranéen. Un véritable plaisir pour les yeux des amis de la Nature qui ne se lassent pas d'admirer ses belles tiges toujours vertes, se balançant, tel un encensoir, au moindre souffle de vent. Ses fleurs d'un bleu pâle rappelant l'azur céleste forment de gracieux petits bouquets au sommet des rameaux et restent épanouies toute l'année.

Tel se présente le Romarin pour la grande joie des abeilles qui recherchent tout particulièrement l'abondant nectar secrété par ses fleurs pour le transformer en un miel apprécié et très parfumé, connu sous le nom de « miel de Narbonne ».

CARACTÉRISTIQUES

De la famille des labiées, le romarin — rosmarinus officinalis — tire son nom du latin « rosmarinus » qui vient de ros, rosées, soit parce qu'il reçoit la rosée du matin, soit parce qu'une légère poussière blanche telle une fine rosée saupoudre ses feuilles, soit parce qu'il recherche les endroits où se dépose la rosée de la mer.

C'est du moins l'origine du mot selon les poètes, expression moins véridique que celle des étymologistes qui le font dériver de « rhus » : petit buisson.

Quoi qu'il en soit, le romarin, originaire de la région méditerranéenne, vit à l'état spontané sur les terrains et les dunes arides du littoral, les côteaux, en compagnie du thym et de l'aspic, où il s'imprègne des effluves salins qui lui communiquent son odeur fragrante, camphrée, rappelant celle de l'encens.

Les populations méridionales, qui en font une de leurs plantes aromatiques préférées l'honorent par des noms populaires : pour elles c'est l'encensié, l'herbe aux couronnes, la rosée de mer, la rose marine mais plus généralement encore le « roumaniéou ».

Botaniquement, il n'en existe qu'une espèce, mais à type très polymorphe, qui a donné, par hybridation de nombreuses variétés distinctes par la taille de leurs tiges, de leurs feuilles et aussi par la couleur de leurs fleurs dont certaines tournent au mauve et au violet.

Le romarin cultivé laisse admirer, dans les jardins où il remplace souvent le buis en bordures, son feuillage plus vert et ses fleurs d'un bleu intense.

Les romarinières naturelles forment des peuplements assez denses que l'on se contente d'améliorer par éclatement des touffes.

HISTOIRE

Bien connu des Anciens, le romarin a donné naissance chez eux à de nombreuses légendes.

Pour les Grecs, il était « l'anthos » la fleur par excellence, mais ils l'appelaient aussi « libanotis » du nom d'un jeune prêtre Libanus frappé par des mains impies d'un coup mortel et, de son sang répandu naquit le romarin dont l'odeur d'encens rappelait ses fonctions sacerdotales.

A Athènes comme à Rome, il était le symbole de l'amour et de la mort et jouait un rôle important dans les cérémonies religieuses, les fêtes familiales et publiques.

Chez les Romains il était également l'emblème du souvenir ; on en ornait le front des Dieux Lares et on en plaçait une branche dans la main des morts.

Coutume fort ancienne car des rameaux de romarin furent même découverts dans les tombeaux égyptiens par Alpino, explorateur et botaniste du 16°.

Plante sacrée chantée par Horace « si tu veux gagner l'estime des dieux, porte leur des couronnes de Romarin et de myrte ». Pour les chrétiens, une légende attribuait la teinte bleu azur des fleurs du romarin à la vierge Marie qui, se reposant près d'un buisson, lors de la fuite en Egypte, y posa son voile dont les fleurs du romarin prirent la couleur. Légende qu'ignore et que n'a pas encore illustrée le maître-typographe Raymond Gid qui glisse, chaque fois, le romarin dans ses vœux de nouvel an.

Le romarin était aussi une plante médicinale employée par Dioscoride, qui fait mention de 3 espèces, tandis que Pline en parle comme d'une plante déjà cultivée dans les terres exposées à la rosée propre à procurer l'odeur d'encens. Et il semble que les médecins utilisèrent, sous forme d'huile, ses propriétés balsamiques.

Il figure au Moyen-Age dans les Capitulaires, comme dans le livre de St-Gall, et était cultivé dans les jardins médiévaux.

Sous le nom d'anthos, l'Ecole de Salerne consacre deux vers au Romarin...

**« qui guérit tenesme douleureux
conforte l'estomac, ranime et rend joyeux. »**

Pendant tout le Moyen-Age, le romarin fut à l'honneur et était considéré comme doué de nombreuses vertus. Le Lech Book of Bald recommande de prendre « la plante rosemarine pour guérir les malades d'une façon étonnante ».

Les Arabes, ces grands alchimistes, surent les premiers en extraire de l'essence et Raymond Lulle, sut l'isoler et la mettre en solution alcoolique.

Les médecins arabes employaient des feuilles pilées pour recouvrir la plaie produite par la circoncision, mais surtout ils eurent le grand mérite d'en obtenir l'essence. A la Renaissance, les poètes apothicaires en vantèrent les vertus. Guillaume Busnel, dans son « Œuvre excellente chascun désirant soiy de peste préserver », préconise qu'il faut :

> « manger souvent foys
> du romarin qu'est tant courtois »,

et Bretonnayau, dans le traitement des hémorroïdes :

> « le romarin feuillu, le ronsier espineux
> cuits et dessus enduicts sèchent le mal seigneux. »

Mais c'est surtout au 16e que le romarin devint célèbre, grâce à la fameuse Eau de la Reine de Hongrie, que le Père Tranquille et l'abbé Rousseau étaient chargés de préparer avec ses fleurs distillées associées à la menthe et la lavande.

On disait que cette reine, Isabelle, affirmait en avoir reçu la recette d'un ange ; bien qu'âgée de 72 ans, paralysée, podagre et impotente, elle put, grâce à cette eau, retrouver santé, jeunesse et beauté, si bien que paraissant « belle à chacun, le roy de Pologne la voulut espouser ».

Le romarin acquit à cette époque la plus grande célébrité ; on le fit entrer dans l'eau potable et dans le vinaigre des 4 voleurs pour se préserver de la peste.

Madame de Sévigné se servait de cette eau de jouvence :

> « je m'en enivre tous les jours, j'en ai toujours dans
> ma poche, je la trouve excellente contre la tris-
> tesse. »

Les apothicaires préconisaient le Romarin contre les migraines. Ses décoctions étaient réputées prévenir la calvitie, combattre l'épilepsie, les vapeurs hystériques et résoudre les humeurs froides.

Surtout pour fortifier le cerveau et stimuler la mémoire ce que rappelle Shakespeare dans Hamlet :

> « thère'is rosemary, that'is for remembrance ».

Et toujours le romarin servait dans les funérailles comme dans les mariages ; on en jetait des rameaux sur les cercueils, tandis que les filles d'honneur en portaient des touffes comme symbole de constance en amour.

THÉRAPEUTIQUE

Le romarin est considéré, aujourd'hui, comme
- stimulant,
- antispasmodique, céphalalique,
- cholagogue et cholérétique,
- stomachique,
- antiseptique et désinfectant.

Il est recommandé chez les débilités, les surmenés, dans l'atonie des voies digestives, les dyspepsies, les cholecystites, cirrhoses et jaunisses, dans les migraines, les rhumatismes, les affections du système nerveux, l'épilepsie.

On l'emploie sous forme :
- d'infusion de 10 à 60 g par litre ;
- de vin diurétique óbtenu en laissant macérer une poignée de la plante complète dans un litre de vin blanc ;
- d'extrait fluide : 3 à 5 g.

De plus, il entre dans maintes préparations pharmaceutiques.

A l'extérieur, ses feuilles sont employées :
- en fomentation sur les enflures, les œdèmes, les coups et les foulures ;
- en bains contre les rhumatismes ;
- en gargarismes contre amygdalites.

Voici une formule de liniment antirhumatismal où entre le romarin :

teinture de gingembre .... 40 g
essence de marjolaine ....2 g
alcoolat de romarin ....60 g

Une formule de bain, stimulant :

romarin)
sauge)
marjolaine) AA 500 g
menthe)

Son essence, composée de terpènes : pinène, cinéol... est prise à raison de 3 à 4 gouttes sur un morceau de sucre et peut être employée dans les mêmes indications.

GASTRONOMIE

En dehors du miel qui lui doit sa réputation, pour son parfum si particulier, le romarin est un aromate largement utilisé, tant en cuisine familiale que dans la haute cuisine.

En Provence, il est particulièrement apprécié après les bouillabaisses en infusion de sommités de ses fleurs pour redonner aux pêcheurs provençaux une digestion facile.

Il fait partie des condiments aromatiques, au même titre que le thym et le laurier. Il entre dans la composition des bouquets garnis pour aromatiser poissons, viandes, gibiers.

Il parfume agréablement les civets de lièvre ou les gibelottes de lapin qui en ont déjà pris le goût en broutant ses feuilles ; il atténue le goût de suint du mouton et, tandis que l'on fait rôtir les viandes de mouton sur un canapé de rameaux de romarin, on en introduit fréquemment une brindille dans la manche du gigot.

En Italie, il sert à assaisonner le riz ;

En Allemagne, le jambon de mayence ;

en Angleterre, dans la soupe à la tortue ;

Et en France, dans diverses saumures comme celle du jambon de Bayonne.

Enfin, on peut en faire un excellent apéritif tonique et stomachique, en faisant macérer 50 g d'alcoolat de romarin, obtenu par distillation de la plante fraîche, dans un litre de vin de Frontignan ou de Banuyls.

Citons, enfin un moyen pour donner du bouquet aux vins ordinaires suivant la composition suivante : baies genièvre : 1 kg ; fleurs tilleul : 60 g ; fleurs de sauge : 50 g ; fleurs Romarin : 50 g ; fleurs lavande : 150 g.

Les Anciens, qui le considéraient comme une plante sacrée et un emblème de l'amour, seraient bien déçus de voir, aujourd'hui le romarin réduit à un rôle aussi peu noble.

la sarriette

CARACTÉRISTIQUES

La modeste et timide Sarriette, la « satureia » des Anciens est, comme l'hysope et le thym, une petite labiée aromatique, à usage médicinal et surtout condimentaire.

On en distingue deux variétés principales, l'une annuelle : la sarriette des jardins (satureia hortensis) et l'autre vivace, la sarriette des montagnes (satureia montana).

Les deux espèces sont d'ailleurs peu différentes l'une de l'autre. La première présente des tiges rougeâtres de 20 cm portant des rameaux et des feuilles lancéolées, grisâtres qui finissent par donner à la plante l'aspect d'un petit buisson surmonté de bouquets de fleurettes blanchâtres ponctuées de rouge.

La seconde, un peu plus grande, a des feuilles luisantes d'un vert cendré et des petites fleurs jaunâtres ou purpurines solitaires au sommet des rameaux.

Toutes deux dégagent un agréable parfum aromatique très fort et très particulier qui les fait rechercher par les abeilles auxquelles elles fournissent un abondant nectar.

D'origine méditerranéenne, la sarriette vivace affectionne les côteaux arides et rocailleux, tandis que l'autre espèce, échappée des jardins, se rencontre dans les champs, le long des chemins et jusque dans les cimetières. Cette petite sarriette cultivée se trouve très à l'aise dans les jardins et tellement innocente d'aspect qu'elle semble « avoir été créée pour figurer dans un jardin de bonnes sœurs ».

Son nom est non moins joli ou gracile que la plante elle-même. Pourtant son origine est bien vulgaire. Il dérive du latin « satura », sorte de ragoût ou de macédoine de légumes que la Sarriette servait à aromatiser.

Les Grecs, toujours enclins à la poésie et aux légendes mythologiques, font dériver son nom des « satyres » qui s'en servaient pour accomplir leurs exploits amoureux, ce que nous apprend Aemilius Macer dans son « de herbarium virtutibus ».

Aussi poétiques que les Grecs, nos campagnards lui ont donné de jolis noms : savourée, sadrée, poivrette, herbe de St-Julien, tandis que la sarriette des montagnes est plus connue en Provence sous le nom de pedre d'aï (poivre d'âne).

HISTOIRE

Pline distinguait plusieurs sarriettes utilisées à Rome comme plantes médicinales : l'une d'elles, la sarriette des vaches était bonne contre les morsures de serpents, tandis que la « satureia », souvent comparée à la Marjolaine, fait partie des plantes condimentaires.

Elle fut chantée par Virgile et Martial, dans une épigramme à Lupercus auquel ils reprochaient son impuissance sexuelle, ajoutant que le pauvre Lupercus n'avait rien à attendre de ses prétendues vertus aphrodisiaques qui lui doivent son nom.

Elle eut cependant, au Moyen-Age, les honneurs de figurer dans les Capitulaires sous le nom de « saturiam » douée de maintes vertus stimulantes. Ste Hildegarde, ainsi qu'Albert le Grand, la préconisaient dans la goutte et les moines bénédictins en propagèrent la culture pour mettre un terme à certains de leurs maux.

Les pères allemands de la botanique, Tragus en tête, nous disent qu'elle servait à aromatiser les choux confits et à relever certains aliments à l'aide d'une sauce « appelée sauce des pauvres gens ».

Le lillois De L'Obel rappelle, un des premiers, ses propriétés carminatives largement utilisées dans les Flandres pour combattre la flatulence provoquée par les fèves. Charles Estienne, dans sa Maison Rustique, révèle que les écoles en étaient pourvues car « ses fleurs, appliquées sur la tête réveillent ceux qui sont enclins au sommeil », tandis que Parkinson, en Angleterre, l'appelait « herbe à farcir » viandes et poissons afin de leur donner un goût plus relevé ».

Tous les médecins du 17ᵉ et du 18ᵉ en faisaient un aphrodisiaque et un emménagogue dont déjà on extrayait une essence pour « fortifier l'estomac et diviser l'humeur bronchique ». Après être entrée dans la composition de l'alcoolat vulnéraire et des quelques rares préparations pharmaceutiques, l'oubli se fit peu à peu autour de ses propriétés médicinales.

THÉRAPEUTIQUE

C'est tout récemment en 1934 et grâce à Schultzik que la sarriette a été remise à l'honneur comme antiseptique dans les diarrhées aiguës et les entérites.

Les autres phytothérapeutes lui attribuent des propriétés stimulantes, carminatives, toniques, stomachiques propres à stimuler le travail intellectuel, à combattre les dyspepsies, les flatulences, les parasites intestinaux, toutes propriétés surtout utilisées dans les diarrhées infectieuses et les entérites.

Ces différentes actions seraient dues à une essence semblable au thymol, composée de carvacrol et de cymol, douée de propriétés antiseptiques et bactéricides.

On l'emploie en infusions des sommités fleuries de 1 à 3 g par 100 g d'eau (ou en bains) contre les douleurs nerveuses, et sous forme d'essence : 5 gouttes sur un morceau de sucre, 2 à 3 fois par jour.

La médecine populaire en fait un plus grand usage. Les bonnes femmes l'emploient pour arrêter les quintes de coqueluche ; dans les ulcères de la bouche et de la gorge, en collutoire fait d'une décoction de sarriette dans du vin ; dans les oreilles et contre les maux de dents où quelques gouttes versées dans l'oreille malade ou sur les dents carriées suffisent pour soulager les douleurs.

Les sagettes l'emploient avec le serpolet contre les rhumes et la toux, contre les piqûres de guêpes, et dans les bains pour fortifier les enfants débiles, et aussi comme vulnéraire dans les syncopes.

GASTRONOMIE

Malgré toutes ces vertus c'est encore dans l'art culinaire que la sarriette joue son rôle le plus important, comme assaisonnement et dans l'hygiène alimentaire.

Pas de fèves, pas de haricots, pas de lentilles, pas de petits pois sans un rameau de sarriette pour corriger « la ventosité » de ces féculents, surtout des fèves « ce manger des Dieux » comme les appelaient Brillat Savarin.

A tous elle communique son parfum délicieux dont profitent également les daubes, les ragoûts, les marinades et les sauces de toute nature.

Finement hâchée, elle se marie agréablement avec la sauge dans les salades ; elle sert à envelopper les « fromageons » de Provence préparés avec du lait de brebis dont elle atténue l'odeur que n'apprécie pas tout le monde.

Elle sert encore plus utilement comme correctif du gibier faisandé en neutralisant l'effet particulièrement actif de ses toxines.

Enfin, elle entre dans la fabrication de liqueurs diverses, la Chartreuse notamment, où avec la mélisse ses propriétés cordiales sont mises en valeur.

Et plus d'un vieux mari, nanti d'une jeune et ardente épouse, parvient grâce à une infusion de sarriette, agrémentée d'Angélique et corsée de quelques grains de poivre, à retrouver les forces génitales affaiblies ou disparues et à rivaliser — dira-t-il — avec les exploits amoureux des satyres de la mythologie grecque.

Quant aux ménagères avisées et plus pratiques, elles ont soin d'ajouter aux vinaigres de leur fabrication, quelques branches de sarriette toujours indispensables et nécessaires pour en faire des préparations comparables à celles du célèbre vinaigrier Maille et de ses imitateurs.

la sauge

La sauge, une des plantes aromatiques les plus communes, est aussi la « plante sacrée » par excellence, considérée à toutes les époques comme la panacée universelle.

CARACTÉRISTIQUES

La sauge est un petit sous-arbrisseau buissonneux aux rameaux quadrangulaires et velus de 30 à 60 cm environ ; ses feuilles oblongues et lancéolées, épaisses et blanchâtres, dégagent une odeur aromatique, camphrée et pénétrante.

Ses fleurs épanouies en juin, juillet sont disposées en épis terminaux pour former des grappes de petites clochettes violettes, lilas, parfois rosées ou blanches.

Spontanée sur les côteaux secs, les chemins pierreux du Midi, la sauge officinale est cultivée de préférence dans les jardins et plus rarement en plantations.

Son nom rappelant toutes les vertus médicinales que lui attribuaient les anciens est, à lui seul, tout un programme ; il vient du latin « salvare » — sauver — parce que la petite sauge est bonne pour toutes sortes de maladies.

C'est l'Herbe Sacrée, la « salvia », le thé de Grèce, la serve, tandis que la Toute Bonne, l'orvale, est la sauge sclarée qui s'en distingue par ses feuilles, plus larges, plus décoratives et surtout par une odeur balsamique plus forte et plus agréable.

La Toute Bonne douée des mêmes propriétés médicinales est surtout cultivée pour son essence utilisée en parfumerie, c'est à cette essence, qui rappelle l'odeur d'ambre et de lavande, qu'est due l'activité des différentes espèces de sauge, soit comme condiment ou aromate, soit comme remède populaire ou médicinal.

HISTOIRE

Célèbre depuis toujours, la sauge était déjà estimée des Aryens, ces ancêtres des populations de la Perse et des Indes.

En Egypte, ses vertus aromatiques antiseptiques furent utilisées dans les embaumements et, de plus, elle était réputée rendre les femmes fécondes. On s'en servait pour faire des philtres qui permirent aux Egyptiennes de réparer les pertes de vies humaines causées par les épidémies de peste.

En Grèce, les feuilles de sauge faisaient l'objet d'un cadeau annuel offert à Cadmus qui, un des premiers, en a reconnu les propriétés. Sous le nom d'élélisphakon, les hippocratiques employèrent différentes variétés de Sauge et semblent avoir cultivé celle qui, chez les Romains, devait devenir « l'herbe sacrée », véritable panacée des panacées.

Dioscoride et Galien l'utilisèrent comme diurétique, tonique, emménagogue, fébrifuge.

En Gaule, la sauge avait, aux yeux des Druides, le pouvoir magique d'arrêter toutes les maladies, et si efficace qu'elle pouvait même ressusciter les morts. Aussi les Druides, pour en faciliter l'absorption, l'ajoutaient-ils à la boisson nationale : l'hydromel.

Répandue par les moines de Saint-Benoît dans les jardins des monastères, la culture de la « salviam » était recommandée par les Capitulaires de Charlemagne et Geoffroy le Louche (Strabon) lui donne la première place dans son Hortulus avant toutes les autres panacées : bétoine, plantain, aigre-moine, rue, armoise.

Elle était considérée comme une plante merveilleuse et ses propriétés ont donné naissance au plus célèbre des aphorismes de l'Ecole de Salerne :

« Cur morietur homo cui salvia crescit in horto »
« Pourquoi l'homme mourrait-il quand la sauge pousse dans son jardin ? ».

Au cours des siècles suivants, médecins, botanistes et poètes s'emparèrent d'une plante aussi précieuse pour en vanter les bienfaits ou en chanter les louanges.

Au 17e, Paullini consacra un ouvrage de plus de 400 pages à « l'Herbe Sacrée », la noble sauge.

Le Moyen-Age nous a laissé un délicieux poème glorifiant à la fois les herbes de Provence :

> **Dame nature y eust planté
>   marjolaine et violiers
> et rosmarins a grand planté
>   giroflées et lavandiers
>   lasilics, lasmes et sa giers. »**

Elle a inspiré Guillaume Busnel, dans son poème contre la peste :

> **« ...et de la saulge, qu'est si sayne
>   on doit aymer nature humayne. »**

En raison de la ressemblance de ses feuilles· avec le dos du crapaud, la sauge a inspiré le 37ᵉ conte de Boccace et donné lieu à de nombreuses légendes dont celle de Massenet dans le « Jongleur de Notre-Dame » où frère Boniface chante :

« ...fleurissait une sauge au bord du chemin... »

Plus pratique et moins poétique, Louis XIV, nous apprend Saint-Simon, se contentait d'apprécier les vertus de la sauge en prenant, chaque soir, une tasse de véronique et de sauge, à laquelle le Grand Roi dût sa longévité.

THÉRAPEUTIQUE

D'empirique autrefois, l'usage de la sauge est devenu, de nos jours, plus scientifique grâce à l'étude de son essence qui lui confère des propriétés renouvelées des Anciens.

La sauge, c'est 20 plantes à la fois pour ses vertus stimulantes, toniques, digestives, antispasmodiques, fébrifuges, emménagogues, antisudorales, résolutives utilisées tant au point de vue interne qu'au point de vue externe.

Stimulante, elle est utilisée contre la faiblesse d'origine nerveuse et le surmenage.

Tonique-stomachique, elle facilite la digestion, calme les vomissements, les diarrhées. Tonique-astringent, elle enraye les hémorragies, les catarrhes pulmonaires et, d'une façon générale, la complexité de ses propriétés la fait utiliser à profit dans une foule d'indications, depuis la simple migraine jusqu'aux fièvres de toutes sortes.

Une de ses indications les plus précieuses c'est celle qui est employée contre les sueurs des tuberculeux, des rhumatisants et des convalescents, mises à profit par Cazin et Leclerc.

Selon Decaux, la sauge est utilisée
— comme antisudoral sous forme de teinture : L gouttes ou d'extrait fluide ;
— comme stimulant :
en infusion à 10 %
ou en vin composé de feuilles 80 g
et un litre de vin.

Le même auteur recommande plus particulièrement la potion antisudorale et antispamodique suivante :
extrait fluide de sauge 50g
sirop fleurs d'oranger .... 30 g
eau Q.S. pour .... 150 cc
à prendre une cuillérée à soupe le soir

Bien entendu, on ne saurait énumérer tous les remèdes de bonne femme où entre la Sauge dont l'importance, à la campagne, est toujours aussi grande qu'au Moyen-Age et que résume si bien le dicton provençal suivant :

« qu'a de sauvi din soun jardin, a pas besoin de médecin » qui ne demande pas de traduction, tant il est clair.

GASTRONOMIE

Possédant les plus belles lettres de noblesse parmi les plantes médicinales, la sauge a été employée de tout temps comme condiment aromatique.

Grecs et Romains utilisaient ses feuilles, soit fraîches comme assaisonnement des plats et des sauces, soit confites dans du vinaigre. Apicius ne manque pas de la citer dans ses Excerpta comme faisant partie des condiments que doit toujours contenir le placard du parfait cuisinier.

C'était, au Moyen-Age et avant que les épices nobles fussent connues, un des condiments indispensables, comme nous le rappelle un dicton médiéval pour caractériser une cuisine trop fade :

« oncques n'i quist ne sel ne Sauge ».

Un peu partout, elle tient une place importante dans la cuisine :

En Angleterre, en Italie, en Autriche, et en Allemagne (où elle entre dans la fabrication de la bière pour l'aromatiser).

En France, un bon bouquet de persil ne saurait être complet sans sauge ; rien de tel pour parfumer un ragoût de mouton ou un rôti de porc qu'une branche de Sauge, et en Provence, elle aromatise la soupe à l'ail et à l'huile : l'aigo boulido.

Elle aromatise marinades et farces et ses jeunes pousses sont appréciées dans les pays du Nord en salade.

Elle se conjugue avec le genièvre et le romarin pour donner du bouquet aux vins (voir formule).

Dans bien des campagnes, elle sert à remplacer la cannelle dans le vin chaud à la sauge. En Extrême-Orient les Chinois l'apprécient beaucoup. Ils sont même étonnés que possédant une si excellente plante, les Européens viennent si loin chercher leur thé.

Donnant la préférence à la Sauge, ils donnent volontiers 2 ou 3 caisses de thé pour s'en procurer une seule de sauge.

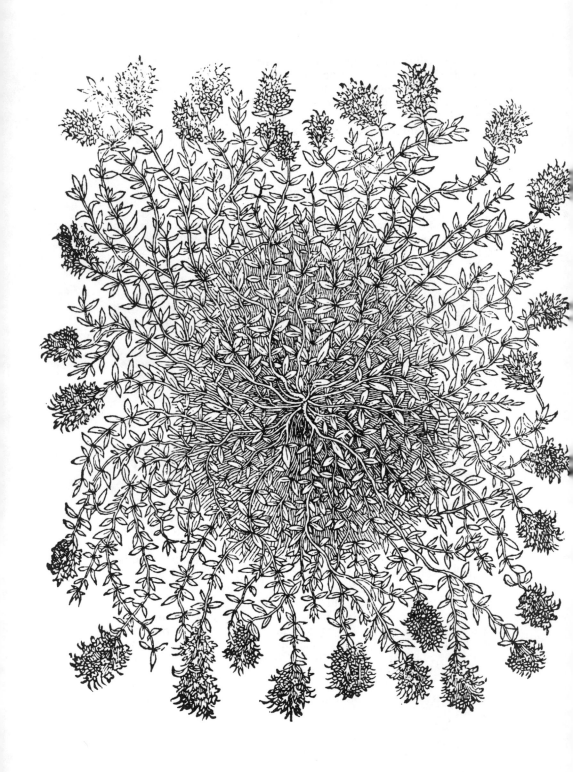

le serpolet

CARACTÉRISTIQUES

De la même famille que le thym, le Serpolet s'en distingue par ses tiges dressées, ses feuilles jamais blanches en-dessous et ses fleurs purpurines en épis terminaux plus grands que ceux du thym. De loin, il ressemblerait plutôt à la bruyère.

Mais comme son congénère, il laisse, quand on froisse ses feuilles, un parfum agréable, une odeur de citron ou de mélisse, et comme lui, on le trouve dans les lieux arides, les anciens champs cailouteux et sur les rocailles

Son nom latin «serpyllum» vient du grec herpillos : ramper. Mais, plante populaire, s'il en fut, le serpolet recueille dans les campagnes, de nombreuses autres appellations : serpoule, pilolet, poulliot, pouilleux (d'où le nom de champagne pouilleuse), sent-il-bon, fringueulette, pignolet...

HISTOIRE ET UTILISATION

Les Anciens affectionnaient le serpolet à cause de son odeur balsamique et ils en connaissaient plusieurs formes. Pline lui attribue maintes vertus : d'après lui, il est efficace contre les serpents à cause de son odeur qui les met en fuite et contre le venin des animaux marins et « il est bon contre les coliques, la dysurie, l'angine et les vomissements, pour les affections du foie et de la rate, broyé dans du vinaigre et du miel ».

Au Moyen-Age et à la Renaissance, les auteurs ont repris les mêmes indications en y ajoutant les maux de tête, la coqueluche, l'asthme, les affections pulmonaires.

Aujourd'hui, la médecine officielle n'en tient compte — et très peu — que comme anthelmintique, mais la médecine populaire l'emploie couramment dans les faiblesses gastriques et intestinales car toutes ses parties sont stimulantes et excitantes dans la toux, la coqueluche, les maux de tête, les migraines en infusion de ses sommités fleuries, plus agréable que celle du Thym, et surtout sous forme de compresses ou de bains contre les douleurs rhumatismales.

C'est un remède de bonne femme, en enveloppements chauds, contre les inflammations, les maux de dents, etc... Les matrones savent bien l'utiliser contre les inflammations des mamelons et celles des yeux chez les nouveau-nés.

Mais malgré ces propriétés utiles c'est surtout comme condiment que le serpolet jouit de la considération générale.

Comme le thym, il sert dans la confection des bouquets de persil pour aromatiser civets, ragoûts, sauces et marinades.

On dit que le serpolet communique un bon goût à la chair des moutons qui le broutent et des lapins, mais les habitants du clapier n'y touchent guère et si l'on veut profiter du goût agréable du serpolet il faut aromatiser leurs chairs au cours de la cuisine.

Les propriétés aromatiques du serpolet sont mises plus particulièrement en évidence dans la confection des courts-bouillons et dans celle des saumures destinées à la préparation des jambons et des saucissons qui, avec le parfum de la sarriette, du laurier et du thym, bénéficient mieux de celui encore plus fin et sûrement plus pénétrant du petit serpolet.

le thym

CARACTÉRISTIQUES

Le thym, le « farigoule » de Provence, est, avec son congénère, le serpolet, un de nos plus remarquables échantillons de la flore des garrigues qu'il embaume de son parfum, aromatique, agréable, rappelant celui du citron ou de la verveine.

Tellement populaire qu'il est presque superflu de rappeler, ici, que cette petite labiée est une plante vivace en forme de touffes compactes, arrondies et très ramifiées dont les rameaux se dressent au plus à 20 cm. du sol.

Ses petites feuilles étroites, enroulées sur les bords, sont verdâtres en dessus et d'un blanc poussiéreux sur l'autre face.

Ses fleurs, qui durent d'avril à septembre, sont d'un rose lilas et forment des épis au sommet des rameaux.

Originaire de la région méditerranéenne, du Portugal, d'Espagne et de Grèce, où il croît à l'état sauvage, il est spontané sur les côteaux secs et rocailleux, sur les garrigues, les causses avec le romarin et la lavande.

Dans ces thymeraies sauvages, on en distingue plusieurs espèces : le thym blanc, le thym laineux, l'herbe baronne, le thym germandré.

Sa culture nécessite peu de soins : le thym se contente aussi bien des terres légères que des terres pierreuses ou fortes.

Il se reproduit par semis en pépinières, de préférence, par jeunes plantes obtenues par division de touffes prélevées dans la garrigue.

On le récolte dès avril en évitant d'arracher les touffes ou la plante entière.

Très recherché par les abeilles, il leur fournit un nectar très parfumé qui fait la réputation de certains miels.

Le nom de thym vient du grec « thumos » (odeur), parce que la plante est très odorante, ou bien selon Lemery parce qu'elle est capable de rétablir l'esprit animal qui nous fait vivre.

Au point de vue botanique, c'est le thym vrai ou thym blanc, — thymus vulgaris —. Dans nos campagnes les paysans, plus riches d'imagination que les botanistes, lui ont donné les noms de farigoule, barigoule, pote, mignotise...

HISTOIRE

Sous le nom de « tham », le thym était connu des Egyptiens qui l'employaient dans l'embaumement de leurs momies.

Les Grecs en distinguaient plusieurs variétés dont le blanc très mellifère qu'ils utilisaient à des fins médicinales et le noir qui, selon Dioscoride, « corrompait l'organisme et provoquait la bile ».

C'était, chez les Grecs comme chez les Romains, une plante, pour laquelle les Anciens avaient beaucoup d'honneurs ; les prêtres le faisaient figurer dans leurs sacrifices aux Nymphes et à Vénus ; des poètes ont chanté les abeilles du mont Hymette, qui, grâce à lui, produisaient un miel apprécié des Dieux.

Les Romains l'employaient à la fois comme plante médicinale et comme condiment. Pline recommandait aux épileptiques de s'en faire un lit moelleux pour que ses émanations les calment et les stimulent tout à la fois.

Il le considérait comme efficace contre les morsures de serpents ; brûlé, il met en fuite les animaux venimeux ; bouilli dans du vinaigre, il dissipe les douleurs de la tête.

Aetius d'Amide le conseillait aux mélancoliques ou à ceux dont l'esprit était troublé par les démons.

Vulgarisé par les moines au début du Moyen-Age, il était employé par Ste Hildegarde et St Albert le Grand contre la lèpre, la paralysie et la pédiculose.

Il était coutumier alors de broder sur l'oriflamme des chevaliers une branche de thym couronnée d'une abeille pour leur rappeler que l'impétuosité que l'on attendait d'eux ne devait pas exclure la douceur.

A la Renaissance, les poètes s'en emparèrent pour le chanter avec les roses et les lys :

« L'aubespin et l'aiglantin
et le thin
l'œillet, le lis et les roses
en cette belle saison
a foison
montrent leurs robes excloses. »

THÉRAPEUTIQUE

Tous les médecins de cette époque et leurs suivants sont d'accord pour reconnaître les innombrables vertus du thym pour soulager les asthmatiques, chasser les vers et, mélangé à du miel, contre les douleurs rhumatismales, les sciatiques et les lumbagos.

Pour Lemery, il était propre pour fortifier le cerveau, atténuer la pituite, exciter l'appétit et aider la digestion.

Toutes ces notions empiriques devaient s'affirmer quand Neumann en 1719 découvrit le « camphre » du thym, c'est-à-dire le thymol, contenu dans son essence étudiée scientifiquement par Cadeac et Meunier qui y trouvèrent du carvacrol, du pinène, du bornéol.

Au 18e, le thym entrait dans le Baume Tranquille et le Baume Opodeldoch.

Aujourd'hui, on reconnait au thym des propriétés :
— toniques et stimulantes,
— stomachiques,
— antispasmodiques,
— pectorales et balsamiques,
— vermifuges,
permettant son utilisation dans :
— les asthénies nerveuses, la chlorose,
— l'atonie digestive,
— les flatulences,
— les toux convulsives et l'asthme,
— la coqueluche,
— les états fébriles, courbatures provoquées par les rhumes et la grippe,
— les maladies infectieuses de l'appareil respiratoire, des intestins et de la vessie,
— les parasites intestinaux.

A l'extérieur, on emploie le thym contre les dermatoses, la gale, les enflures et surtout contre les rhumatismes.

Le Thym est employé :
— la plante, en infusion : 15 g par litre, 3 à 4 tasses par jour en y ajoutant menthe ou mélisse et du sucre, pour indigestions, crampes d'estomac, atonie gastrique et flatulences intestinales.
— l'essence, soit en gouttes : 2 à 5 sur un morceau de sucre, soit en pilules, contre la coqueluche :

essence de thym ...... 0,10 g
savon amygdalin .... 0,10 g
poudre de guimauve .... 0,10 g

On associe quelquefois, dans ces mêmes indications, l'essence de thym à celle d'eucalyptus ou de cèdre.

Pour son emploi externe,

— en pommades contre les dermatoses,

— en compresses sur les plaies, les points douloureux rhumatismaux,

— en bains surtout pour enfants rachitiques, lymphatiques et les rhumatismes, selon la formule :

essence de thym ...... 2 g
essence de majolaine .. 2 g
essence de romarin .... 1 g
essence de lavande .... 1 g
sous carbonate de soude : 350 g pour un bain.

Signalons que des travaux récents, effectués par Courmont, Rochaix et Sévelinges ont montré l'action bactéricide de l'essence de thym sur le méningocoque, le bacille d'Eberth (typhoïde), sur le bacile diphtérique et sur le bacille de Koch ». A la dose de 4,4 0/00 l'essence de thym détruit le bacille d'Eberth et le staphylocoque entre 1 et 3 heures.

D'autres travaux ont également montré que l'essence de thym a une valeur antiseptique plus forte que le phénol, l'eau oxygénée ou le permanganate de potasse.

En médecine populaire, le thym est largement utilisé pour combattre les rhumes, la coqueluche, les maux d'estomac et les embarrás gastriques et plus d'une guérisseuse de campagne a dû sa réputation à une simple infusion de thym à prendre le matin à la place du café au lait traditionnel.

Sous forme de cataplasmes, les fleurs de thym sont, parait-il, radicales contre les coliques, dites tranchées, et, en frictions, dans les douleurs rhumatismales.

Devant tant de bienfaits, on peut se demander pourquoi le thym n'a pas bénéficié du terme de panacée si généreusement octroyé à la sauge qui ne dispose pas d'un champ d'action aussi étendu ?

GASTRONOMIE

Utile en médecine, le thym est encore plus précieux en cuisine.

Déjà, les Grecs l'utilisaient ; Aristophane dans la Paix nous vante un breuvage fait de figues et de thym ; Dioscoride, lui-même, n'hésite pas à le recommander comme un assaisonnement salutaire.

Aux gastronomes du Moyen-Age, il servait pour aromatiser les mets lourds et indigestes. Pour B. de Crémone c'était une « herbe de moult bonne odeur et de grande douceur ».

Aujourd'hui, comme dit Leclerc, c'est le « stimulus » nécessaire à l'estomac pour digérer les haricots, les lourdes galantines, les rôtis de porcelet et la chair à saucisse ».

Il entre dans la composition des bouquets garnis, pour accompagner les civets, les boudins, les ragoûts, la soupe aux poissons et, pour son arôme et son action stomachique, il est excellent dans les marinades de gibier, de chevreuil, de sanglier, les civets de lièvre, les gibelottes de lapin, ainsi que pour relever les gelées et les galantines.

Une bonne marinade ne saurait se passer du thym; la suivante peut être considérée comme classique : faire macérer dans un demi litre de vin blanc, un bouquet de thym, un de sariette, 3 ou 4 gousses d'ail et d'échalote, 2 feuilles de laurier, quelques clous de girofle et ajouter 250 g de sel et 15 g de poivre moulu.

Voici une recette pour la préparation du jambon de famille à l'aide d'une saumure où entrent la plupart des plantes aromatiques ; les jambons sont mis pendant 3 semaines dans une saumure faite d'un 1/2 litre de vinaigre, 10 gousses d'ail et d'échalote hâchées, de quelques feuilles de laurier, 4 ou 5 clous de girofle, quelques grains de genièvre, plusieurs poignées de thym, de serpolet et de sarriette. Bien les arroser avec cette saumure. Une fois retirés de cette saumure, les fumer 15 jours avec du genièvre en jetant dans le feu genièvre, thym et serpolet.

C'est toute la garrigue et son parfum qui viennent dans ces jambons, charmer nos palais gourmands.

Les raffinés y ajoutent du pain cuit au four chauffé avec du thym et du romarin...

Le thym, Madame, vous est indispensable.

la vanille

La vanille n'est, à proprement parler ni une épice, ni un aromate ; ce serait plus justement un parfum, mais un parfum que l'on pourrait appeler condimentaire puisqu'il ne se marie bien qu'avec les mets sucrés auxquels elle communique du goût et de la saveur.

CARACTÉRISTIQUES

Le vanillier, plus généralement désigné comme son fruit, sous le nom de vanille, est une plante grimpante de la famille des orchidées. C'est une sorte de liane géante pouvant atteindre 110 mètres et qui n'est pas sans rappeler le lierre car, comme lui, elle ne saurait s'élever sans s'attacher à d'autres plantes et, comme lui, elle possède des racines aériennes grâce auxquelles, elle enlace son tuteur.

Ses feuilles épaisses et oblongues sont d'un vert brillants ; ses fleurs en grappes sont vert pâle et totalement inodores.

Son fruit — la gousse de vanille du commerce — est une sorte de capsule allongée et charnue, pouvant atteindre 10 cm de long, contenant une sorte de pulpe aromatique à laquelle adhèrent une infinité de petites graines presque imperceptibles.

Ce fruit est, lui aussi, sans odeur ; de vert au début, il devient jaune, puis brun au fur et à mesure de sa maturité, et n'acquiert son odeur parfumée qu'après la cueillette.

Au point de vue botanique, la vanille offre une curiosité. L'anthère et le stigmate de la fleur sont séparés par une sorte de languette qui empêche le pollen de se déposer sur le stigmate ; sa fécondation nécessite l'intervention d'un petit oiseau mouche, plutôt une abeille — le mélipone — qui n'existe qu'au Mexique.

Aussi le vanillier reste-t-il stérile lorsqu'il est transporté hors de son pays d'origine ; la fécondation artificielle est alors nécessaire pour obtenir des fruits. Cette fécondation artificielle fut réalisée pour la première fois en 1841 par Edmond Albius, créole de la Réunion, au moyen d'un bâtonnet permettant de relever la languette gênante et de déposer le pollen sur le stigmate.

Le vanillier est originaire de l'Amérique tropicale où il se rencontre dans les forêts vierges du Mexique, notamment dans les provinces de la Vera-Cruz, mais on le trouve également à l'état naturel dans toutes les terres chaudes et humides du Honduras, du Guatémala, du Vénézuéla et de la Guyane.

D'Amérique, il s'est acclimaté parfaitement à la Réunion, à Maurice, à Madagascar, aux Seychelles et aux Comores. L'espèce cultivée, ainsi introduite, est le vanillia planifolia dont il existe un certain nombre d'autres types également cultivés : le vanillia aromatica du Brésil, le vanillia sativa et le vanillia sylvestris. Il en existe d'autres variétés, notamment le vanilla pompona, l'angusta, la tahiti, qui se différencient par la seule valeur commerciale plus ou moins prisée et qui, pour la plupart, ont trouvé des terres d'élection dans nos colonies des Antilles.

La culture du vanillier est facile ; elle réclame un climat chaud et humide, des terres riches en humus. Il se multiplie par boutures, plantées au pied du support choisi. Il faut trois ans avant qu'on puisse obtenir la première récolte, mais pendant 30 ou 40 ans chaque vanillier pourra produire une cinquantaine de gousses par an.

La récolte commence en avril et dure jusqu'à la fin de juin. Elle est faite par des Indiens et des métis qui exploitent le secret du « benificio de la vaynilla », c'est-à-dire l'art de sécher la vanille en lui conservant un lustre argenté. Ces indigènes cueillent les fruits arrivés à maturité qui sont alors d'un beau jaune d'or mais ne dégageant aucun parfum. Ils étendent les fruits sur des toiles, les exposent au soleil où ils subissent une fermentation qui leur fait prendre une couleur foncée ; quelquefois même ils sont passés au four, puis lorsqu'ils sont jugés assez secs, ces fruits sont enveloppés dans des couvertures de laine pour les faire « suer » et à nouveau exposés au soleil pour achever de les sécher. La vanille devient alors noire et dégage son parfum pénétrant bien caractéristique. Les gousses ont alors pris leur couleur foncée définitive et sont recouvertes de stries argentées, formant comme une sorte de givre dû à l'exsudation de l'acide benzoïque qu'elles contiennent.

La préparation ainsi terminée, les gousses sont généralement triées, pliées en deux, liées en paquets, enveloppées de papier huilé et mises dans des boîtes de fer blanc pour les expédier.

L'odeur de la vanille est due à un principe particulier : la vanilline qui forme à la surface des gousses ce givre, résultat de transformations chimiques et aussi de

« pipéronal » à odeur d'héliotrope, principe aromatique découvert par Gobey en 1858.

On est arrivé à fabriquer synthétiquement cette
vanilline grâce au procédé de De Laire, découvert en 1876
et obtenu par oxydation de l'essence de girofle dont le principal constituant — l'eugénol — possède une constitution
chimique voisine de la vanilline.

Dans le commerce, on distingue :
— la vanille légitime, onctueuse et souple, d'un brun noirâtre et d'une odeur des plus suaves, toujours recouverte du
givre formé par les cristaux de la vanilline, d'où son nom de
vanille givrée. C'est la plus appréciée.
— la vanille bâtarde, plus courte, moins épaisse, moins aromatique et qui ne givre pas.
— le vanillon, très court, d'une odeur forte mais peu balsamique.

Ces deux dernières espèces sont d'ailleurs givrées
artificiellement en les roulant dans de l'acide benzoïque en
petits cristaux.

HISTOIRE

C'est un religieux franciscain, le Père Bernardino
de Sahagun, qui séjournait au Mexique comme missionnaire,
qui fit connaître la vanille en Europe dans son « Historia
général de las cosas de Nueva Espana », en 1560.

Il lui donna le nom mexicain de « tlixochitl » et
raconta que les Aztèques s'en servaient pour parfumer les
boissons de cacao qu'ils avaient l'habitude de prendre après
les repas.

Alors rare et précieuse substance, quelques indications complémentaires furent fournies par Francisco Her-
nandez. Mais ce n'est qu'en 1602 que Clusius en fit la première étude botanique, après avoir reçu de Morgan, apothicaire de la reine Elizabeth, quelques gousses de la précieuse
plante. Clusius lui trouva un parfum voisin de celui du
benjoin, assez fort pour donner mal à la tête et la désigna
sous le nom de « lobus oblongus aromaticus ».

Employé d'abord par Piso en 1658, le terme de vanille fut repris par le Père Plumier et définitivement adopté
comme terme du genre, signifiant « petite graine » en
espagnol.

Dans son Dictionnaire des Drogues, Lémery nous
apprend que « cette gousse est le fruict d'une espèce de
volubilis que les Espagnols appellent campesche ». La vanille
fut rapidement répandue en France où l'on s'en servait pour

aromatiser le café et le chocolat, mais déjà elle était sophistiquée en remplissant les gousses de petits corps étrangers.

Des essais de culture tentés à Cadix par le père Ignace de Ste-Marie de Jésus permirent de compléter les connaissances botaniques de la vanille qui fut, par la suite, étudiée par Jussieu, Humbolt et Lecomte en 1802.

A noter que la vanille, importée par les Espagnols aux Philippines, ne prit une grande extension qu'à partir de 1817, époque où les premières boutures importées à la Réunion par Marchant furent coupées sur un des pieds de vanillier cultivé dans les serres du Museum de Paris. De là, elle fut importée à Tahiti par l'amiral Hamelin en 1848, puis ensuite à Madagascar, à l'île Maurice, aux Comores où sa culture est particulièrement florissante sur toutes ces terres volcaniques.

THÉRAPEUTIQUE

La vanille est douée de nombreuses propriétés thérapeutiques, mais qui ne donnent lieu, en médecine, qu'à des usages assez restreints.

Elle est surtout tonique, stimulante, digestive et antiseptique. Au siècle dernier, elle était surtout réputée contre la mélancolie et l'hypocondrie et plus d'une jeune fille de complexion débile, affectée de chlorose et dégoutée de toutes espèces de médicaments, a trouvé la guérison dans des préparations à base de vanille.

Peut être le psychisme jouait-il alors car, après avoir purgé, saigné et clystérisé les malades, il fallait bien leur donner quelque remède qui flattât leur gourmandise.

Aujourd'hui, la vanille est encore prescrite dans les dyspepsies pour réveiller la tonicité gastrique :

> teinture de vanille . .10 g
> chardon bénit . . . . . . 6 g
> eserine . . . . 4 g
> 20 gouttes à chaque repas.

Plus souvent, on donne du sucre vanillé préparé en ajoutant à la poudre de graines séchées 4 fois son poids de sucre en poudre, ou encore mieux en aromatisant du vin vieux avec quelques grammes de poudre de vanille ; cela suffit pour restaurer les malades, surtout les femmes, atteintes d'une complexion débile.

La vanille donne encore d'excellents résultats, grâce à ses propriétés expectorantes et antiseptiques dans certains catarrhes rebelles, les bronchites chroniques, où elle modifie les secrétions et facilite leur expulsion.

Elle est particulièrement indiquée dans la toux des fumeurs, fréquemment suivies de trachéites tenaces et, dans ce cas, le Dr Leclerc préconisait la formule suivante :

teinture de vanille .... 15 g
teinture de safran...... 2 g
teinture d'aunée ...... 3 g
vin de Samos ...... 150 g
2 à 3 cuillerées par jour.

Mais il est vrai que la simple association de vin de Samos et de vanille encouragerait plutôt les fumeurs à persévérer dans leur néfaste passion.

Enfin, la vanille s'est montrée parfois efficace chez des malades atteints d'impuissance d'ordre psychique. De toutes ces propriétés, il faut surtout retenir que la vanille peut aider puissamment l'estomac dans ses fonctions digestives et favoriser l'assimilation de certains aliments particulièrement lourds.

GASTRONOMIE

Négligée de la Médecine et de la pharmacie, la vanille règne en maîtresse dans la cuisine sucrée.

Dès le 18ᵉ siècle, l'art culinaire s'en était emparé en l'associant surtout au chocolat dont la vanille était réputée augmenter les propriétés aphrodisiaques et antivénériennes.

En 1723, tout Paris chantait les bienfaits du chocolat à la vanille vendu par Renaud, un marchand ambulant :

« Voulez-vous entre ces liqueurs
Que le chocolat brille
Mettez y parmi ces odeurs
Des gousses de vanille. »

Grâce à la vanille, le chocolat devenait une panacée : il y avait du chocolat stomachique, du chocolat pectoral et même du chocolat purgatif.

C'était d'ailleurs la vanille qui conférait toute sa valeur au chocolat et, en 1776, on pouvait lire la réclame suivante dans le Mercure de France :

« Le prix du chocolat de santé est de trois livres avec demi-vanille ; de quatre livres celui qui a une vanille et de cinq livres celui qui est à deux vanilles ».

Pour Brillat-Savarin d'ailleurs, le chocolat sans vanille n'est que de la pâte de cacao, mais « quand au sucre, à la cannelle et au cacao, on joint l'arôme délicieux de la vanille, on atteint le « nec plus ultra » de la perfection à laquelle cette préparation peut être portée ».

Aujourd'hui, nul besoin de réclame ni de Brillat-Savarin pour prôner les délices de la vanille. Les confiseurs, les pâtissiers et les artistes culinaires savent s'en servir pour donner à leurs chefs-d'œuvre les plus délicats cette odeur et cette saveur, à la fois douces, pénétrantes et persistantes qui lui sont propres et qui chatouillent si agréablement les papilles gustatives des femmes, des enfants.

La vanille se met partout : dans les crèmes, dans les entremets, dans les œufs à la neige. Ici, elle embaume une voluptueuse génoise, une onctueuse crème au caramel. Là, elle parfume ces légers globules aériens inventés par une jeune nonne gourmande dans les cuisines de l'abbaye de Marmoutier d'où « s'élève comme un parfum artistiquement combiné de vanille, de citron, de muscade et de fleur d'oranger ».

Les maîtresses de maison savent l'employer au mieux pour aromatiser le riz, les soufflés, les crèmes de toutes espèces, soit seule, soit associée au café ou au cacao.

La crème à la vanille est particulièrement appréciée de tous, petits et grands qui font leurs délices d'une simple combinaison de lait, de sucre, d'œufs d'où s'exhale le délicat parfum d'une gousse.

Avec la vanille on prépare également une liqueur qui porte le nom de « crème à la vanille » qui possède, outre des propriétés stomachiques incontestables, un pouvoir aussi souverain qu'agréable contre la mélancolie et l'hypocondrie, d'autant plus appréciée qu'elle est facile à réaliser à la maison.

On n'en finirait pas d'énumérer les splendeurs culinaires que l'on peut obtenir avec une simple gousse de l'admirable liane mexicaine, mais le plus bel éloge que l'on ait pu en faire est probablement celui décerné par ce maître en gastronomie qu'était Brillat-Savarin dans ses Elégies Historiques :

> « Aspasie, Chloé, et vous toutes, dont le ciseau des Grecs éternisa les formes pour le désespoir des belles d'aujourd'hui, jamais votre bouche charmante n'aspira la suavité d'une meringue à la vanille ; à peine vous élevâtes-vous jusqu'au pain d'Epices. Que je vous plains. »

Ce cher Brillat-Savarin oubliait cependant que la sensualité féminine est insatiable et que les élégantes d'aujourd'hui trouvent encore le moyen d'apprécier l'agréable arôme dans de nombreux parfums où malheureusement la vanille naturelle cède trop souvent la place à de vulgaires produits synthétiques. Mais ces dames n'ont plus le nez de leurs grands-mères.

Les condiments

A côté des prestigieuses épices et des subtils aromates on pourrait craindre que les condiments ne fassent figure de parents pauvres.

Heureusement, il n'en est rien. Si l'homme a trouvé dans les deux premiers condiments naturels : le sel et le sucre, les saveurs nécessaires pour relever et assaisonner à son gré les mets les plus fades, il a eu besoin d'autres substances pour que son tube digestif puisse parfaitement remplir son véritable rôle et faciliter sa digestion par une salivation constante que ne pouvaient lui procurer les seuls aliments naturellement insipides dont il a toujours fait sa nourriture quotidienne.

La Nature, souvent généreuse et cette fois bien providentielle, a mis à sa disposition ces substances végétales qui lui manquaient.

Elle lui a offert toute une gamme de saveurs les plus diverses, les unes alliacées avec l'ail ; les autres plus douces avec l'oignon ; les autres âcres avec le raifort ou la moutarde ; d'autres encore piquantes avec le cresson ou l'échalote ; d'autres substances, enfin, aux saveurs diverses qui leur sont propres avec la moutarde, la pimprenelle, la capucine, la ciboule ou le cornichon.

L'homme, aussi insatiable qu'ingénieux, a su les accommoder.

Nous aurons, ainsi, à étudier successivement les uns et les autres.

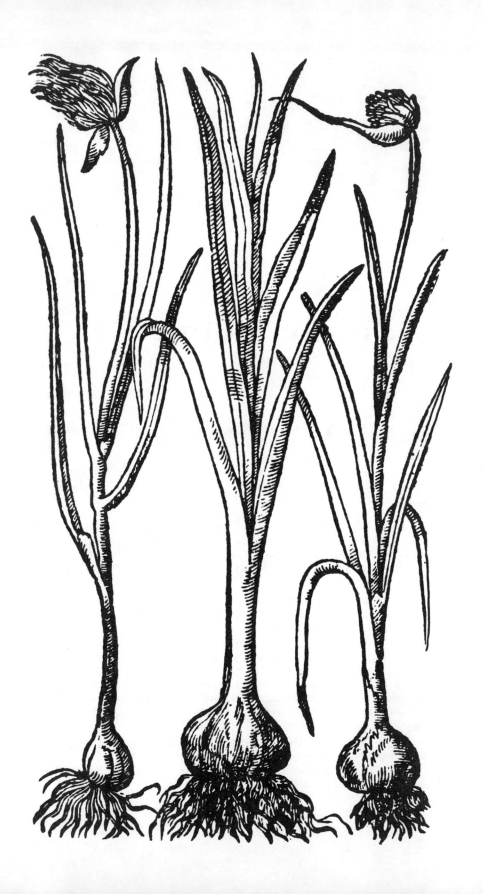

l'ail

Avec le chou, le poireau et la pomme de terre, l'ail est un de nos plus populaires légumes, mais c'est aussi le patriarche des oignons, échalotes, ciboules, ciboulettes, rocamboles, tous de la grande famille des « allium ».

CARACTÉRISTIQUES

L'ail, de la famille des liliacées, est caractérisé par ses bulbes, appelés vulgairement « têtes d'ail » et formés de caïeux ou gousses d'ail, comprimés sur les côtés et renfermés dans une tunique commune, mince, blanche ou rose pâle ; les feuilles sont planes, longues et étroites ; la plante ne fleurit pour ainsi dire pas dans nos régions et se reproduit à l'aide des caïeux.

L'odeur caractéristique exhalée par les gousses est due à une huile essentielle volatile formée presque entièrement par du sulfure d'allyle.

On en cultive plusieurs variétés :
- l'ail commun, à gousses de couleur blanc argenté;
- l'ail rose hâtif, plus précoce, à gousses de couleur rose ;
- l'ail rouge, aux caïeux gros, courts et rouges vineux.

Le nom latin d'allium est dérivé de « alle » qui signifie chaud, dans la langue des populations celtes qui appelaient assez dédaigneusement les Latins « des mangeurs d'ail ».

Chaque civilisation semble d'ailleurs s'être ingéniée à donner à l'ail une appellation particulière.

Pour les Hébreux, l'ail était le « sum », onomatopée désignant une odeur fâcheuse. Les Grecs reprirent l'idée de ce désagrément bien particulier en lui conférant le nom de « skorodon » ou rose puante

Les Latins lui ont heureusement conservé la racine celte en lui conférant le nom primitif d'allum, devenu allium par la suite et maintenu par les botanistes qui lui ont ajouté, suivant les espèces, des épithètes plus ou moins barbares :

allium sativum, pour désigner l'ail commun ; allium ursinum ou ail des ours ; allium ampeloprasum ou ail d'Orient.

Le langage populaire a ouvert largement ses portes à l'ail qui est tour à tour le chapon, la perdrix, la rocambole, le faux nard, l'herbe aux sept chemises, l'herbe aux neuf vertus, suivant les variétés et surtout ses propriétés.

Originaire des steppes de l'Asie centrale et probablement apporté par les hordes mongoles, l'ail est connu depuis la plus haute antiquité avant de se répandre autour du bassin de la Méditerranée où il a été rapidement utilisé et apprécié.

HISTOIRE

La première mention de l'ail est fort ancienne, 450 ans avant Jésus-Christ, Hérodote précise dans son Histoire qu'une inscription était gravée sur la pyramide de Ghizeh, rappelant que, chaque matin, une gousse d'ail était distribuée à chaque ouvrier travaillant à son édification afin de lui donner des forces.

A la suite des Egyptiens, les Hébreux continuèrent à lui reconnaître de merveilleuses propriétés sans se laisser rebuter par son odeur désagréable. Ils s'y étaient tellement habitués pendant les jours de servitude en Egypte qu'ils le regrettèrent fortement lorsque, dans le désert, ils n'eurent plus que la manne pour toute nourriture (NOMBRES XI. 5).

Lorsqu'ils s'installèrent en Palestine, ils s'empressèrent de cultiver un légume aussi précieux et la Bible nous apprend que Booz en donnait, avec du vinaigre, à ses moissonneurs, à la fois pour les fortifier et pour combattre les épidémies.

Selon le Talmud, l'ail offrait 5 propriétés majeures:
il rassasie,
échauffe le corps
rend le sperme plus abondant
tue les parasites intestinaux
protège contre la peste.

Les Grecs furent, eux aussi, de grands amateurs d'ail. Homère nous parle du « moly », la plante à racine noire et à fleur blanche comme le lait, qui avait le pouvoir de faire obstacle aux enchantements, ce dont Ulysse ne manqua pas de se servir contre Circé l'ensorcelleuse.

Aristophane ne tarit pas d'éloges sur ces vertus fortifiantes et dans plusieurs de ses œuvres, les Arcaniens et la Paix notamment, nous rappelle que les guerriers « en mangeaient pour avoir plus de forces dans les combats ».

Et pourtant, déjà, son odeur pénétrante n'était pas appréciée de tous. Les prêtres de Cybèle se virent obligés de refuser l'entrée de leur temple aux dévôts qui apportaient avec eux l'odeur forte de l'ail.

Par contre, médecins et botanistes grecs s'accordaient pour en reconnaître les nombreuses vertus. Théophraste, le père de la botanique, en cultivait dans son jardinet. Hippocrate, dans son traité « des femmes stériles », lui confère les propriétés les plus diverses : apéritives, stimulantes, diurétiques et surtout emménagogues.

« Pour savoir si une femme est apte à concevoir, il suffit de lui appliquer une gousse d'ail en pessaire et, le lendemain, si son haleine sent l'ail, elle pourra concevoir, sinon, elle restera stérile ».

Les médecins de Rome leur emboîtèrent le pas et n'hésitèrent pas à attribuer à l'ail toutes les vertus

Celse l'utilisait dans les maladies de langueur. Dioscoride, le premier, remarqua ses propriétés vermifuges et s'accorda avec Pline pour lui reconnaître des propriétés très efficaces contre l'asthme, la jaunisse, les hémorroïdes et les maux de dents.

Peu de maux lui résistaient et un poète du Bas-Empire le trouve d'une efficacité remarquable pour calmer la toux à condition de le faire bouillir et de le mélanger à du miel.

Le grand Galien n'hésite pas à l'appeler la « thériaque des paysans » après avoir vu des paysans guéris de coliques, de maux d'yeux et d'éruptions cutanées par la simple ingestion de gousses d'ail.

Malgré ces vertus reconnues, de nombreux Romains ne pouvaient s'habituer à l'haleine puante que donnait l'absorption d'ail et le précieux légume était, à cause de cela, souvent banni des cuisines patriciennes.

Horace, notamment, en était un ennemi acharné et ne manquait aucune occasion de lancer contre le précieux bulbe de virulents anathèmes :

« Si quelque jour un fils étranglait son vieux père,
C'est par l'ail qu'il devrait périr,
La ciguë est bien moins meurtrière. »

La raison en était d'ailleurs toute personnelle, car ce pauvre Horace fut victime de la part de Mécène d'une aventure qui, à cause de l'ail, l'éloigna à tout jamais de Lydie sa maîtresse. Mécène, pourtant son ami, était jaloux de leurs relations intimes et trouva dans l'ail un moyen original de troubler les tendres rapports du poète et de la courtisane.

Un jour de l'année 719 de Rome, il convia l'auteur de l'Art poétique à un repas où tous les mets étaient assaisonnés d'une forte dose d'ail dont il savait que Lydie ne pouvait supporter l'odeur. Le repas terminé, Horace accourt chez sa maîtresse. Mais il comptait sans l'odeur fatale : Lydie, indignée, fut impitoyable et le repoussa.

Plus tard, Sidoine Apollinaire s'écriait, en parlant de l'ail : « Heureux le nez qui n'est point exposé à se sentir empoisonné par cette plante » et traitait les Burgondes de barbares parce qu'ils ne cessaient de s'en régaler.

Mais l'aversion des uns n'était pas partagée par tous. L'ail, pour ses vertus fortifiantes, était très apprécié des soldats romains à tel point qu'il fut bientôt considéré comme le symbole de la vie militaire.

Il entrait, d'ailleurs, dans la préparation de nombreux plats populaires, tel ce « moretum » composé d'ail saupoudré de sel, de rue, d'ache, de coriandre, le tout baignant dans l'huile et le vinaigre.

Après les Romains, les Byzantins qui ont transmis à la médecine populaire tant de propriétés des plantes médicinales trouvèrent dans l'ail de nombreuses vertus mentionnées par Aetius d'Amide et Nicolas le Myrepse.

Malaxé avec de la graisse d'oie et du coriandre, l'ail vient à bout des ulcères qui viennent à la tête. Bouilli avec de l'huile d'olive, il arrête les maux d'oreilles, fait disparaître les dartres et les taches des yeux. Mais il n'est pas sans danger car « il obscurcit la vue si on l'aspire, nuit à l'estomac et provoque la soif ».

Les Arabes considéraient l'ail comme un antidote remarquable contre les venins et la rage. Mahomet, lui-même, recommande d'appliquer son bulbe contre piqûres de scorpion et morsures de vipères.

Propriétés que ne manque pas de reprendre l'Ecole de Salerne qui lui confère, en outre, des vertus propres à radoucir la voix, utiles dans les affections de l'œil et également toniques contre les maladies de poitrine :

« clarificant rauxam, cruda coctaque, vocem
sinapis oculi, pectoribus allia prosunt. »
(cuit, cru, de la voix rauque il adoucit l'usage
et l'ail pour la poitrine est un tonique heureux.)

Malgré les anathèmes et les proscriptions, notamment celles d'un roi de Castille qui, au milieu du 14e, fonda un Ordre de Chevalerie dans les statuts duquel il se crut obligé, à la demande de son épouse, de spécifier que les membres de cet ordre ne mangeraient ni ail, ni oignon sous peine d'être exclus de la cour, l'ail finit par être considéré comme une panacée souveraine contre tous les maux, surtout après l'emploi qu'en firent les médecins de la Renaissance, Paracelse et Ambroise Paré en particulier, dans le traitement de la peste.

Pour le premier, l'ail était un préservatif indiscutable contre la redoutable épidémie : « Allium pestis medicina, allium peste non inficitur »,
et le second recommande, toujours contre la peste, de faire de l'ail la base de petits déjeuners bien originaux :

« Les rustiques et gens de travail, disait-il dans son « Traicté de la peste et de la petite vérolle », pourront manger quelques gousses d'aulx avec du pain, et du beurre et du bon vin s'ils en peuvent fournir, afin de charmer la brouée puis s'en iront à leur œuvre en laquelle Dieu les aura appelez ».

Conseil bientôt repris par Bunel, docteur régent de l'Université de Toulouse, dans son « Œuvre excellente à chascun désirant de soi de peste préserver » :

« Encor, pour évictér ces maux
Porras prendre une tostée
Bien frottée avec des aulx
Et la manger la matinée
Et puis va faire ta journée
Et ne ta chaille du dangier
A bon conseil se fault rengier. »

Il eût été bien surprenant que Rabelais n'eût pas ajouté son mot à ces doctes conseils et, en bon gastronome qu'il était, n'eut pas continué à vanter les bienfaits de l'ail. Sans tenir compte de « la puante aleine qui estoit venue de l'estomac du bon Pantagruel », alors qu'il mangeait tant d'aillade, il vante les « tribars », sorte de ragoût de tripes à l'ail qu'on servit à l'occasion du mariage du roi des Amaurotes.

A cette époque, il y avait surtout l'aillade, l'aillousse, qui faisait les délices de tous, ainsi que nous le rapportent les « Cris de Paris » :

« Verjus de grains à faire aillie
Oiseaux, pigeons et chars sallées
Et de l'ailliea griant planté. »

L'ail était un mets de tous les pays, on en mettait sur le pain et en Angleterre il y avait des marchands spéciaux ce qui permettait à Shakespeare de dire :

« il voudrait bien se décoter avec une mendiante malgré sa bonne odeur de pain noir.»

La Fontaine en parle, lui-aussi, dans le « Conte du Paysan » :

« il vous faudra choisir après cela
de cent écus ou de la bastonnade
pour suppléer au défaut de l'aillade. »

L'aillade était préparée de différentes façons : il y avait celle des pauvres, faite d'ail pilé, de lait et de fromage mou qu'ils employaient pour assaisonner la viandre bouillie ou rôtie, et celle des riches composée d'ail, d'amandes, de lait et de mie de pain, le tout pilé ensemble et trempé dans un peu de lait ou de bouillon.

THÉRAPEUTIQUE

Après ces maîtres de l'antiquité et ceux de la Renaissance, les médecins des siècles suivants n'eurent plus, en raison de tant de vertus attribuées à l'ail, qu'à les copier docilement. Cependant, ils en ajoutèrent d'autres, tirées pour la plupart de l'empirisme des paysans, tellement l'ail est resté populaire et d'un emploi constant dans les campagnes.

Comment pourrait-il en être autrement depuis qu'Henri d'Albret, grand-père du plus populaire de nos rois, se fit donner une gousse d'ail « dont il luy frotta ses lèvres, lesquelles il se frippa l'une contre l'autre comme pour sucer », afin de lui procurer force et vigueur et le prémunir contre toutes les maladies.

Avec de telles lettres de noblesse, le paysan de France ne pouvait oublier ni le bon roi Henri ni son ail. C'est pourquoi, dans presque la moitié de nos vieilles provinces, l'ail agrémenté pour la circonstance de quelques autres légumes et de plantes aromatiques sert de base à un aliment-remède des plus populaires : la fameuse soupe à l'ail administrée à tous les enfants pour le plus grand profit de leur santé.

Avant tout, c'est surtout comme vermifuge que l'ail leur est donné. A cet effet, deux ou trois gousses sont hâchées avec quelques brins de persil et mises dans l'huile d'olive. Le tout est étendu sur une tartine de pain pour faire le fameux « chapon » apprécié de tous, petits et grands.

Parfois on lui préfère, pour les enfants, le sirop confectionné à raison de 100 g d'ail pour 200 g d'eau et 100 g de sucre.

Les paysans savent aussi profiter des propriétés stomachiques de l'ail pour faciliter les digestions ; ils en font souvent un véritable tonique aussi bon que le quinquina tandis que dans les affections pulmonaires, ils l'utilisent pour faciliter les expectorations et diminuer, voire calmer, aussi bien les quintes de toux chez l'enfant que les crises d'asthme chez l'adulte.

A l'extérieur, il est également mis à heureuse contribution en pansements contre les plaies, les ulcères variqueux et les piqûres de guêpes qui sont souvent soulagées par le simple frottement d'une ou deux gousses sur la partie malade ou envenimée.

,Et fatalement, il est arrivé que l'empirisme donne naissance à un emploi plus scientifique et rationnel de la petite gousse et de ses caïeux. Tout récemment, les travaux de Lœper et de Ripperger ont attiré l'attention du Corps Médical sur ses propriétés hypotensives, en teinture alcoolique, à raison de 20 à 30 gouttes auxquelles on ajoute quelques gouttes d'anis pour en rendre l'absorption plus agréable.

Aujourd'hui, l'ail est considéré comme :
— antiseptique, vermifuge, hypotenseur, carminatif, diurétique et spasmolytique.

Il est employé comme prophylactique des maladies contagieuses, les pneumopathies, les parasites intestinaux, l'hypertension artérielle, la coqueluche...

On l'emploie sous forme d'alcoolature à raison de 20 à 30 gouttes 2 fois par jour :
— de sirop, une partie d'ail pour deux d'eau additionnée de sucre,
— de vin vermifuge : 20 à 30 g par litre plus autant de feuilles d'absinthe,
— de liniment obtenu par 2 gousses écrasées dans 2 à 3 cuillerées d'huile ou de saindoux,
— de suc, de décoction...

Parallèlement à la médecine officielle, guérisseurs et empiriques continuaient à trouver dans l'ail une source de bienfaits, en lui donnant des modes d'emploi bien particuliers.

En période d'épidémie, rien de tel que des sachets ou des colliers suspendus au cou des enfants. Contre les vers un cataplasme d'ail pilé et mis sur le nombril est remarquable. Contre les maux de dents, de l'ail rapé mélangé à des fleurs de mauve mis dans la dent cariée les suppriment à coup sûr. Pour se débarrasser d'un orgelet, il suffit de se frotter la paupière avec une gousse d'ail coupée en deux. Contre les cors au pied, les durillons ou les verrues, il suffit d'appliquer une gousse d'ail cuite au four pour enlever toute gêne et toute douleur.

N'oublions pas, pour être complet, que les propriétés antiseptiques et bactéricides, dues à son essence, ont été largement utilisées, à toutes les époques, pour combattre les épidémies de toute nature d'où son emploi dans le « Vinaigre des 4 Voleurs ». Et constatons, non sans une certaine crédulité, qu'en Chine, pays où l'ail est consommé en grande quantité, le cancer est très rare.

Ce n'est certainement pas sans raison qu'une variété d'ail, le « radix victorialis longa » était considéré comme une racine magique qui garantissait la victoire et la vie sauve aux soldats qui le portaient d'où son nom de « victoriale » tandis qu'à l'opposé, les « tires au flanc » savaient l'utiliser, sous forme de suppositoire, pour se donner de la fièvre sachant bien que le major n'irait pas renifler dans la partie intime de leur individu, l'odeur désagréable de l'ail et trouver la cause de leur malaise.

D'ailleurs, les moyens sont nombreux pour masquer cette fameuse odeur. Depuis Dioscoride qui prônait les blettes, les fèves crues ou la rue, d'autres préféraient mâcher une pomme rapée en même temps que des feuilles de cerfeuil ou, mieux encore, absorber quelques gouttes d'essence d'angélique. Mais le plus plaisant traitement, sinon le plus efficace pour faire disparaître cette odeur parfois trop forte, c'est celui préconisé par Thomas Morus qu'il est difficile, pour la convenance, d'exprimer autrement que dans la langue de Virgile :

**« Denuo foetorem si vis depellers coepae
Eoc facile efficient allia mansa tibi :
Spiritus at si post etiam gravis allia restat
Aut nihil aut tantum tollere merda (sic) potest. »**

Reste à savoir si ce brave Thomas Morus employait lui-même le procédé qu'il préconisait avec tant de réalisme. Panacée universelle, véritable source de jouvence, il est des bonnes femmes de campagne qui y voient le secret de la santé et se contentent de recommander de croquer une gousse d'ail, chaque matin à jeun.

GASTRONOMIE

Aussi ne faut-il pas s'étonner si l'ail jouit auprès des gastronomes d'un prestige inégalé. Les inconvénients de son odeur ne sont que mineurs à côté de la satisfaction qu'éprouvent les gourmets à se régaler d'une brandade de morue, d'un plat de cèpes à la Bordelaise, d'un tendre gigot farci à l'ail, de l'aioli ou même d'une simple salade bien fournie de chapons.

Mis dans le pot au feu, l'ail augmente la saveur du bœuf bouilli ; piqué dans la « souris », il communique au gigot un goût agréable ; souvent après avoir fait blanchir des gousses d'ail, on les cuit à la lèche-frite afin de recevoir le jus qui coule d'un rôti ; puis en dressant la viande, on la recouvre de la sauce ainsi obtenue et que l'on sert à pleines cuillerées.

Quant aux salades, certaines, notamment la chicorée, seraient bien fades si on n'avait pas pris la précaution de frotter le saladier avec de l'ail que l'on écrase ensuite sur des croûtes de pain.

Voici une recette qui plaira aux gastronomes d'âge mûr, désireux de prolonger leur vie et leur jeunesse avec son cortège d'agréables illusions, recette tirée d'un traité de cuisine du 18ᵉ et pratiquée par nos grands-pères qui étaient de fins connaisseurs :

« Purée d'ail aux truffes : les gousses d'ail étant épluchées, les blanchir dans une grande quantité d'eau puis changer l'eau pour les faire cuire. D'autre part, faire cuire selon les règles de l'art une quantité égale de truffes du Périgord. Passer au tamis l'ail et les truffes, mélanger les deux purées ainsi obtenues. Assaisonner avec du beurre, ajouter sel et poivre de Cayenne et un peu de sauce Béchamelle ».

La sauce ainsi obtenue accompagne parfaitement le gibier ou le poisson et convient particulièrement à toutes les personnes affaiblies qui ont besoin de récupérer toute leur vigueur tant morale que physique qu'ils pouvaient croire à jamais perdue.

Pour terminer cette étude médico-gastronomique, qu'il nous soit permis d'y ajouter un brin de poésie et de citer un sonnet, vantant les bienfaits du chef-d'œuvre de toutes les préparations culinaires à base d'ail : l'inégalable ailloli provençal :

> « Dans ce monde frivole où les meilleures choses
> Ont le pire destin et meurent dans l'oubli
> L'arôme d'un baiser, le doux parfum des roses
> Tout passe... on garde mieux l'odeur de l'ailloli.
>
> Pénétrante senteur, quel délire tu causes
> Fleurs comme baume, et l'air en est rempli
> Ton éloge exhalé mêmes des bouches closes
> Nargue le vetyvier, l'ambre et le pateouli.
>
> Ce beurre de nectar, qu'Hébé servait sans guimpe,
> Etait tout simplement l'ailloli de l''Olympe
> Il nourrissait les Dieux ; il réveile les morts.
> Comus, pour le créer, choisit trois blondes gousses
> Mit force jus de coude et, des flots d'huile douces
> Sortit ce mets ardent comme un cheval sans mors. »

L'ail, la thériaque du pauvre, le plus vulgaire des condiments, est cependant la plante aromatique dont les effluves ont le plus inspiré les poètes. Depuis Aristophane, Horace, Busnel, la Fontaine et autres, jusqu'à Méry qui, en bon Marseillais, lui a rendu le plus beau des hommages dans sa célèbre « Ode à l'ail » :

> « Tout ce qui porte un nom dans les livres antiques
> Depuis David, ce roi qui faisait des cantiques
> Jusqu'à Napoléon, empereur du Midi,
> Tout a dévoré l'ail, cette plante magique
> Qui met la flamme au cœur du héros léthargique
> Quand le froid le tient engourdi. »

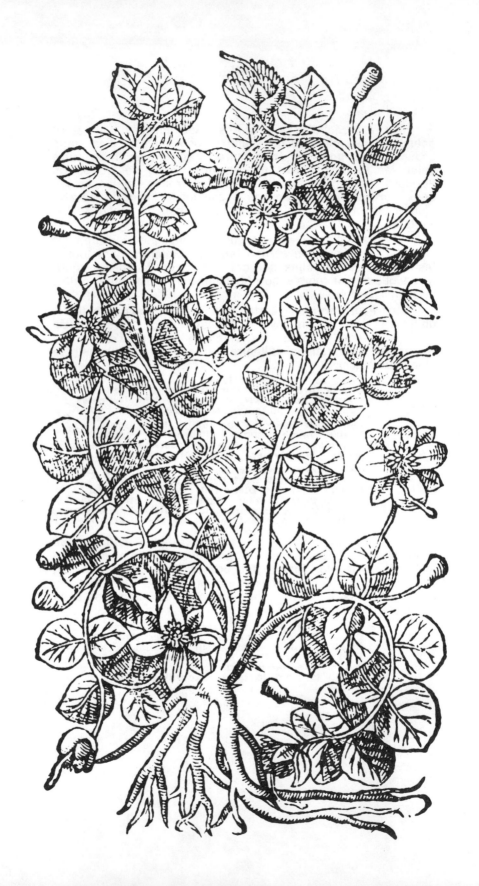

la câpre

La Câpre tient à la fois du clou de girofle et du cornichon. Comme le premier, c'est non pas un fruit mais un bouton de fleur et comme le second elle est confite dans du vinaigre pour être employée comme condiment.

Mais là s'arrête la comparaison. La câpre, plus petite par la taille que ses deux illustres confrères, est aussi plus modeste par son histoire et ses usages médicinaux ou gastronomiques.

CARACTÉRISTIQUES

Les câpres sont les boutons à fleurs du « Capparis spinos », petit arbuste de la famille des capparidacés. Ce petit arbrisseau pousse à l'état sauvage dans la région méditerranéenne où avec ses tiges couchées, et ses petites feuilles ovales touffues, il revêt les rochers et les vieux murs d'un tapis vert qui n'est pas sans élégance.

Ses feuilles sont caractéristiques ; leur pétiole est muni de deux stipules épineuses qui donnent à la plante son nom de genre.

Ses fleurs abondantes et grandes, blanches et teintées de rose, sont très ornementales et possèdent des étamines très saillantes qui en augmentent l'élégance.

Le fruit est une capsule bivalve, coriace, d'abord verte puis rougeâtre.

Originaire d'Orient, le câprier aurait été importé par les Phocéens et cultivé depuis un temps immémorial en Provence.

Quant à son nom, il viendrait, aux dires de Lémery de « capité », parce que les boutons de fleurs ont des figures de « petites têtes » ou, plus vraisemblablement de son nom arabe de « kabar » qui a donné capparis en grec.

Les botanistes, gens avisés, en distinguent 170 espèces, dont le Capparis inermis ou rupestris, aux stipules molles non épineuses et aux fruits plus gros.

En France, le câprier est surtout cultivé dans le Var, près de Toulon. Les câprières sont généralement établies sur des terrasses superposées, dans un sol léger et exposé au soleil.

Dans son Théâtre d'Agriculture, O. de Serres, qui y portait beaucoup d'intérêt, nous conte comment il établissait « sa câprière à part du verger désirant les câpriers d'être exposés en plein soleil, seraient en danger d'étouffer parmi les arbres du verger. Avec plus de profit sont-ils logés au jardin potager, dans trous ou armoires y logent ces plantes sur la terre que pour leur nourriture on y accommode ».

Aujourd'hui, la récolte se fait tous les deux jours, de juin à septembre. Les câpres sont classées par criblage en catégories : les plus petites, celles d'un jour, sont les « non pareilles » ; puis viennent les surfines, les capucines, les capites...

En plus, il y a aussi les « cornichons de câprier » qui sont les boutons confits des fleurs qu'on a laissés se développer.

Pour être conservées, les câpres sont mises en tas sur des linges, puis en barils à raison d'un litre de vinaigre par kilog de câpres ; gardées dans l'obscurité une semaine, on les retransfère dans une saumure composée d'aromates à laquelle on ajoute du sel et des oignons où elles restent pendant 3 mois.

Mode de préparation bien ancien déjà utilisé par O. de Serres :

« Un vaisseau de terre vitrée en dedans est préparé dans lequel est mis du bon vinaigre avec du sel quelques poignées ; là sont jettez les câpres sans les laver aucunement. Les visiterez au bout de quatre ou cinq jours et s'il advient que vous trouviez quelque moisissure, l'osterez et mettrez dans le vinaigre une poignée de sel pour corriger la superflue humeur procédante du fruit ».

HISTOIRE

L'écorce du câprier a été employée dans l'Antiquité, pour ses vertus médicinales. Mais on faisait déjà confire ses fruits dans la saumure et dans le vinaigre.

Pline rapporte que ceux qui en mangent ne sont sujets ni à la paralysie ni aux douleurs de la rate. Aussi étaient-ils surtout employés par Dioscoride et Galien dans les maladies de la rate et du foie.

A Byzance, Oribase les considérait « comme donnant peu de nourriture au corps mais propres à enlever le phlegme contenu dans le ventre et à résolver l'obstruction des viscères ».

Propriétés confirmées par ces grands copieurs qu'étaient les médecins salernitains :

> « **Le câprier, serrant la rate, détermine**
> **la dilatation des conduits de l'urine**
> **son écorce dissout de la rate et du foie**
> **l'obstruction ; l'estomac de ses impuretés nettoie.** »

A la Renaissance, elle servait à calmer les douleurs sciatiques, et comme préservatif de la peste. On raconte qu'un médecin florentin parvint à guérir un squire de la rate en faisant manger à son malade des câpres arrosées d'eau dans laquelle un forgeron avait éteint du fer en fusion.

L'emploi le plus curieux fut celui préconisé par Tronchin, au 18e, qui se servait des feuilles du câprier pour traiter les vapeurs hystériques et divers états nerveux.

L'écorce de la racine comptait parmi les 5 racines apéritives mineures. Barthès en fit un vin apéritif et tonique auquel il a laissé son nom et qu'il utilisait chez les goutteux.

Sa composition était la suivante : 40 g. de poudre de racine macérés pendant 8 jours dans un litre de vin rouge avec de l'écorce de frêne, de tamaris et de sommités de fleurs de millepertuis (60 g. de chaque) à prendre 2 à 3 fois par jour.

A côté de ces propriétés diurétiques et apéritives, la racine du câprier peut être utilisée, une fois cuite, sous forme d'emplâtre sur les ulcères et sous forme d'huile en frictions pour calmer les douleurs sciatiques.

GASTRONOMIE

Peu utilisée en médecine, la câpre a pris une revanche éclatante avec la gastronomie, et cela depuis fort longtemps.

C'est probablement d'une sauce aux câpres qu'il s'agissait quand, à la demande de l'Empereur Domitien, les Pères Conscrits délibérèrent longtemps pour savoir à quelle sauce devait être le turbot. Berchoux nous fait part dans sa Gastronomie, de l'importante question qui le préoccupait davantage que les affaires de l'Etat :

> « **Le Sénat mit aux voix cette affaire importante**
> **Et le turbot fut mis à la sauce piquante.** »

Piquante et stimulante, la câpre inspira certainement un cuisinier moderne, poète à ses heures, qui se dit être l'inventeur de cette fameuse sauce ·

> « **au prix de mes sueurs, de mes travaux plus qu'après**
> **je fis de mon cerveau jaillir la sauce aux câpres.** »

C'est qu'en effet la câpre, par son goût aigrelet, mélé d'amertume, est regardée comme un des meilleurs assaisonnements pour relever le goût de certains aliments trop gras ou trop fades ainsi que celui des hors-d'œuvre lourds ou indigestes.

Stimulant l'appétit, les câpres communiquent aux ragoûts les plus insipides, des effluves agréables facilitant la sécrétion des sucs gastriques et permettant notamment à la sauce blanche ou à la sauce hollandaise, qui sans elles ne seraient que des colles insipides, d'avoir une allure de grand style.

Elles rendent agréables les sauces au vin blanc qui accompagnent les poissons de rivière et celles qui accompagnent le mouton qui, bouilli, a perdu sa saveur.

Simplement confites au vinaigre aromatisé d'estragon ou de sarriette, elles sont utilisées, avec les Cornichons, dans la « ravigote » et on les ajoute parfois aux petits oignons pour forcer le goût et le parfum des « pickles ».

Enfin, certains cuisiniers expérimentés, les considèrent indispensables aux olives farcies.

la capucine

Cette gracieuse plante ornementale, dont les tiges souples sont souvent entremêlées aux branches des fusains ou aux rameaux de la vigne vierge, pour finir par recouvrir d'un joli manteau vert les tonnelles de nos jardins qu'elle rehausse de tout l'éclat de ses fleurs jaunes et rouges, n'est pas seulement une plante d'agrément ; c'est également une plante condimentaire non dénuée, par ailleurs, de vertus médicinales.

CARACTÉRISTIQUES

Appartenant au genre Tropœolum, les Capucines nous viennent d'Amérique d'où elles ont été introduites en Europe au milieu du 16ᵉ siècle. Elles furent d'abord appelées, en raison de leur saveur piquante : cresson des Indes, cresson du Pérou ou cresson des Jésuites parce que les Jésuites, comme pour le quinquina, furent les premiers à s'occuper de cette jolie fleur et à l'importer en Espagne.

Cultivée en France dès 1600, grâce à l'initiative de Dodœns, botaniste lillois de langue flamande, elle fut ensuite remarquée par un autre botaniste nordiste, Clusius d'Arras qui en vit plusieurs pieds à Lyon, dans le jardin de Samuel du Mont, parfumeur du roi Henri IV.

On en distingue deux variétés : la petite capucine ou capucine naine qui semble avoir été connue la première et la grande capucine qui en diffère par une taille plus élevée.

Toutes deux sont suffisamment connues pour n'avoir pas besoin d'une description particulière. Mais il en existe une autre variété : la capucine tubéreuse, qui ne dépasse pas 50 cm, porte des feuilles à plusieurs lobes échancrés et dont les fleurs sont d'un beau rouge cramoisi.

Cette variété possède des tubercules de la grosseur d'une châtaigne. Décrite en premier par Wedell qui l'avait vue en Bolivie, ses tubercules sont d'un goût âcre très prononcé et d'une saveur qui rappelle celle de la Capucine ordinaire. Elle constitue dans son pays d'origine un mets assez agréable, utilisée comme les pommes de terre.

Le nom latin des capucines vient du grec « tropaion » qui signifie « petit trophée », en raison de la disposition de leurs feuilles en forme de petit bouclier et de leurs fleurs en forme de casque. Ces dernières représentent encore plus exactement un capuchon de moine d'où leur nom français bien expressif.

Toutes les variétés de capucines ont une odeur et une saveur piquante mais agréable, se rapprochant de celles des graines des sinapis.

La culture des capucines est des plus faciles ; il suffit de semer quelques graines dans une terre légère et humide pour voir bientôt sortir les feuilles vertes, rappelant un peu celles du Colchéaria et ensuite les jolies fleurs qui font l'admiration de tous.

Une curiosité à noter à l'actif de la Capucine. La fille du grand Linné qui, comme son père, s'intéressait à la botanique et aux plantes nouvelles, avait cru voir les fleurs de capucine émettre, au crépuscule, de nombreuses étincelles. A la suite de ce phénomène, on crut pendant longtemps qu'il s'agissait d'une décharge électrique produite par la capucine, mais on s'accorde aujourd'hui à admettre qu'il ne s'agissait que d'un simple phénomène d'optique auquel la capucine n'est pour rien.

THÉRAPEUTIQUE

Petite et bien modeste, la capucine ne possède qu'une courte histoire puisque c'est Cartheuser, au 17e, qui lui consacra tout un traité, le « De Cardamino », et qui l'introduisit en thérapeutique après avoir reconnu, en elle, des propriétés diurétiques, emménagogues, antiscorbutiques, stomachiques et dépuratives.

Avant lui, Monarde, pour qui elle était « la fleur sanguine du Pérou » disait que « le suc de cette herbe instillé dans les playes fraîches et l'herbe pilée appliquée dessus, les guérit en les cicatrisant, aussy bien que feroit l'Herbe à la Reine (le tabac) ».

Au 19e siècle, Cazin, après l'avoir essayée sur lui, lui trouva des propriétés purgatives et laxatives.

Ces propriétés seraient dues à un principe particulier à la capucine — la glucotropœoline — qui se rapprochait par sa composition du sénevol et communiquerait à la capucine son odeur et sa saveur voisines de celles de la moutarde.

Si les médecins la négligent, la capucine est utilisée à la campagne où elle rend service comme tonique, antiscorbutique et dépuratif, dans l'état général déficient, les bronchites légères et les rhumes.

On l'utilise sous forme de suc frais à raison de 50 g dans du lait ou de la confiture et encore en infusion de ses feuilles à la dose de 15 à 30 g par litre d'eau.

C'est surtout comme topique du cuir chevelu que la capucine est utilisée pour le débarrasser des pellicules et prévenir la chute des cheveux. Pour cela, le Dr Leclerc préconise la préparation suivante :

Dans 500 g d'alcool à 90°, hâcher et faire macérer 15 jours, 100 g de chacune des plantes suivantes : feuilles et semences de capucine, feuilles fraîches de buis, feuilles fraîches d'orties ; y ajouter quelques sommités fleuries de serpolet et parfumer le tout avec quelques gouttes d'essence de géranium. Frictionner tous les jours avec une brosse un peu rude.

Mais, il est probable que nos « capilliculteurs », gens avisés s'il en est, et possesseurs d'innombrables préparations secrètes, se gardent bien de nous les dévoiler.

GASTRONOMIE

Les feuilles et les fleurs de capucine, après avoir orné les salades les plus diverses, peuvent, à leur tour, se manger en salade comme le cresson et servir de condiment de bel aspect et de goût agréable.

Les unes et les autres peuvent garnir agréablement les plats de poissons, les viandes froides, les émincés de jambon et les charcuteries les plus variées.

Mais l'emploi le plus général, c'est celui que l'on fait des boutons de fleurs et des graines encore tendres et vertes. Confites dans du vinaigre à l'estragon, elles peuvent remplacer les câpres ou, à défaut, aider à les falsifier.

Ces câpres de capucine se préparent, comme les cornichons, à l'aide d'un vinaigre aromatisé à l'estragon, généralement additionné de clous de girofle et de poivre. Elles sont un peu plus coriaces que les vrais câpres mais plus aromatiques, ce qui leur permet de les introduire plus aisément dans les différentes sauces où ces dernières sont généralement utilisées.

Quant aux capucines tubéreuses, elles sont peu appréciées en raison de leur odeur et de leur saveur trop fortes. Elles sont, de préférence, utilisées dans la préparation des « pickles » et confites dans du vinaigre avec ail, petits oignons et échalotes et servies, sous cette forme, pour accompagner les viandes froides.

Après cuisson, elles peuvent servir de légume et d'accompagnement aux viandes blanches. Mais leur emploi n'est pas aussi répandu qu'il mériterait de l'être : les Français, qui disposent de tant de légumes condimentaires, ne les apprécient guère et se contentent d'en contempler les jolies fleurs, si décoratives et ornementales dans les jardins : le plaisir des yeux l'emporte pour une fois sur celui du palais.

C'est une éducation à refaire.

la ciboule
et la ciboulette

CARACTÉRISTIQUES

Deux espèces d'alliacées potagères se distinguent de leurs congénères à bulbe : ce sont les Ciboules et Ciboulettes, autrement dit les cives qui, elles, ne possèdent pas de bulbe.

La ciboule — allium fistulosum pour les botanistes — possède des feuilles longues et cylindriques et fistuleuses qui lui ont valu son nom.

La ciboulette, au nom barbare mais savant — allium schœnoprasum —, possède des feuilles encore plus fines et plus petites d'odeur fine et pénétrante.

Elle tire son nom botanique de deux mots grecs : skoinos — jonc —, et prason — poireau — qui, réunis, signifient « poireau à forme de jonc ».

Mais pour les jardiniers, comme pour les cuisiniers, ce sont toutes les deux des Cives, aussi appelées civettes, brelettes et encore plus éloquemment les « appétits », intermédiaires entre l'ail et l'oignon, dont la saveur aromatique relevée est utilisée comme condiment.

Originaires l'une et l'autre de Sibérie et du pays des kirghizes, la ciboule est arrivée en Europe au Moyen-Age, mais c'est peut-être elle que Columelle désignait sous le nom de « cepola ».

Au Moyen-Age, elle avait de nombreux noms : cepola, civollo, cibolle, chive, sipòulle ; c'était plus généralement l' « ognonette » dont les feuilles hâchées servaient à remplacer l'oignon.

La ciboulette, véritable petite herbe aux feuilles pointues et aux fleurs solitaires, est surtout connue dans les campagnes sous le nom évocateur d' « appétit ».

HISTOIRE ET UTILISATION

Sauvage et commune en Italie et en Grèce, les Anciens ont dû l'utiliser mais ce n'est pas certain.

En tout cas l'une ou l'autre étaient connues des Grecs. Athénée, qui a recueilli les recettes d'Archestrate, l'énumère parmi les condiments qu'un cuisinier digne de ce nom doit toujours avoir sous la main. Peut-être, le brouet qu'il décrit dans les Deipnosophistes — qui n'était qu'un vulgaire ragoût — en contenait-il ?

En tout cas, ciboule ou ciboulette ont donné leur nom au civet, primitivement ragoût de gibier ou sauce liée avec le sang de l'animal, et où la civette dominait alors qu'elle est aujourd'hui remplacée par l'oignon et le bouquet de persil.

Pour les Romains, les ciboules étaient des espèces de poireaux si l'on en juge par Martial qui déclare dans son épigramme 18 :

« quiconque a mangé de cibouille
de baisers personne ne souille »

La ciboulette est citée dans les Capitulaires sous le nom germanique de Britlas, devenu en vieil allemand « brislauch ».

Plantes condimentaires toutes deux, elles étaient aussi, sous la Renaissance, utilisées comme plantes médicinales, comme nous l'apprend René Bretonnayau, ancêtre du grand Bretonneau, dans son poème consacré aux Hémorroïdes :

« Si la meure est profonde, a l'œil non descouverte
une cyboule cuy soubs les vendres couverte
mets du vinaigre avecque et l'amer verdoydant
d'un bœuf, dans un mortier le remuant, broyant
souvent l'appliqueras... »

Là semblent s'arrêter ses vertus médicinales. Bien que ciboule et ciboulette soient des stimulants des organes de digestion, mais dont l'abus peut entraîner l'irritation des estomacs délicats.

Si la ciboule, plus vivace et de culture plus facile que la ciboulette, peut remplacer l'oignon pour relever le goût de multiples aliments fades, et est souvent ajoutée dans les consommés et les soupes, la ciboulette fait partie des « fines herbes », notamment dans les omelettes dites aux fines herbes, où elle entre le plus souvent avec du persil et à elle seule sert à préparer des soupes à la cive. Les cuisiniers ne sauraient s'en passer pour confectionner la sauce verte.

Il en existe plusieurs variétés : la ciboule commune à bulbe, dont les tuniques du bulbe sont rouges cuivré, et la ciboule blanche, à la saveur moins prononcée.

Une autre espèce, la grande ciboule ou catawissa d'origine canadienne produit de petits bulbes que les Anglais utilisent pour confire dans du vinaigre et en faire les « pickles ».

le cornichon

Le petit Cornichon, ce condiment si populaire dont le seul nom amène l'eau à la bouche, n'est autre chose qu'une variété du concombre qui n'a pas atteint son développement complet.

CARACTÉRISTIQUES

Le concombre cultivé, qui est pour les botanistes le cucumis sativus Linné, appartient à la grande famille des cucurbitacées (dont le melon). C'est une plante légumière annuelle, à tiges rameuses et rampantes, aux fruits oblongs et cylindriques ; ceux-ci peuvent être lisses ou garnis de protubérances épineuses de couleurs variées, jaunâtres, jaune brun ou plus généralement vert jaunâtre.

Originaire de l'Asie tropicale, il en existe plusieurs variétés : le concombre de Russie, le blanc long parisien, le blanc de Bonneuil, le jaune de Hollande...

Quant au cornichon, c'est un concombre cultivé dont les maraîchers ont modifié la forme, la couleur et la grosseur. Ils l'ont obtenu à partir le plus souvent des deux variétés suivantes : le concombre à cornichons vert petit de Paris et le concombre à cornichons vert fin de Meaux. Ces deux variétés, de culture facile et très productive, produisent des fruits oblongs, de couleur verte. Ceux-ci de dimensions moyennes à maturité, sont récoltés lorsqu'ils n'ont pas encore atteint leur développement total et ont au plus la grosseur d'un doigt.

Le concombre modifié est appelé cornichon parce qu'il affecte le plus souvent la forme d'une petite corne, que les Anglais ont traduit d'une façon encore plus expressive par le terme de « green horn » — corne verte.

On ne sait trop pourquoi le mot de cornichon a, depuis longtemps, pris un sens figuré très péjoratif, ironique, voire dédaigneux. Pour les uns, parce qu'il n'est qu'un avorton mal venu, tout juste bon à être enfermé dans un bocal. Ou bien, comme le dit Littré, parce que c'est, par analogie, que le concombre considéré comme un fruit insipide et plat a introduit le sens de niais dans l'expression péjorative communément employée pour désigner des êtres naïfs, ignorants et crédules.

Cela est assez vraisemblable, car la comparaison est facile entre les caractères physiques d'un fruit gonflé , bouffi et creux à l'intérieur et d'ignorants prétentieux et sots.

A l'origine, ce terme de dérision a dû être emprunté, comme le dit Gibaut, à la langue verte des Halles où les quolibets, nés des légumes, ont toujours été en faveur.

HISTOIRE

Si l'histoire du cornichon est relativement courte, bien que son nom soit cité dès la Renaissance, elle est liée à celle de son congénère, le concombre utilisé comme fruit légumier depuis fort longtemps pour ses propriétés laxatives et rafraîchissantes, surtout en Orient.

Aux Indes, il était apprécié sous le nom sanscrit de « soukasa » depuis au moins 3.000 ans. Les Hébreux en firent plus tard leur nourriture quotidienne lorsqu'ils furent chassés d'Egypte. C'est probablement à lui que le prophète Isaïe fait allusion sous le nom de « quissium » quand il déclare, à propos de Jérusalem devenue déserte, « la fille de Sion reste comme une hutte dans un champ de concombres ».

Utilisé par les Chinois, qui le mangeaient cru ou bouilli, il fut importé en Occident à l'époque proto-historique comme le prouvent les graines trouvées au milieu de cendres préhistoriques en Hongrie.

Connu des Egyptiens sous le nom copte de « shop », il le fut également des Grecs sous le nom de « sikuos » employé par Théophraste. Il devint le « cucumis » des Latins dont dérive notre mot de concombre. Apicius conseille de le manger avec du miel ou dans du vin de paille pour en tempérer l'âcreté. Dans son « de re rustica », Columelle nous en donne une bonne description.

Le concombre a eu les honneurs d'une épigramme de Martial d'après laquelle ses compatriotes savaient en hâter la maturation grâce à des serres garnies de pierres transparentes comme des vitres. Pline, dans son Histoire Naturelle, raconte que le concombre était très apprécié des Romains pour ses vertus rafraîchissantes et particulièrement de l'Empereur Tibère qui s'en faisait servir à chaque repas.

Au Moyen-Age, les Capitulaires l'indiquent, sous le nom de « coloquintidas », comme étant cultivé dans les jardins impériaux. L'Ecole de Salerne le donne comme stoma-

chique et excitant à condition qu'il n'ait pas acquis sa maturité : ce qui prouve que le cornichon était déjà né à cette époque.

Si, pour Mizauld, le concombre est un excellent fébrifuge : « si un enfant a la fièvre, il faut coucher au long de luy un concombre ; il sera guéri car la chaleur de la fièvre passera dans le concombre », pour d'autres auteurs de la Renaissance, le concombre n'est pas à recommander. Le « Grand herbier de France » déclare que le « nourrissement qui vient des courcoubres est moult fleugmatique » et la Bruyère Champier est d'avis que les concombres, qu'ils soient adultes ou n'ayant pas atteint leur maturité — infantes cucumeres — sont à déconseiller car ce sont des mets perfides.

Au 18°, le concombre et les cornichons semblent trouver grâce devant les médecins. Lémery, tout en donnant une étymologie personnelle selon laquelle le terme de concombre vient de « cucumer », « parce que les tiges de cette plante sont courbées », nous fournit des précisions sur son emploi : quand, étant bouilli, il humecte, rafraîchit, adoucit, tempère l'âcreté des humeurs, on l'emploie dans les bouillons et même en lavements ».

Après lui, son fils, plus gastronome que médecin, fait le premier éloge au cornichon :

« Les cornichons sont de petits concombres cueil-
« lis avant qu'ils eussent acquis toute leur grosseur. On les
« met dans un pot et on jette dessus du plus fort vinaigre,
« du sel, du poivre concassé. Les cornichons confits de cette
« manière sont d'un goût fort agréable mais on doit en user
« sobrement car ils sont pesants et fort difficiles à digérer ;
« ils ne font pas tant de mal que les gros concombres pris
« en salade. Apparemment, à cause des ingrédients dans
« lesquels ils ont trempé et qui aident davantage à leur di-
« gestion ».

Cette citation était à rappeler car elle montre clairement toute la différence existant, au point de vue alimentaire, entre le concombre et le cornichon et, surtout, toute l'importance donnée par Lémery fils aux aromates et aux condiments nécessaires pour accompagner le cornichon.

GASTRONOMIE

Si les médecins d'aujourd'hui ne se servent pas du cornichon dans leur thérapeutique et ne se soucient pas de son emploi dans les « clystères », les gastronomes, eux, n'ont plus aucune prévention contre lui et l'apprécient; en lui réservant une place de choix parmi les condiments les plus populaires.

Les deux frères « cucumis », l'aîné — le concombre — et le cadet — le cornichon —, ont d'ailleurs eu des parrains illustres. Sans remonter à Apicius, il faut citer, au 19e siècle, le Baron Brisse, auteur d'ouvrages culinaires, et Alexandre Dumas qui, tous deux, raffolaient du cornichon et du concombre.

Reconnaissons que tous les deux ont besoin d'un traitement culinaire pour en relever la saveur douceâtre et insipide, et en effacer les propriétés lourdes et indigestes par différents condiments.

Le concombre, bien que dénué de toute valeur alimentaire — c'est de nos plantes condimentaires le plus pauvre en matières azotées et en hydrates de carbone — se mange souvent à l'état cru, surtout en salades.

Dans les pays nordiques, il est particulièrement apprécié des Russes et des Anglais qui ne l'assaisonnent que de sel fin.

Les Français, plus gourmets, le préfèrent généralement en salade, après l'avoir fait dégorger dans du sel ; le concombre est coupé en minces rondelles et servi soit seul, aromatisé de vinaigre à l'estragon ou de sarriette, soit accompagné de fines herbes, de tomates et de quelques fins morceaux d'ail. On le sert aussi à la grecque, accompagné de champignons, parfumé d'un peu de jus de citron et recouvert d'une sauce remoulade.

Cuit, les cuisiniers français, toujours habiles, ont su adroitement l'utiliser comme garniture de potages, en ragoûts, à la Béchamelle et même dans une pâte à beignets.

Le plus souvent, ils le servent préparé comme des aubergines, accompagné d'une farce relevée de girofle et de paprika. Dans le Midi, les cuisinières habiles savent préparer une excellente « ratatouille » avec tomates, aubergines, le tout fortement relevé avec de nombreuses gousses d'ail et revenu à l'huile.

Quant aux cornichons, on les prépare, confits dans du vinaigre ou de la saumure, associés ou non à d'autres légumes condimentaires : piments, petits oignons, échalotes, choux-fleurs, tomates, et on les sert comme accompagnement des viandes froides, du bœuf bouilli, de la charcuterie, de poissons froids. Les Français préfèrent le cornichon seul, mais les Anglais l'aiment accompagné des condiments ci-dessus, dont ils font usage sous le nom de pickles ou d'achards.

Mais le véritable triomphe gastronomique du cornichon, c'est celui qu'il rencontre dans la confection de certaines sauces : la sauce piquante, la sauce charcutière, la sauce rémoulade, la sauce gribiche...

S'il fallait ajouter un autre titre de gloire à l'actif du concombre, rappelons que nos parfumeurs, disons plutôt les bio-esthéticiens, savent préparer des crèmes de beauté et des pommades pour que nos élégantes améliorent la souplesse de leur épiderme, atténuent les rides du visage et éclaircissent leur teint par un artifice dont le « grand Cucumis » est seul responsable.

le cresson

CARACTÉRISTIQUES

Salade populaire, condiment agréable, plante médicinale, le cresson est cela tout à la fois. Il le doit à sa saveur piquante, amère et aromatique venant d'un glucoside: la nasturtiode, qui se rapproche, par sa nature, du sénevol et qui existe aussi dans d'autres crucifères, cette grande famille dont il fait partie.

Doué de propriétés thérapeutiques qui lui ont valu le nom de « santé du corps », le cresson se caractérise par ses tiges rampantes dans l'eau, présentant ses feuilles en touffes un peu épaisses d'un vert foncé, arrondies aux extrémités et subdivisées en folioles ovales se terminant par une grappe de petites fleurs blanchâtres fleurissant au cours de l'été.

Plante aquatique vivace, le cresson sauvage est très répandu un peu partout dans le monde, au bord des ruisseaux, des sources fraîches et limpides, des marais et, en général, de tous les lieux humides.

A côté du cresson de fontaine, cultivé près des villes dans les cressonnières, il existe d'autres espèces :
- le cresson alenois ou cresson de jardin ;
- le cardamine des prés ou cressonnette, élégante plante aux fleurs lilas ;
- le cresson de pleine terre ;
- le faux cresson de fontaine ou cresson bâtard ;
- le barbarée ou herbe de Sainte-Barbe, à la saveur nauséeuse désagréable.

Le terme de cresson viendrait du latin « crescere », croître, en raison de la rapidité de croissance de la plante : pour d'autres étymologistes ce serait un dérivé du germanique « chresen », ramper, qui a donné kresso en langue française.

Mais tout le monde est d'accord pour expliquer le mot latin de « nasturtium », qui viendrait, selon Pline, de narium tormentus, c'est-à-dire « tord nez », par allusion à la saveur piquante de la plante qui fait tordre le nez.

HISTOIRE

L'usage du cresson, sous sa forme sauvage, est très ancien. Xénophon nous rapporte que c'était l'aliment préféré des anciens Perses qui, allant à la chasse, se contentaient de pain assaisonné de cresson.

Chez les Grecs, qui lui donnaient le nom de kardamon, le cresson était employé par Hippocrate comme expectorant avec l'hysope, la moutarde, et le miel dans les pneumonies.

Chez les Romains, c'était le Sium ou Sisymbrium, mais sous cette appellation ils englobaient également la cardamine et l'herbe de Ste Barbe. Il est difficile de savoir au juste quelle plante utilisait Dioscoride, sous ce nom, pour chasser les vers et provoquer les règles.

De même pour Pline, qui le considérait comme anti-aphrodisiaque, capable d'aiguiser l'esprit, et bon contre l'asthme et la toux.

Bouilli dans du lait, Pline estimait en outre qu'il convenait aux affections de poitrine.

Au Moyen-Age, il est cité dans les Capitulaires de Villis, sous le nom de sisymbrium, comme ayant maintes propriétés : contre la phtisie, la jaunisse, les affections stomacales, les maladies de la rate et de la pierre.

L'Ecole de Salerne lui en attribue d'autres, notamment le mal de dents, l'alopecie et les dermatoses.

« **Le cresson écrasé sur cheveux tombants
en arrête la chute ; il soulage les dents
la douleur vive, aiguë ; enduit d'un miel liquide
il guérit de la peau, d'artres, écaille livide.** »

C'est à cette époque que l'on voit apparaître le mot de cresson sous des formes encore archaïques telles que « cressaienz », creison, creson, dans divers Glossaires du 12°.

A cette époque le cresson était estimé comme salade. On raconte que St Louis, ayant étanché sa soif avec une salade de cresson, en fut si satisfait qu'il fit figurer le cresson dans les armoiries de Vernon, dont le blason porte « d'argent à 3 bottes de cresson, de sinople au chef d'azur chargé de 3 fleurs de lys ».

A la Renaissance, le cresson était devenu une herbe potagère et condimentaire très populaire, dont les mérites sont vantés dans les Cent et sept cris de Paris de Tuquet, en 1545 :

« **pour gens desgoutez, non malades,
j'ay du bon Cresson de Calier
pour un peu vos cœurs esgayer
il n'est rien meilleur pour malades** »

et dans la « Chambrière à louer », satire du 16e, c'est une servante qui vient vanter elle-même ses talents culinaires :

> « avec du Cresson de Cailly
> et puis quelques herbettes fades
> feray cent sortes de salades. »

Ce cresson de Cailly ou Calier venait d'un petit village normand, situé près de Rouen et appelé Cailly où Il était particulièrement réputé et, dans sa Maison rustique, de 1564, Charles Estienne écrit :

> « Cresson de Cailler oū alénois ayment les lieux humides et les rivages de fontaine et petits ruisseaux, parquoy ne demandent aultre labeur, es jardins qu'elles ayent toujours l'eau au pied ».

Et de vieux mémoires d'établissements religieux du 13e attestent déjà l'existence de cressonnières dans l'Oise et le Pas-de-Calais.

THÉRAPEUTIQUE

Les indications thérapeutiques des Anciens furent reprises par tous les médecins de la Renaissance et des siècles suivants.

Mathiolle considérait que « ceux qui en mangent coustumièrement s'aiguisent l'esprit » mais s'élève contre l'opinion de Pline qui le considérait comme dénué de propriétés aphrodisiaques.

Question très controversée à l'époque qui permettait à Platine de Crémone d'écrire « qu'il réfrénait les ardeurs de la chair et ce pourquoy les hommes d'armes ont intérêt à en manger pour ce qu'ils doivent estre chastes en ne faisant déshonneur ne violence aux femmes ».

Le sisymbrium était toujours employé contre les affections stomacales ou intestinales et le « Trésor d'Evonyme de 1554 vante les bienfaits de « l'huyle de nasitort » qui guérit la fièvre tierce, quarte, arreste le flux de sang et restreint le ventre ».

Aujourd'hui, on reconnaît au cresson des propriétés dépuratives, stimulantes, apéritives, diurétiques, fébriguges, anticrofuleuses et surtout antiscorbutiques, grâce à la présence des vitamines A et C, du fer, de l'iode, du soufre.

On se sert toujours du vin antiscorbutique composé de cresson associé au raifort et du jus d'herbes dépuratif composé de cresson, de chicorée, de fumeterre, de laitue, à prendre tous les matins à jeun.

Si certains médecins du siècle dernier, comme le Dr Charbonnier, le trouvaient trop échauffant, si bien que « le visage de ceux qui en mangent devient rouge jusqu'à devenir pourpre », d'autres, comme Cazin, le trouvaient propre à guérir les fièvres, et surtout pour obtenir les expectorations abondantes dans les bronchites chroniques et même chez les phtisiques.

C'est d'ailleurs dans ce traitement que s'est illustré le Dr Récamier qui finit par guérir un chanteur phtisique auquel il avait recommandé de déjeuner chaque matin avec deux bottes de cresson tout en buvant une bonne tasse de lait.

Remède empirique certes mais efficace et tellement mis en pratique qu'on raconte qu'un phtisique, abandonné de son médeciin se mit à vivre uniquement de cresson. Ayant, sous l'influence de cette médication recouvré une santé parfaite, son médecin en fut si étonné qu'il ne put résister au désir d'examiner les poumons du miraculeux et que, dans ce but il l'assassina et trouva les poumons parfaits !...

A la campagne, le cresson reste un remède très populaire administré sous forme de sirop, d'infusion, de vin et surtout sous forme de jus d'herbes, comme dépuratif.

Le plus souvent on se contente de le faire absorber en suc frais à raison de 100 g dans du lait ou du bouillon, aux lymphatiques, anémiques et tuberculeux.

En usage externe, le cresson sert à faire des cataplasmes contre les ulcères scrofuleux, les engorgements glandulaires, contre le mal de dents, souvent associé dans du vin, avec le clou de girofle ou une écorce de grenadier.

Il sert encore, à l'imitation des maîtres salernitains, à combattre la chute des cheveux. Le Dr Leclerc n'hésitait pas à l'employer dans tous les cas d'alopécie, selon la formule suivante :

suc de cresson) aa 100 g
alcool à 90°)
essence de géranium) X gouttes

GASTRONOMIE

Mais c'est encore comme condiment plus que comme remède que le cresson justifie sa réputation populaire de « santé du corps ».

Cueilli à la fontaine, il excite l'appétit et fouette le sang au même titre que le raifort ou la moutarde. Mais pour conserver ses propriétés stimulantes et son arôme, il faut le manger cru.

Aussi, sous sa forme naturelle, constitue-t-il une des salades les plus agréables. Une salade de Cresson hâché menu, bien assaisonnée est toujours appréciée des amateurs qui désirent se mettre en appétit.

Tout simplement mangé à la croque au sel, le cresson réveille l'appétit des plus anorexiques.

Autour des grillages, des biftecks, des côtelettes ou des poulets rôtis, il constitue une litière vert-pré appétissante.

Il lui arrive d'être irritant pour des estomacs fragiles ; dans ce cas il peut être employé cuit comme des épinards, mais il perd, par la cuisson, sa succulence et ses vertus apéritives.

Enfin, on en fait d'excellents potages dits «de santé», surtout si l'on prend soin d'y ajouter un peu de lait ; mais il faut prendre la précaution, pour lui conserver son arôme, de jeter les feuilles de cresson hâchées dans la soupière en évitant de les faire bouillir.

Toujours populaire, le cresson en bottes a été longtemps une des exclusivités des « Crainquebilles » qui parcouraient les rues des villes en criant :

« J'ai du bon cresson de fontaine, la santé du corps, A deux sous la botte, à deux sous la botte. »

Aujourd'hui, hélas, les ménagères doivent payer bien plus cher ses petites bottes...

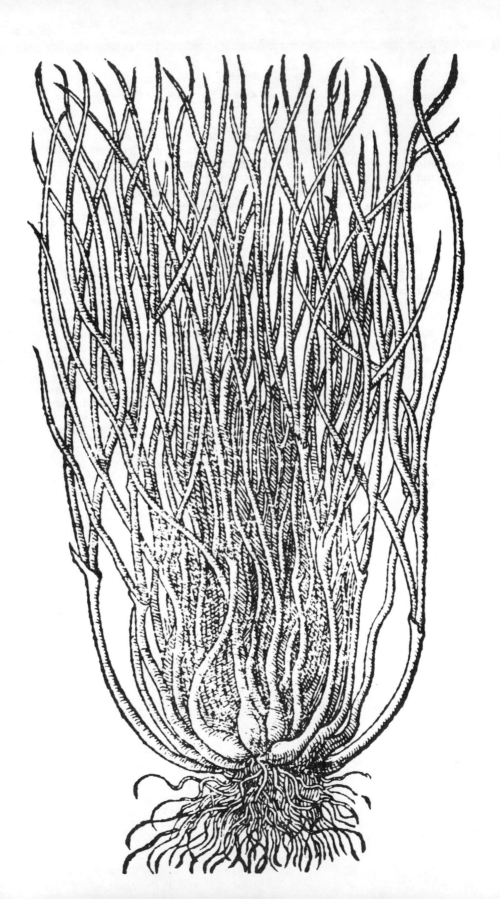

l'échalote

Une des perles de la gastronomie, non seulement par la couleur rouge cuivrée de ses fines pellicules, mais aussi par sa saveur piquante bien particulière, qui contribue à transformer les sauces les plus banales en petits chefs-d'œuvre raffinés.

CARACTÉRISTIQUES

La plupart des dictionnaires et des ouvrages de vulgarisation indiquent que l'échalote tire son nom d'Ascalon, une ancienne ville de Judée qui serait son pays d'origine. Cette interprétation inexacte est une erreur de Pline qui, reprenant une phrase de Théophraste, parle ainsi de l'échalote : « askalonion, appelé d'Ascalon, ville de Judée ».

Pas plus valable, la légende selon laquelle les Croisés auraient rapporté l'échalote de cette même ville d'Ascalon à la suite d'une victoire remportée sur les Infidèles. L'échalote était déjà cultivée, bien auparavant, du temps de Charlemagne dans les jardins impériaux, et mentionnée dans les Capitulaires « de Villis » sous le nom d'ascalonica, entre l'allia — ail — et la cepa — l'oignon —.

En réalité, l'échalote n'a jamais été trouvée à l'état sauvage, ni en Judée, ni ailleurs. Il faut admettre comme valable l'opinion de De Candolle que l'échalote n'est qu'une variété de l'oignon commun, dont la modification a été obtenue par culture dès le début de l'ère chrétienne.

Située entre l'oignon et l'ail, elle se distingue du premier par des fleurs généralement stériles et des bulbes multiples ; du second par une saveur bien plus douce et une pulpe bien plus tendre.

Le nom actuel d'échalote se rapproche du germanique « aschlauch » (ail), provenant des termes de la basse latinité calonorium et scalonniarum d'où est dérivée la première expression française « eschaloigne » ainsi que nous l'apprend le dictionnaire de Jean de Garlande, apothicaire du 12° qui vendait des épices et des herbes aromatiques :

« Inula gallice dicitur Eschaloigne »,
terme que l'on retrouve dans les Cris de Paris du 13° :

« bonnes eschaloignes d'Etampes », cette ville étant réputée pour ses petits bulbes déjà bien appréciés, et aussi dans le « Dict de l'Apostile » :

« Aulx de Gandeluz, ognons de Corbeil, Eschaloignes d'Estampes ».

On connait plusieurs variétés d'échalotes : l'échalote hative de Niort ; l'échalote de Noisy dont les bulbes ressemblent à de petites figues ; l'échalote de Gand à bulbes renflés. Mais les deux principales sont : l'échalote commune ou de Paris, petite dont les bulbilles allongées se détachent facilement une fois séchées, de couleur légèrement violacée au sommet et qui se conserve bien ; l'échalote de Jersey, aux pellicules d'un beau rouge cuivré qui enveloppent ses bulbilles serrées comme des petits oignons. Cette espèce d'Echalote, dont la pulpe est agréablement parfumée, est particulièrement appréciée en Angleterre où elle est vendue avec l'ail et les oignons par les « johnies », paysans de la région de Roscoff qui se transforment, chaque été, en colporteurs pour l'apporter à nos amis Anglais, moins favorisés que nous, car ils n'en ont pas.

HISTOIRE

L'échalote, ou tout au moins l'espèce que nous connaissons, semble avoir été ignorée des Anciens Grecs, car, si Théophraste parle bien de l'askalonion, cette variété ne donnait pas de caïeux. Par contre, Grecs et Romains l'utilisèrent en cuisine aux environs de l'ère chrétienne. Elle est déjà citée par Dioclès et Athénée, mais il est probable qu'il s'agissait plutôt d'une variété cultivée du poireau du Levant, l'allium ampeloprasum.

Pour Ovide, c'était « l'herba salax » (dont il préconisait les bulbes fortement aphrodisiaques) utilisée par les cuisiniers romains dans leur « moretum » .

Elle eut, pendant le Moyen-Age et à la Renaissance, la réputation de fortifier l'estomac, d'aider la digestion, de chasser les pierres des reins et, on ne sait trop pourquoi, de résister aux mauvais génies.

Pour l'Ecole de Salerne, plante condimentaire plutôt que médicinale, elle excitait l'appétit, favorisait la digestion et augmentait la transpiration.

Au 14e, Taillevent la mentionne souvent dans son Viandier et la faisait entrer dans ses savantes préparations culinaires et ses fameuses sauces dont bien peu en étaient exemptes.

Lemery, au 18e, en diététicien comme en médecin, la reconnait comme étant fortement apéritive, propre pour la pierre et les rétentions d'urine, capable de résister au mauvais air et bonne pour exciter l'appétit.

Par contre, à peu près tous les auteurs admettent que l'échalote avait le désavantage d'échauffer, de provoquer la soif et des maux de tête.

GASTRONOMIE

Aujourd'hui, l'échalote n'est plus qu'une plante condimentaire mais combien précieuse pour la cuisine où elle occupe une place de choix pour relever le ton de nombreuses sauces !

Avec la civette et la ciboule, elle fait partie des « appétits » si utiles pour stimuler l'estomac.

Les cuisiniers se servent au maximum de sa saveur piquante pour relever le court-bouillon des poissons fades, particulièrement celui de la truite en gelée ou au bleu, où elle se marie agréablement avec le vin blanc. Ils la font entrer dans de nombreuses sauces telles que la sauce piquante, la sauce grand-veneur, dans les gibelottes de lapin et dans les farces des tomates ou d'aubergines.

Mais son plus beau titre de gloire est probablement celui qu'elle a acquis dans la composition de cette sauce délicate et onctueuse réalisée par le fameux « beurre blanc nantais » qui permet d'élever le brochet ou la fine alose à la hauteur d'un mets digne des Dieux.

A la maison, l'échalote reste une des bases de la cuisine familiale, elle est l'élément indispensable aux ménagères pour assaisonner une simple salade de pommes de terre et surtout pour communiquer au vinaigre un goût et une odeur particulièrement délectables dans la petite sauce qui accompagne les huitres dont la plupart des demi-amateurs, et Dieu sait s'ils sont nombreux, ne sauraient se passer.

Toujours stimulante, la petite échalote communique à tout ses propriétés apéritives.

la moutarde

La Moutarde est, de tous les condiments, un des plus populaire ; c'est de plus une plante médicinale connue et utilisée depuis les Anciens. A ce double titre, elle mérite, dans cet ouvrage, une place de choix et une étude complète.

CARACTÉRISTIQUES

Les graines, farines et préparations utilisées sous le nom de moutardes sont tirées de plantes appartenant au genre « Sinapis » de la famille des Crucifères dont elles ne se distinguent que par quelques détails que, seul, peut déceler l'œil exercé d'un botaniste.

Ces moutardes comprennent une quarantaine d'espèces disséminées sur toute la surface du globe, surtout dans le bassin de la Méditerranée dont elles sont originaires.

Mais trois seulement méritent que l'on s'y arrête :
— la moutarde blanche ou sinapis alba,
— la moutarde noire ou sinapis nigra,
— la moutarde sauvage ou sinapis arvensis, jolie, plante herbacée qui embellit les champs avec ses fleurs d'un beau jaune paille mais tellement envahissante qu'elle les infeste au grand désespoir des cultivateurs qui la considèrent comme une mauvaise herbe.

La moutarde noire, plus connue sous le nom de sénevé se plaît dans les terrains pierreux. Sa tige, haute d'un mètre, est rameuse et légèrement velue ; ses feuilles présentent un léger duvet ; ses fleurs sont jaunes et petites ; sa graine est arrondie, d'abord rougeâtre, puis brun foncé lorsqu'elle est mûre. Entière, elle est sans odeur et sans saveur, mais, réduite en farine et humectée, elle dégage une forte odeur aromatique et une saveur extrêmement forte et tellement piquante que les larmes en viennent aux yeux.

La moutarde blanche s'en distingue par la couleur de sa graine qui est jaune blanchâtre et d'un volume double. Sa saveur est moins âcre et moins piquante. Elle jouit, à un degré moindre, des mêmes propriétés.

Le terme de moutarde est relativement récent puisqu'il n'est apparu qu'au 13ᵉ siècle. Certains l'ont fait dériver de « moult ardens » qui servait à désigner initialement le fameux condiment fait de graines de sinapis ou sénevé, simplement broyées dans du moût de raisins, c'est-à-dire le « mustum ardens ».

Une autre étymologie, plus séduisante mais certainement plus fantaisiste, est donnée par une anecdote qui explique, en outre, la réputation de la moutarde de Dijon. En 1382 le duc de Bourgogne, devant aller avec le roi de France son allié, se battre contre les Gantois qui s'étaient révoltés, leva une armée d'un millier d'hommes parmi ses sujets dijonnais, ce qui fut fait en grande hâte. En reconnaissance, le duc accorda à la ville de Dijon le privilège de porter les armes et lui donna son cri : « moult me tarde », dont les deux mots par suite de la disposition de la devise, étaient seuls visibles : moult tarde.

Par extension, le mot de moutarde s'est appliqué à la plante elle-même : le sinapis des botanistes, lui-même dérivé du grec « sinapi », c'est-à-dire « endommage le regard », à cause, dit Athénée, de l'irritation qu'elle provoque aux yeux par le piquant de son odeur. Pour d'autres enfin, le terme « sinapi » viendrait du celtique « nap » parce que ses feuilles ressemblent à celles du navet.

Chacune des trois espèces bénéficie de plusieurs appellations diverses : sénevé blanc, herbe au beurre pour la moutarde blanche ; sénevé gris, moutarde officinale pour la moutarde noire ; moutarde bâtarde, sauve, raveluche, ravenelle pour la moutarde des champs.

Les moutardes, sont restées très rustiques et leur culture exige peu de soins. On sème leurs graines à la volée en mars ou en avril, la récolte se fait en septembre lorsque la plante commence à jaunir. Après arrachage on met les pieds à sécher ; on les bat avec des baguettes légères pour ne pas abîmer les graines qui tombent d'elles-mêmes.

HISTOIRE

Toutes ces moutardes ont été connues et utilisées depuis la plus haute antiquité. La petitesse des graines de Sénevé a été choisie par Jésus-Christ comme thème d'une de ses plus célèbres paraboles : comme elle qui est appelée à devenir le plus grand des légumes, ou un des plus utiles, le royaume du Christ, bien petit à ses débuts, deviendra la plus grande famille du Monde.

Aux Indes, et toujours en raison du grand nombre de graines sorties d'un même pied, la moutarde était considérée comme l'emblème de la fécondité.

Sans lui réserver tant d'honneur, les Grecs l'utilisaient comme légume : Théophraste la cultivait dans ses jardins. Pythagore lui reconnaissait la faculté d'augmenter la mémoire et rendre gai.

Pour les Romains, la moutarde était également un légume, mais, si Pline nous indique que les ragoûts — leur fameux moretum — s'en trouvaient améliorés par l'odeur qui s'en dégageait après cuisson de feuilles, Dioscoride fut un des premiers à l'utiliser en fonction de ses vertus thérapeutiques, considérant que sous forme de gargarismes, elle diminuait l'enflure des amygdales et chassait la pituite des cerveaux.

Pour le peuple romain, qui confisait ses feuilles dans du vinaigre, c'était un condiment très apprécié, ce qui n'est pas l'avis de Plaute pour lequel la moutarde était la plante cruelle par excellence :

« la scélérate moutarde est broyée en même temps que celui qui la broie, car, avant qu'ils l'aient broyée, elle fait fondre leurs yeux en larmes ».

Au Moyen-Age, la moutarde cultivée dans les domaines impériaux figure dans les Capitulaires de Charlemagne, mais elle était confondue avec la roquette si bien que, plus tard, Mathiolle, ne l'appelait que le sénevé blanc.

Pour Sainte-Hildegarde, la moutarde était un légume condimentaire qui réclamait, pour bien être digéré, un excellent estomac.

L'Ecole de Salerne en vante les bienfaits à la fois médicaux et gastronomiques :

« la moutarde au grain sec, petit et chaud, des yeux
tire des pleurs, détruit un vénin odieux.
d'incommodes humeurs débarasse la tête,
comme assaisonnement des mets on lui fait fête
si l'ail, de la poitrine apaise les douleurs,
la moutarde de l'œil exprimera les pleurs. »

Les médecins du 17° et du 18° continuèrent à utiliser de si remarquables propriétés, les uns, comme Lazare Rivière en gargarismes, les autres comme Lemery pour la mélancolie, le scorbut et pour réveiller l'appétit. Les semences de moutarde, dit-il, « sont douées de nombreuses vertus, réduites en poudre, on en fait des ventouses pour réveiller le malade dans apoplexie et paralysie : c'est ce qu'on appelle « sinapismus ».

THÉRAPEUTIQUE

Le Byzantin, Paul d'Egine, semble avoir été l'inventeur du sinapisme de moutarde ; il en décrit comme suit la préparation : on broie de la moutarde forte que l'on arrose avec du jus de figues et pour obtenir un sinapisme énergique, on mêle deux parties de moutarde à une de jus de figues.

Depuis le 18ᵉ, le cataplasme à base de farine de moutarde est resté le type classique des révulsifs, utilisé aussi bien par les médecins les plus illustres, tels que Trousseau, que par toutes les mères de famille jusqu'au jour où un pharmacien astucieux, Rigollot, eut l'idée d'enduire des feuilles de papier filtre, recouvertes d'une fine pellicule de dissolution à l'éther et au sulfure de carbone, d'une couche de poudre finement tamisée de moutarde noire, créant ainsi les fameux « papiers Rigollot ».

C'était, en effet, la farine noire qui était employée de préférence à la blanche en raison de ses fortes propriétés révulsives. Celle-ci contient du myronate de potassium ou sinigrine qui se décompose, sous l'action de la myrosine en essence de moutarde ou sulfoccyanate d'allyle doué d'action très irritante sur la peau.

Pour la préparation familiale des sinapismes, on délaie la farine de moutarde dans de l'eau tiède en ayant bien soin de ne jamais dépasser 40° car, au-dessus de cette température, l'essence de moutarde ne se forme pas et il ne se produit aucune rubéfaction.

Par prudence, et pour éviter les brûlures cuisantes redoutées de tous les enfants, il est préférable de jeter la poudre de moutarde sur une bouillie de lin tiède à 40° dans la proportion de 4 parties de lin pour une de moutarde.

Dans les familles, cette préparation est employée à une foule d'usage. Dans les douleurs rhumatismales, dans les syncopes, l'asthme, les bronchites, pleurésies, les sciatiques, les lumbagos ainsi que dans les états congestifs. Bien souvent, pour un simple rhume, ou pour des points de côté, on emploie de préférence un demi-sinapisme tandis que en cas de congestion cérébrale, le bain de pieds sinapisé est préférable. Dans ce cas, on délaie deux litres d'eau froide dans 100 g de farine de moutarde, puis on fait légèrement chauffer le tout.

Si la moutarde noire était vouée à la gloire grâce aux cataplasmes sinapisés, la moutarde blanche n'était cependant pas négligée et était fréquemment employée comme diurétique, dans la constipation chronique. Mais en raison de ses propriétés rubéfiantes il fallait, selon Cazin, se garder de l'administrer aux sujets nerveux ou irritables.

GASTRONOMIE

Négligée par les apothicaires de la Renaissance et des siècles suivants, la moutarde blanche a pris sa revanche avec les gastronomes et les cuisiniers de tous les temps.

Pendant longtemps la préparation, que nous connaissons et apprécions tous ne comprenait que des graines de moutarde simplement confites dans du vinaigre. On la confectionna ensuite avec de la farine des graines de sinapis mises à tremper dans du moût de raisins. Platine de Crémone nous en donne une savante recette : « la Moutarde tu pilleras remoillée en eau premièrement et souvent icelle remuée afin que soit plus blanche et puis ajouteras en icelle des amandes et derechef pileras tout ensemble la miette du pain remoillée ; finalement tout dissolvy en verjus ou fort vinaigre tu feras passer par l'étamine ».

La moutarde ainsi obtenue était la grise ; la rouge se faisait en délayant la poudre avec du moût que l'on additionnait le plus souvent de cannelle.

Grise ou rouge, la préparation semble avoir été particulièrement appréciée de Rabelais qui la considérait « comme un vray baume naturel et restaurant d'andouilles ». Aussi ne doit-on pas s'étonner si Gargantua avait besoin de quatre gens pour l'enfourner dans sa bouche à « pleines palerées » bien utiles pour faire passer quelques douzaines de jambon, les langues de bœuf fumées, les andouilles et la boutargue dont se composait son menu ordinaire.

Rabelais n'était pas le seul à apprécier la délicieuse moutarde. Le meilleur exemple en est fourni par le pape Jean XXII qui la prisait tellement qu'il en mettait partout et devait créer le poste du Grand Moutardier pour récompenser ceux qui savaient préparer la meilleure.

Cette moutarde se prêtait à de nombreuses combinaisons culinaires s'il faut en croire le plus ancien recueil gastronomique français, le Viandier de Taillevent.

Taillevent nous donne une précieuse recette de l'aillée de moutarde fort prisée à l'époque :

« Prené demi douzaine de gousses d'aulx et les escaillez et passez par l'estamyne avec la moustarde et y mettez demye once de gingembre et n'y mettez aultre d'estrempaige que de vert jus et quand la ferez boulir mettez y du beurre dedans et est la dicte saulce bonne sur merlus fruts et sur aultres poissons ».

Dès cette époque, Dijon était réputée pour ses moutardes. Il y en avait, comme nous l'avons déjà vu, de la grise et de la rouge. Depuis le 14°, on y fabriquait aussi de la moutarde sèche et de la liquide.

Savelette, le premier, fabriqua la moutarde fine que le sieur Maille, de réputation mondiale, perfectionna encore. Il fabriqua 24 sortes de moutarde, à l'ail, aux truffes, à la ravigote, à l'estragon, aux anchois... et ses concurrents s'ingénièrent à en fabriquer des variantes toutes aussi délectables les unes que les autres. Le sieur Bardin, notamment, en inventa 40 dont la moutarde au Champagne, aux champignons, pour dames, l'une aromatique l'autre digestive, aux mille fleurs, à la rose, à la vanille.

Un troisième s'attacha à enlever ce qui restait d'amertume. « La moutarde, disait-il, est une raisinée particulière dans laquelle on jette du sénevé broyé avec un peu d'eau et quand le tout est bien mélangé on y éteint des charbons ardents pour oter au sénevé son amertume ».

A Dijon, la moutarde se faisait en grand ; les communautés religieuses même avaient chacune leur moulin dont elles ne manquaient pas de tirer profit et, si le roi de France n'en possédait point, la Moutarde avait toujours une place de choix sur sa table et celle des grands qui, tous, en consommaient largement. Dans un festin offert par le duc Eudes à Philippe le Bel, on en consomma, dit-on, un poinçon entier.

Aujourd'hui, la moutarde jouit de la même faveur auprès de tous. Un plat de boudins ou le traditionnel bœuf bouilli ne se conçoivent pas sans sa compagnie.

De nos jours, la moutarde de table se fait en poudre ou en pâte ; la première de ces préparations étant surtout fabriquée en Angleterre où les graines de moutarde sont additionnées de divers condiments chers aux palais anglo-saxons : le curcuma et le gingembre surtout.

En France, les moutardes en pâte sont les plus fréquentes et on y ajoute également une foule de condiments divers, surtout des aromates ; de l'estragon, et de la sarriette.

On en distingue de très nombreuses variétés suivant le lieu de fabrication : celles de Bordeaux très épicées, celles de Meaux dites moutardes grises parce qu'elles sont faites avec des graines ayant conservé leurs téguments ; celles, enfin, de Dijon, dites moutardes blanches auxquelles leurs téguments ont été enlevés.

Mais, comme chacun a ses propres goûts, voici pour terminer une formule classique que l'on peut préparer en famille :

Choisir des graines de moutarde aussi récentes que possible ; les faire tremper dans l'eau pendant 12 heures ; les broyer dans un moulin à moutarde, puis une deuxième fois pour les rendre plus fines. Ajouter à la moutarde une partie égale de vinaigre chaud et de moût de raisin. Remuer jusqu'à ce que le tout forme une pâte claire.

A cette moutarde, dite au naturel, on peut ajouter à volonté des feuilles d'estragon, des ciboulettes, du cerfeuil, de l'ail et même des têtes de céleri, le tout réduit en purée.

Voici encore une recette de moutarde de ménage un peu plus relevée :

Mélez ensemble : échalotes pilées, 30 g ; poivre noir en poudre, 12 g ; sel de cuisine, 120 g ; poudre de moutarde, 500 g ; 3 muscades pulvérisées ; 8 g de poudre de piment ; 60 g de raifort rapé ; vinaigre aromatique, 250 ; bouillon en quantité suffisante pour donner de la consistance. Remuer le tout avec un fer rougi au feu.

Avec cette préparation, toute ménagère risque peut-être que la moutarde soit trop forte, et qu'elle monte au nez, mais elle pourra rivaliser avec les meilleures marques et faire mentir le dicton :

« il n'est de moutarde qu'à Dijon ».

Pour terminer cette histoire de la moutarde rappelons le spirituel quatrain :

« De trois choses Dieu nous garde
Du bœuf salé sans moutarde
D'un valet qui se regarde
D'une femme qui se farde. »

et parions que plus d'une maîtresse de maison, observant scrupuleusement le deuxième vers, négligera certainement le dernier.

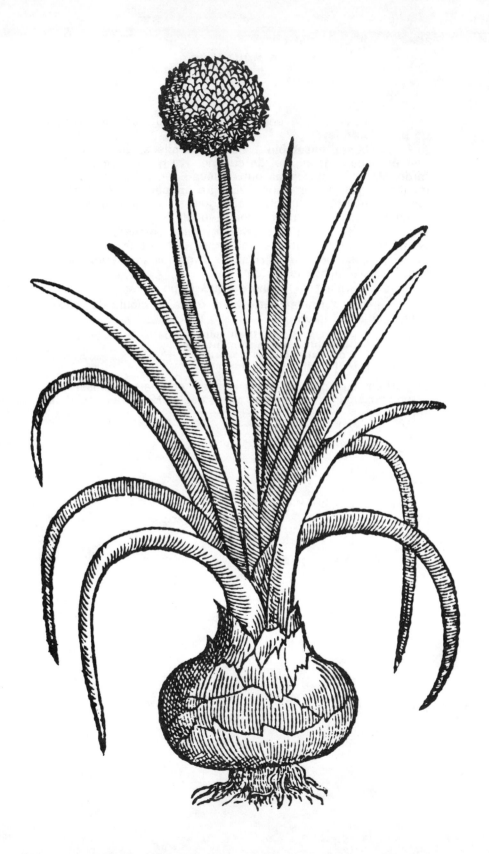

l'oignon

CARACTÉRISTIQUES

L'Oignon est probablement le premier et le plus ancien des légumes condimentaires ; il en est certainement le plus populaire et le plus utile.

C'est aussi le chef de file côté femme, l'ail étant du côté de l'homme, d'une grande tribu — celle des alliums — caractérisée par l'odeur particulière qui se dégage de l'huile essentielle contenue dans leurs bulbes et qui comprend de nombreuses plantes condimentaires, jusqu'au poireau en passant par l'échalote, les ciboules et l'ail rocambole, tous légumes cultivés dans tous les jardins potagers.

Au point de vue botanique, toutes ces plantes appartiennent à la famille des Liliacées dont le lis emblème a juste titre royal est le chef de file tandis que le pauvre .oignon n'en est que le porte-drapeau utilitaire.

Silhouette familière de nos potagers avec sa longue hampe vert bleu et surtout l'ombelle sphérique de ses fleurs blanchâtres, l'oignon présente de nombreuses variétés par la forme de son bulbe qui peut être discoïde, sphérique ou piriforme, et surtout par la teinte de sa tunique qui constitue une gamme d'une rare richesse de couleurs, allant du blanc nacré au pourpre violet, en passant par l'incarnat, le rose saumon ou le cuivre doré.

Les différentes variétés d'oignons, modifiées par la culture, le sol ou le climat, ont fini par donner naissance à de nombreuses races locales différenciées par leur couleur : les blancs, les jaunes, les rouges.

Parmi les premières, on distingue :
— le blanc hâtif de Paris, espèce précoce utilisée avant son développement complet ;
— le petit hâtif de Florence ;
— le petit hâtif de Valence.

Parmi les oignons jaunes :
— le jaune paille des vertus, cultivé pour la consommation hivernale, objet d'une grande culture aux environs de Paris ;
— le jaune de Mulhouse, au bulbe plus petit ;

— le géant d'Espagne au bulbe spérique gros comme une orange, de couleur jaune paille clair.

Parmi les rouges :

— l'oignon rouge pâle ordinaire ;
— le rouge pâle de Nicot, au bulbe aplati, rose un peu cuivré, très productif et apprécié un peu dans toute la France ;
— l'oignon de Madère, rond ou plat, le plus gros des oignons, surtout dans le Midi.

Et bien d'autres encore comme le Géant de Rocca, l'oignon piriforme et l'oignon patate (caractérisé par l'absence de graines, composé de plusieurs bulbes soudés en une masse arrondie).

Entre toutes ces espèces innombrables, dérivant d'un type commun, il existe peu de caractères distinctifs pour les séparer les uns des autres, mais toutes ces variétés, des sous-espèces plutôt, ont en commun un bulbe alimentaire, contenant un abondant mucilage, riche en sucre et en fécule, dont la saveur est plus ou moins douce, plus ou moins accentuée.

La patrie d'origine de l'oignon est l'Asie centrale, la Perse et les plateaux iraniens où il a été employé depuis les temps préhistoriques.

Son nom botanique de « cepa » vient du latin caput (tête) parce que, disent les textes anciens, « sa sommité et sa racine ont des figures de tête ».

Quant au terme français d'oignon, il provient du latin populaire « unio », c'est-à-dire union parce que son bulbe est unique alors qu'il est groupé dans les autres « allium ».

Etymologie discutée par certains qui rattachent le mot oignon à une racine sanscrite « ushna », littéralement chaud, piquant.

En tout cas, après « uniones » dans les Capitulaires, on trouve dès le XIe siècle, le mot « ungeons », puis la forme « oingnons » dans le Livre des mestiers du 13e.

HISTOIRE

Plusieurs milliers d'années avant notre ère, les Chaldéens cultivaient l'oignon et s'en servaient dans leurs opérations magiques. C'était, chez les Egyptiens, un objet de tant de considération qu'il avait été déifié et vénéré à l'égal d'un dieu :

« L'histoire enfin nous explique
Que cherchait l'Egypte antique
Qu'il cherchait l'Egypte antique
Un encensoir à la main. »

Symbole religieux, l'oignon a été souvent représenté sur les fresques des tombeaux où l'on voit des prêtres déposer un bouquet d'oignons sur des autels funéraires.

On en a même trouvé dans un sarcophage dont la momie tenait des oignons serrés dans sa main.

Objet du culte et plante sacrée, l'oignon était aussi un des légumes les plus appréciés du peuple. Avec l'ail, le poireau et le radis, c'était une des nourritures habituelles des ouvriers employés à la construction des Pyramides.

La Bible nous apprend que les Hébreux appréciaient la valeur alimentaire de l'oignon — le bezalim — et le regrettèrent à leur sortie d'Egypte lorsqu'ils durent affronter les rigueurs du désert.

Déjà connu des Grecs au temps d'Homère, il était employé en cuisine. Pour Socrate l'oignon augmentait la force et le courage des guerriers. Pour certains, c'était l'emblème de la tristesse parce qu'il faisait pleurer ainsi que nous le dit Aristophane dans les « Grenouilles » ; pour d'autres, comme Nicitas du banquet de Xenophon, il faisait boire plus largement et plus agréablement.

Les Grecs en connaissaient plusieurs espèces : l'oignon de Sarde, de Samothrace, l'alsidine, que malgré l'odeur ils employaient comme assaisonnement des sauces.

A Rome, l'oignon devint rapidement un objet de grande consommation ; ce fut pendant longtemps la nourriture par excellence du soldat romain à qui il donnait des forces.

Pour Collumelle c'était le « lacrymosa cœpa » et Palladius, ainsi qu'Apicius, en donne des recettes-culinaires.

Bien qu'il fut considéré comme un légume vulgaire, réservé à la basse classe — ainsi que Plaute nous l'apprend en qualifiant un de ses acteurs de « gueux plus bourré d'oignons que tous les forçats des galères romaines » et Juvénal dans une de ses Satires ne manque pas d'ironiser l'adoration des Egyptiens pour un tel légume qui fait verser des larmes tout en excitant la soif :

« C'est un sacrilège que de presser sous la dent le poireau ou l'oignon : Oh ! la sainte nation qui voit naître dans ses jardins de pareilles divinités » —.

Malgré cela, les médecins ne négligeaient pas les propriétés médicinales. Dioscoride le recommandait pour chasser l'urine ; Pline, après en avoir décrit plusieurs espèces dont l'oignon des Gaules et celui d'Afrique, en vantait les bienfaits, guérissant les ulcères, dissipant les hémorroïdes en suppositoires, et dont le « suc pris avec du fenouil était merveilleux contre hydropisies, avec du miel il réussissait contre les angines, qu'avec du vinaigre c'était un topique et que, bu avec de l'eau, il était radical pour ceux qui étaient frappés d'un mutisme soudain ».

Au Moyen-Age, l'Ecole de Salerne le considère comme un légume d'hiver salutaire pour le phlegme, l'estomac, et propriété assez inattendue, contre la calvitie :

**« frotte d'oigons broyés au crâne dénudé
bientôt au front fleurit l'ornement demandé. »**

Les Arabes, qui l'appelaient « bassal », l'utilisèrent en médecine contre la peste, suivant les préceptes de Mahomet :

« si vous craignez la peste dans un pays, mangez de ses oignons après avoir bu de son eau ».

En France, l'oignon était très en vogue, surtout celui de Corbeil, d'un tel rouge que l'expression « rouge comme oignons de Corbeil » était devenue populaire. Tous les ans il y avait une foire aux oignons qui se tenait sur le parvis de Notre-Dame où les bourgeois venaient faire leur provision d'hiver et beaucoup devaient s'en contenter :

**« Si tu te trouves sans chapon
sois content de pain et d'oignon. »**

L'oignon était cultivé un peu partout, surtout à Corbeil et à la Ferté, si bien que Ch. Estienne, au 16ᵉ, ajoutait au nom de cette petite ville celui de Ferté-Loignon et les regrattiers du Moyen-Age et de la Renaissance vendaient l'oignon avec les aulx.

Il faisait partie de ce que l'on désignait sous le terme général « d'aigrum », légumes aigres et âcres, avec les aulx, les citrons et les châtaignes et que vendaient les regrattiers.

Remède doué de nombreuses propriétés médicinales, l'oignon était un légume apprécié de tous malgré son odeur qui faisait dire à Shakespeare dans le « Songe d'une nuit d'été » : « Acteurs, mes bons amis, ne mangez pas d'oignons car nous devons avoir une bonne haleine ». L'oignon entra même dans la politique, privilège rare pour un légume, sous Louix XIII, pendant la lutte soutenue par le Parlement contre Mazarin ; les cours de Paris et de Province assemblées rendirent, malgré le Cardinal, l'arrêt connu sous le nom « d'arrêt d'Oignon », leur conférant le droit de s'occuper des affaires de l'Etat.

THÉRAPEUTIQUE

A toutes les époques, l'oignon a été utilisé pour ses vertus médicinales. Si certains médecins, comme Ambroise Paré, le préconisaient comme antidote des poisons et que d'autres, tel Lémery, lui conféraient de multiples proprié-

tés « apéritives, digestives, propres pour la pierre, l'hydropisie, le scorbut, l'asthme, pour les vers, la surdité, pour faire
murir les abcès », c'est surtout comme diurétique que l'oignon a retenu l'attention des médecins, emboîtant le pas à
Dioscoride, à Platine de Crémone — qui déclarait « la cepa
bonne pour diviser les humeurs glueuses, ouvrir la bouche
des veines et yssir l'orine » — et à Lieutaud — qui trouvait
que « quatre Oignons macérés dans du vin blanc valent mieux
pour les reins que les drogues les plus énergiques » —

Les phytothérapeutes du siècle dernier : Roques,
Cazin, Serre et plus près de nous Leclerc, ont utilisé la
cure d'oignons pour guérir l'hydropisie, l'ascite et l'œdème.

D'après Cazin, le vin rouge dans lequel on a fait
macérer un oignon coupé en morceaux est un vermifuge certain. Serre a guéri plusieurs hydropisies par la diète lactée et
des oignons crus. Des médecins nantais ont même triomphé
d'un diabète albumineux avec trois soupes au lait quotidien-
nes et deux oignons crus hâchés à prendre avec la soupe.

Cuit, l'oignon est reconnu comme un excellent
émollient adoucissant et pectoral. L'abbé Kneipp recommandait des tranches d'oignon cuites dans du lait contre la colique, les douleurs abdominales, et la flatulence. On peut en
préparer des tisanes béchiques ou des sirops au miel qui
sont excellents dans les rhumes, les catarrhes et les décoctions de réglisse pour faciliter l'expectoration, calmer la
toux et les enrouements.

A l'extérieur, c'est un remède très utilisé dans les
campagnes, sous forme de cataplasmes dans les engorgements, les furoncles, les anthrax, les panaris dont il hâte la
maturation.

Pilé et mêlé à du beurre frais, il calme les douleurs
hémorroïdaires ; et un peu de son suc frais mis dans l'oreille est réputé calmer les douleurs du conduit auditif et même
permettre aux sourds d'entendre.

Si l'on en excepte ces remèdes de bonnes femmes,
mais utiles toutefois et non négligeables, c'est surtout comme diurétique que l'oignon peut rendre des services dans
l'oligurie et la rétention de liquides, grâce à l'action du sulfure d'allyle que contient sa pulpe.

On le prend sous forme de vin composé d'un
oignon cru écrasé à raison de 300 g pour 600 g de vin blanc
additionné de 100 g de miel ou sous forme d'alcoolature
obtenue par macération de pulpe d'oignon pendant 10 jours
dans l'alcool.

Enfin, s'il était besoin d'ajouter d'autres propriétés
pour célébrer les mérites de l'oignon, signalons qu'il sert
souvent dans les campagnes de baromètre pour prévoir, dès
le 25 décembre, le temps pour toute l'année suivante. Nos

paysans avisés enlèvent la partie charnue de l'oignon pour en faire 12 morceaux qu'ils placent l'un à côté de l'autre. Le premier correspond au mois de janvier, le second à février et ainsi de suite. Dans chaque morceau, ils mettent un peu de sel. Les écailles où le sel fond correspondent aux mois pluvieux, les autres aux mois secs. Mais n'oublions pas que pour être valable, cette petite opération doit se faire la nuit de Noël...

GASTRONOMIE

Doux et sucré dans le Midi, l'oignon y est considéré comme un aliment, facteur de santé grâce à sa richesse en vitamines A, B, et C, à la présence dans sa pulpe de fer, de chaux, de phosphore, de calcium, de soufre d'iode et de sucre, ce qui lui permet d'être utilisé dans maints régimes de diététique.

Ses propriétés varient suivant qu'il est cru ou cuit et, si les estomacs le digèrent facilement, il risque d'être nuisible pour certains tempéraments bilieux et sanguins.

Mais pour tous, la fameuse soupe à l'oignon est un reconstituant utile et agréable après les excès bachiques et la « gratinée » est un véritable régal.

La soupe à l'oignon, surtout quand elle est gratinée, est une des préparations culinaires les plus hygiéniques, considérée pour remettre en place la tête et l'estomac après une nuit de libations et d'excès gastronomiques.

Comme garniture accessoire d'un mets, il est bien supporté et les oignons farcis ont fait la réputation du village de Lagarde près de Toulon.

Les petits oignons, brûlés et mis en boules, servent à donner de la couleur au pot au feu et aux sauces, dont beaucoup lui doivent leur réputation. Crus et mis dans du vinaigre avec de l'estragon, ils réalisent les « pickles » appréciés des gourmets comme accompagnement des viandes froides.

Mais, le chef-d'œuvre culinaire de l'oignon est la célèbre purée Soubise, délicate à faire mais combien précieuse pour accompagner les côtelettes d'agneau ou les rouelles de porc.

Perdant par la cuisson son odeur et son âcreté, l'oignon ainsi préparé est un véritable velours pour l'estomac des gastronomes qui, grâce à lui, ne risquent jamais d'indigestion.

la pimprenelle

Le nom de Pimprenelle, si gentil et si poétique, tout évocateur de grâce et de jeunesse, ne laisse pas supposer qu'il s'applique à une vulgaire herbe reconnue seulement par quelques-uns, pour ses usages alimentaires ou plus exactement condimentaires.

CARACTÉRISTIQUES

Ce nom ne conviendrait pas, d'ailleurs, à la pimprenelle, qui n'est qu'une plante herbacée aux fleurs sans corolle et sans éclat, si une espèce — la Grande Pimprenelle — n'attirait le regard grâce à ses fleurs d'un beau rouge pourpre qui dominent, du haut de leurs tiges dressées, les autres herbes au milieu desquelles elle pousse dans les prés, les lieux incultes et les bois.

Les botanistes distinguent deux sortes de pimprenelles ou plus exactement de Poterium Sanguisorba, comme ils les appellent.

La Petite Pimprenelle, aux tiges rougeâtres donnant naissance à des rosettes de feuilles vert clair et à des fleurs verdâtres, espèce qui est répandue surtout dans les paturages et les prés marécageux où, comme nous le dit le charmant Olivier de Serres, si amoureux de la Nature : « croist la pimprenelle poussant sans artifice es-champs non labourés ».

Cultivée dans de rares jardins potagers, pour ses propriétés condimentaires, cette espèce c'est la Pimprenelle des jardins, la petite sanguisorbe.

A côté d'elle, on trouve la Grande Pimprenelle, aux feuilles plus grandes et aux fleurs rouge sang, commune elle aussi dans les prés humides et qui constitue l'espèce médicinale : c'est la Pimprenelle des Prés, la véritable sanguisorbe.

Ce terme de « sanguisorbe » vient du latin sanguis — sang — et de sorbere — absorber — et lui a été donné par le botaniste allemand de la Renaissance, Fuchs, en raison de la théorie des « signatures » et de ses propriétés hémostatiques.

Pimprenelle est un terme dérivé du bas-latin « pimpinella », employé surtout au 15° siècle et provient de piper — poivre — par allusion à sa saveur poivrée, à moins qu'il ne provienne également du bas-latin « bipinella » à cause, dit Lémery, « que ses feuilles sont rangées deux à deux le long de leur tige comme celle du pin ».

HISTOIRE

Inconnue des Anciens, la pimprenelle apparaît seulement dans les textes médicaux du Moyen-Age, encore qu'elle soit souvent confondue avec les Boucages.

Pour Ste-Hildegarde, elle ne présente aucune valeur, ce qui est bien étonnant de la part de cette grande phytothérapeute qui la considère tout juste comme une amulette contre les incantations.

C'est à la Renaissance que Fernel lui attribue des propriétés qui devaient lui valoir sa réputation, proprietés propres à arrêter les hémorragies et aussi contre la rage, ce qu'il tenait, paraît-il, du Grand Veneur d'Henri II

Dans le « Trésor d'Evonyme », Gessner lit mention d'une recette attribuée à Raymond Lulle, l'alchimiste catalan, d'après laquelle « on en faict une huyle beue à jeun qui dissoult et chasse toute gravelle et pierres de la vescie ».

Les Arabes la connurent et l'employèrent. Mathiolle reprenant Ibn-el-Baithar — un de leurs pharmacologues — lui reconnaît d'excellentes vertus hémostatiques si bien illustrées par la belle légende hongroise suivante :

Csaba, fils d'Attila, blessé au cours d'un combat contre 15.000 guerriers Huns, fut guéri et ses hémorragies arrêtées net par simple application d'un emplâtre à base de pimpinella, connue depuis sous le nom de « Csabaire ou Baume de Csaba ».

Mais rien ne vint plus tard confirmer ces vertus hémostatiques si bien que la Petite et la Grande Pimprenelle tombèrent dans l'oubli le plus total au cours des 18 et 19° siècles.

THÉRAPEUTIQUE

On admet, cependant aujourd'hui, que les pimprenelles possèdent d'autres propriétés : diurétiques, astringentes, stomachiques, qui permettent de les utiliser dans l'atonie digestive, la diarrhée, la dysenterie et la gravelle.

On les emploie :
— en infusion ou en décoction de toute la plante, à raison de 40 g par litre d'eau,

— en alcoolature à raison de 40 gouttes dans une infusion d'anis,

— ou encore sous forme de thé stomachique à la dose de 5 g par tasse en y joignant du fenouil, du carvi, de l'anis et de l'angélique, car la plante possède une saveur assez fade, comparable à celle du concombre.

Le Dr Leclerc, qui s'est intéressé tout particulièrement à la Pimprenelle, préconise la formule suivante dans les diarrhées amibiennes et les entéro-colites avec séquelles :

alcoolature de pimprenelle 10 g

sirop de consoude   Q.S. pour 300 g

et attribue ses propriétés astringentes au tanin et à l'huile essentielle qu'elle contient, suffisamment efficaces d'après cet auteur, pour modifier et normaliser les secrétions intestinales.

Toujours d'après le même auteur, la pimprenelle est douée de propriétés carminatives propres à débarrasser l'estomac et l'intestin des fermentations, des flatulences et, plus généralement, de toutes ces « humiliations gaies de la chair », combien bruyantes et combien désagréables.

En médecine populaire, la pimprenelle est surtout utilisée à l'extérieur, comme topique sur les brûlures et, encore mieux, pour ses vertus galactogènes, par simple application de ses feuilles sur les seins des nourrices.

GASTRONOMIE

En raison de sa saveur très particulière, comparable à celle du concombre, mais bien plus fine, se rapprochant de celle du musc, la pimprenelle a été depuis longtemps utilisée comme plante condimentaire.

Déjà, Platine de Crémone, dans le Grand Cuisinier, trouve « qu'elle donne appétit et volupté à ceux qui la mangent » et Brunyerius considère « qu'une salade sans pimprenelle paraît insipide aux gourmets ».

Porta l'apprécie surtout pour son parfum : « écrasée, elle fait monter aux narines une odeur de melon et les réjouit par un parfum merveilleusement suave ».

Aussi, ne doit-on pas s'étonner si la pimprenelle a inspiré des poètes gastronomes comme en témoignent les « Divertissements d'amour » du 17ᵉ siècle :

« **Herbes agréables à l'œil**
délicatesses bien sucrées
de ciboulettes et de cerfeuil
de pimprenelle et de chicorée »

et aussi une vieille chanson populaire piémontaise :

**« point de salade sans pimprenelle,
point d'amour sans une belle damoiselle ».**

Malgré les efforts de La Quintynie, jardinier de Louis XIV, qui tenait la pimprenelle en haute estime et la cultivait dans le potager royal de Versailles, elle est rarement utilisée aujourd'hui, en dépit de sa saveur agréable, et n'accompagne que bien rarement les laitues auxquelles ses tendres feuilles communiquent un goût légèrement musqué.

Les Anglais, pauvres en vins corsés, en font la base de leur cool-tankard, composé de vin, de poivre et de pimprenelle et, de plus, ne dédaignent pas de les confire comme les capucines.

En France, elle est très rarement cultivée dans les potagers. Après avoir soigné l'estomac débilité des hommes et leurs intestins malades, après leur avoir procuré de l'appétit en l'associant à des salades fraîches et appétissantes, la pimprenelle sauvage n'est plus considérée que comme un excellent fourrage dont sont friands les moutons, les vaches et les lapins qui peuvent en trouver à foison dans les prairies parmi les luzernes et le sainfoin, ce qui permet aux uns d'améliorer la délicatesse de leur chair, et aux autres, d'augmenter leur lait et de communiquer au beurre une indéfinissable odeur.

C'est par ce moyen détourné que la petite pimprenelle trouve encore le moyen d'être utile aux hommes.

le raifort

Pour les Parisiens, assez peu versés en botanique, le Raifort c'est le radis noir — raphanus sativus niger — alors que pour les botanistes c'est le Cochlearia Armoracia ; d'autres le confondent encore, à cause de son nom de genre, avec le cochléaria officinal, plus vulgairement appelé « l'herbe aux cuillères ».

L'erreur n'est pas grande, car ces trois plantes appartiennent à la même famille, descendant d'un ancêtre commun : le raphanus maritimus, et peuvent être considérées, toutes trois, comme présentant de nombreux caractères et des propriétés communs. Mais leur aspect offre bien des différences difficiles à échapper même aux yeux d'un profane en botanique, sauf entre le cochléaria, dont la tige est frêle et les feuilles petites en forme de cuiller, et le raifort, plus souvent appelé grand raifort qui, lui, est une véritable force de la Nature.

CARACTÉRISTIQUES

Le raifort est une plante vivace, à racine longue et grosse, pouvant atteindre un mètre. D'un brun jaunâtre à l'extérieur, elle offre à l'intérieur une chair fibreuse et blanche qui possède une saveur forte et brûlante rappelant celle de la moutarde.

Sa tige dressée, qui atteint parfois plus d'un mètre, se termine par un collet duquel partent des petites branches à l'extrémité desquelles se trouve un bouquet de feuilles dont les premières, qui apparaissent au printemps, sont petites mais dont les suivantes, légèrement dentelées, peuvent atteindre 50 cm de long et 15 de large.

Les fleurs, petites et blanches, sont assez odorantes ; elles forment des épis longs d'environ 70 cm ; les fruits, comme ceux de toutes les crucifères, sont de petites silicules globuleuses, déhiscentes, contenant des graines ovïdes, généralement stériles.

Mais ce qui reste sa caractéristique principale, c'est sa racine, marquée de cicatrices laissées par les feuilles tombées, qui peut atteindre 2 à 3 cm de diamètre et qui se divise en nombreux rejets latéraux.

La nom de raifort, dérivé du latin « radix » — racine — devenu en vieux français « raiz », signifie racine forte, ce qui est bien le cas. Mais le raifort est aussi appelé cran, cranson et surtout cran de Bretagne à cause du nom botanique d'armoracia qui n'a cependant rien de commun avec l'Armorique car il n'existe pas à l'état sauvage en Bretagne.

Ce terme « d'armoracia » vient de celui employé jadis par Pline pour désigner une espèce de radis sauvage de la région du Pont : l'armon, dont les latins ont fait armoracia, et dont, par suite d'une traduction erronée, on a fait « armorique ».

Le terme de cochlearia vient du grec « colchear » — cuiller — par allusion à la forme de ses feuilles ; quant au nom de « cran », il provient du slave « chren ». C'est, en effet, d'après de Candolle, une plante originaire d'Europe orientale, de Russie ce que vient confirmer le nom de « moutarde des Allemands » sous lequel le raifort est parfois appelé.

Il est probable que la culture a naturalisé la plante d'est à l'ouest depuis plus d'un millier d'années et que le type original s'est modifié pour donner le raifort proprement dit, le radis et le cochlearia.

Le raifort se rencontre, sous sa forme sauvage, dans les endroits frais, au bord des ruisseaux, de la mer et dans les endroits marécageux.

Ne donnant pas de graines, le raifort cultivé se multiplie en plantant des éclats de racines. Il est cultivé soit comme plante annuelle, soit bisanuelle, et nécessite des terres riches, profondes et bien fumées.

HISTOIRE

La culture du raifort est assez ancienne mais ne remonte pas jusqu'à l'Antiquité ; il semble que le vrai raifort n'ait été connu que depuis le Moyen-Age, car il est probable que les différents noms que lui attribuèrent les Anciens correspondaient à d'autres plantes, notamment celle que Pline désignait sous le nom d'armoracia, ne possédait pas l'odeur caractéristique du raifort. Il y avait d'ailleurs parmi toutes les espèces de cricifères une perpétuelle confusion de noms parmi lesquels il est bien difficile de s'y reconnaître avec exactitude. Au bénéfice du doute, accordons le nom de raifort aux différentes plantes désignées par les Anciens sous les noms de raphanus, d'amoracia ou de radix.

Selon Pline, les Egyptiens estimaient le raifort pour ses propriétés médicinales et comme seul capable de guérir le « phiriasis qui attaque le cœur ».

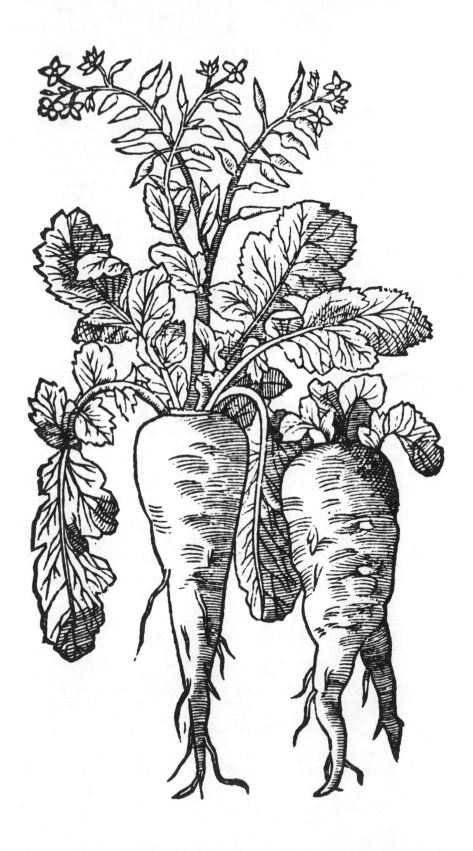

Chez les Grecs, Moschion lui a consacré un traité entier ; Démocrite le considérait comme aphrodisiaque ; Praxagoras lui reconnaissait la vertu de calmer les douleurs de l'ombilic ; et Medices le recommande pour augmenter le lait.

Pour Hippocrate, le raifort diminuait le volume de la rate, était utile au foie et pour lutter contre l'hydropisie. Il avait probablement raison, mais les Grecs l'utilisaient autant pour sa valeur alimentaire et ses propriétés condimentaires que pour ses vertus thérapeutiques. Aussi ne faut-il pas s'étonner qu'Apollon, lui-même, lui décerna les plus grandes louanges.

Après avoir été consulter à Delphes la célèbre Pythie sur le mérite respectif des légumes, il s'empressa de proclamer que le « radix » était bien supérieur à tous et que si la rave valait son pesant de plomb, la blette son pesant d'argent, le Raphanus, lui, valait son pesant d'or :
« Ex auro ut raphanum sacravit pondere
Beta argenti, plumbum rapa fuisse ferunt ».

Quel plus bel éloge jamais décerné à un légume condimentaire par le père des Dieux, lui-même Dieu de la Médecine, sous les traits d'Aesculape.

A Rome, le raifort servait de condiment et de remède. C'était un aliment apprécié en hiver. Il était cependant considéré par le peuple comme un aliment de mauvaise compagnie, peu apprécié à cause des renvois qu'il provoquait. Apicius le trouvait pourtant de goût assez faible et, pour le renforcer, l'accompagnait de vin poivré ou de l'inévitable garum. Son huile était appréciée en cuisine, surtout celle produite par le raifort du Mont-Algide. Caton en a décrit la culture.

Parmi les médecins, Pline lui attribue toutes sortes de vertus : « les personnes assoupies doivent manger des raiforts aussi âcres que possible, les asthmatiques la graine rôtie ou pilée avec du miel ».

Ce n'est qu'au 4e siècle que Palladius fait une distinction entre le radis et le raifort. Au Moyen-Age, si les Capitulaires n'en parlent pas, l'abbesse Hildegarde, en bonne germanique qu'elle était, ne manque pas de le recommander dans les maladies de poitrine, des reins, contre la jaunisse, la fièvre, l'eczéma.

A la Renaissance, Ruellius indique que le Raifort était cultivé en Italie sous le nom d'armoracia. Fuchs le signale comme la plante condimentaire par excellence de Germanie, ce que confirme Camerarius qui nous apprend que le raifort, sous le nom de « kren » servait aux Allemands, aux Hongrois et aux Polonais pour assaisonner leurs aliments.

Dès cette époque, les Anglais s'en servaient également, sous le nom de « horse radish » — radis de cheval —

comme moutarde pour accompagner la viande et les poissons. Cultivé surtout en Bavière, Gibaut a relevé le Raifort, en compagnie « des porées, des oignons, des fèves et des naveaulx » dans un compte des dépenses de Charles-Quint de 1533. Il semble bien que, dès ce moment, le raifort ait été continuellement utilisé dans les pays germaniques tant en médecine qu'en gastronomie.

THÉRAPEUTIQUE

Son utilisation thérapeutique ne remonte vraiment qu'au 18e siècle et, comme toutes les crucifères il a été employé pour ses vertus diurétiques, antiscorbutiques, excitantes, toniques, expectorantes et surtout révulsives (à la place du sinapis).

Borhaave en nettoyait l'estomac et les reins. Pour Rayger c'était un spécifique des rhumatismes ; il cite le cas d'un soldat hongrois qui, ayant reçu une forte bastonnade de la part des Turcs, dont il souffrait le martyre, ne put se délivrer de ses douleurs qu'en s'enveloppant d'un cataplasme de raifort rapé.

Pour Gilibert, qui l'appelait « armoracia lapathifollia », c'était le plus puissant des diurétiques, en macération dans le vin blanc contre l'hydropisie, la gravelle et toutes les manifestations arthritiques.

Aujourd'hui, le raifort est surtout valable pour ses propriétés antiscorbutiques et révulsives bien que de nombreux phytothérapeutes, comme Cazin, l'aient employé dans la scrofule, le rachitisme et la chlorose infantile.

Le Dr Leclerc l'utilisait toujours dans la tuberculose pulmonaire ; Eckstein et Flamm dans l'insuffisance gastrique et intestinale.

Utile à l'intérieur, le raifort l'est également à l'extérieur, comme révulsif. Un cataplasme de racine rapée procure au bout de 20 minutes une sensation de brûlure cuisante ; ses feuilles écrasées remplacent parfois un sinapisme de farine de moutarde. Aussi le préconise-t-on contre les maux de tête, les névralgies, les crampes d'estomac, les douleurs rhumatismales, les lumbagos et les sciatiques.

A la campagne, où on se sert du raifort sauvage doué des mêmes propriétés, on le prend sous forme de sirop pour lutter contre les toux quinteuses et la coqueluche. On coupe alors les racines en tranches minces, on les recouvre de sucre, puis le sirop est pris par cuillerées à soupe 3 fois par jour.

Le Dr Leclerc signale même avoir vu un cas d'infarctus pulmonaire avec pleurésie peu abondante céder devant un cataplasme de pulpe rapée de raifort. Au bout de 40 minutes, ce cataplasme détermina une intense rubéfaction avec deux grosses phlyctènes suivies de sédation des symptômes douloureux.

Les propriétés du raifort sont dues à une huile volatile sulfurée, d'odeur insupportable. Cette huile contient un glucoside, la sinigrine qui se décompose, sous l'influence d'un enzyme, en sulfocyanate d'allyle, essence incolore, âcre et rubéfiante, et en soufre organique.

On emploie le raifort, soit :
— en infusion de 15 à 30 g par litre,
— ou en macération, de 15 à 30 g de racine fraîche dans un litre de vin blanc ou de bière.

Mais plus souvent, sous forme de sirop antiscorbutique, selon la formule préconisée par le Dr Leclerc :

      250 g de feuilles de cresson
      250 g de racines de raifort
       25 g de feuilles de menyanthe
      125 g de sucre
      pour un litre de vin blanc aromatisé de quelques grammes de cannelle.

Ce sirop s'emploie contre le rachitisme et la scrofule à raison de 25 g par jour.

Dans cette dernière indication, on peut lui ajouter 10 g de teinture d'iode pour obtenir le sirop de raifort iodé.

GASTRONOMIE

Depuis les gastronomes romains qui l'appréciaient si fort, au point de le représenter sur une fresque picturale de Pompéi, le raifort est resté d'un usage courant comme condiment dans les pays de l'est et du nord de l'Europe, surtout en Allemagne où il est présent sur presque toutes les tables et d'un usage aussi profitable que la bière aux estomacs germaniques.

En France, particulièrement en Alsace et dans les Vosges, il est apprécié pour ses propriétés stimulantes et stomachiques à la fois comme remède, comme légume et comme apéritif.

Rapé et réduit en pulpe, additionné d'un peu de sel et de vinaigre, il constitue un hors d'œuvre presque obligatoire pour exciter les appétits les plus récalcitrants.

A presque tous les repas, il est servi soit cru, comme salade ou pour accompagner les sauces remoulades ou mayonnaise, soit cuit, pour relever les tranches de bœuf rôti, corser les bouillons et le pot au feu, corriger le goût, et relever les plus lourdes charcuteries, les ragoûts les plus plats, renforcer encore les gibiers les plus faisandés et redresser les sauces aux poissons.

Le raifort est même doué d'une telle force que certains cuisiniers diminuent son âcreté en mélangeant 100 g de raifort à un litre de crème bouillie et salée. Mélange peu agréable à la vue mais qui suffit pour pallier les effluves soufrés exhalés par le raifort auquel de nombreux gastronomes préfèrent parfois la chair blanche et moins piquante de son congénère, le petit radis.

Ce petit radis serait d'ailleurs bien à sa place parmi les condiments et soutiendrait la comparaison avec son congénère géant. Rappelons que c'était un des condiments favoris du célèbre Dr Gruby, aussi original que fin psychologue et excellent thérapeute qui, à la fin du siècle dernier, prescrivait à ses malades atteints d'anorexie, de se munir d'une botte de radis roses bien charnus et d'aller les croquer en lisant le menu affiché à la devanture d'un restaurant réputé de l'époque. L'effet en était, parait-il, radi... cal et bien peu d'estomacs amorphes restaient indifférents à l'appel des bonnes choses que leurs propriétaires pouvaient lire sur le menu... ô radis des actions psychologiques !...

Il serait difficile d'en faire autant avec une aussi grosse racine que celle du raifort, aussi préfére-t-on, aujourd'hui, l'accommoder de différentes façons pour en obtenir ce que les Allemands appellent leur « moutarde » et les Anglais leur « horse-radish », expressions qui expriment bien ses principales vertus.

Conclusion

Il y aurait encore beaucoup à dire sur les épices, les aromates et les condiments. Pour être complet, il faudrait citer également toutes les substances aromatiques et condimentaires qui, depuis l'Antiquité, ont été utilisées, puis délaissées, abandonnées ou oubliées.

Il y aurait lieu, notamment, de rappeler le fenugrec ou trigonelle qui a servi pendant si longtemps à condimenter le pain et à parfumer les fromages ; la nigelle dont les graines dégageaient une telle odeur, rappelant à la fois celle du poivre, du clou de girofle et du carvi, qu'elle était appelée l'Herbe aux Epices ; la roquette, si voisine de la moutarde et du raifort, abandonnée comme condiment et seulement encore cultivée comme salade ; le maceron, le « légume noir » de Théophraste, dont Apicius se servait, au même titre que le persil, dans ses préparations culinaires et que La Quintynie avait fini par transformer en un véritable légume ; la livèche, une des plus importantes plantes aromatiques du Moyen-Age et de la Renaissance, d'odeur et de saveur si fortes qu'elle pouvait remplacer le poivre tout en étant douée de vertus médicinales.

Et bien d'autres encore, aux noms particulièrement expressifs : l'ansérine Bon-Henri, la menthe-coq, la trippe-Madame, le plantain corne de cerf...

Sans oublier deux des plus importantes plantes médicinales utilisées également comme condiments : l'aunée et la rue, l'ancienne panacée qui entrait obligatoirement dans la Thériaque et aussi, à titre de condiment non moins nécessaire, dans le « moretum » des Romains.

A côté de toutes ces substances, est-il besoin de rappeler celles disparues ou en voie de disparition comme le silphium, le laser ou l'asa foetida ?

Faut-il voir dans ces désaffections, ces oublis et ces disparitions une conséquence de l'évolution de notre civilisation qui rend moins nécessaire à l'homme la recherche de sensations olfactives ou gustatives bien faibles à côté d'autres satisfactions qu'il peut trouver dans des découvertes scientifiques, utiles certes, mais qui risquent de faire de l'homme blasé qu'est l'homme moderne, un véritable robot sans âme, sans esprit et sans joie ?

Une telle éventualité ne semble pas devoir être à redouter, car ces épices, ces aromates et ces condiments lui sont encore trop utiles pour sa santé et son plaisir.

Au contraire, il faut plutôt prévoir un développement encore plus grand de ces substances, à la fois médicinales et condimentaires qui savent si bien joindre l'utile à l'agréable car il reste encore bien des terres inexplorées et bien des richesses végétales à découvrir.

Il y aura toujours des esprits aventureux, tentés par le mystère des pays lointains, pour aller sur les traces de Marco Polo ou de Magellan à la découverte de quelque pays encore inconnu.

Il y aura toujours quelque botaniste curieux et quelque pharmacologue averti pour découvrir de nouvelles plantes douées de propriétés médicinales inédites.

Il y aura toujours des médecins d'avant-garde désireux d'utiliser celles-ci pour essayer de mettre un terme à l'escalade sans fin de nouvelles maladies, toujours plus nombreuses et toujours plus graves, afin d'en rompre le cycle infernal.

Et, surtout, il y aura toujours des maîtres-es-art culinaire qui s'efforceront d'apporter aux gastronomes de plus en plus difficiles des sensations agréables nouvelles par l'introduction dans leur cuisine de mets inédits aux effluves aromatiques toujours plus délectables pour leurs palais jamais blasés.

A l'avance, nous devons leur être reconnaissants pour le supplément de bien-être que les uns et les autres sont susceptibles d'apporter à l'humanité pour lui permettre de se soigner efficacement et sans danger et, aussi, de se nourrir plus agréablement.

Malgré les esprits aveugles, qui font fi des biens que la Nature a mis à leur disposition, ou les esprits insatisfaits qui, croyant qu'il n'y a plus rien à espérer sur cette

Terre trop ingrate à leurs yeux et qui, abandonnant la plus élémentaire sagesse préfèrent poursuivre des chimères et s'apprêtent à la quitter pour un problématique Eden, nous persistons à croire que le rôle des épices, des aromates et des condiments est loin d'être terminé.

Après avoir permis de découvrir la totalité du globe terrestre, après avoir servi de base de départ à une thérapeutique et à une alimentation élémentaire, il est possible que d'autres substances nouvelles viennent apporter à l'homme un complément utile à sa santé et à son hygiène alimentaire.

Peut-être même se trouvera-t-il parmi elles la panacée universelle ou l'elixir de longue vie après lesquels il s'est toujours efforcé de courir en vain ?

Aussi, qu'il nous soit permis, en guise de conclusion, de parodier ce grand « professeur » en gastronomie et en médecine qu'était Brillat Savarin et de dire :

« Que la découverte d'une épice ou d'un aromate nouveau fera plus, pour le bonheur du genre humain, que la découverte d'une étoile ».

Applications médicales

ABCÈS : Ail, Oignon.

ACNÉ : Genévrier.

ADÉNITES : Ail, Oignon, Romarin, Sauge.

AÉROPHAGIE : Anis, Carvi, Coriandre, Estragon, Fenouil, Marjolaine, Menthe.

AFFECTIONS PULMONAIRES : Fenouil, Girofle, Hysope, Menthe, Sauge, Thym.

ALLAITEMENT : Anis, Carvi, Fenouil.

ALOPECIE : Sauge, Thym.

ANÉMIE : Ail, Cresson, Raifort, Thym.

ANTISEPTIQUES : Ail, Cannelle, Genièvre, Romarin, Thym.

ANTISPASMODIQUES : Cannelle, Sauge.

ARTÉRIO-SCLÉROSE : Ail, Genièvre, Oignon.

ASTHÉNIES : Ail, Cannelle, Genévrier, Gingembre, Girofle, Menthe, Muscade, Romarin, Sarriette, Sauge, Thym.

ASTHME : Ache, Ail, Anis, Hysope, Menthe, Marjolaine, Romarin, Sauge, Thym.

ATONIE DIGESTIVE : Aneth, Carvi, Fenouil, Menthe, Thym.

BAINS : Genévrier, Marjolaine, Romarin, Sauge, Thym.

BRONCHES : Ail, Ache, Cresson, Hysope, Menthe, Moutarde, Marjolaine, Raifort, Romarin, Sauge, Thym.

BRULURES : Oignon, Romarin, Sauge.

CICATRISANTS : Hysope, Romarin, Sauge.

COLIQUES : Anis, Carvi, Hysope, Menthe.

COQUELUCHE : Ail, Basilic, Marjolaine, Romarin, Thym.

CYSTITES : Fenouil, Genévrier.

DIARRHÉES : Ail, Coriandre, Gingembre, Menthe, Pimprenelle, Romarin, Sarriette.

DYSPEPSIES : Aneth, Anis, Angélique, Basilic, Coriandre, Estragon, Fenouil, Menthe, Romarin, Thym, Serpolet.

EMMENAGOGUES : Persil, Sauge, Thym.

ÉPILEPSIE : Basilic, Romarin, Thym.

FERMENTATIONS INTESTINALES : Estragon, Genévrier, Girofle, Sarriette, Thym.

GASTRALGIES : voir Dyspepsies.

GOUTTE : Basilic, Fenouil, Genévrier, Moutarde, Romarin.

GRIPPE : Ail, Cannelle, Hysope, Menthe, Romarin, Sauge, Thym.

HÉPATISME : Menthe, Romarin.

HOQUET : Aneth, Estragon.

HYDROPISIE : Ail, Cresson, Genévrier, Oignon, Raifort.

HYPERTENSION : Ail, Sauge.

IMPUISSANCE : Cannelle, Girofle, Menthe, Romarin, Sarriette.

INAPPÉTENCE : Angélique, Anis, Carvi, Coriandre, Estragon, Fenouil, Genévrier, Gingembre, Muscade.

INDIGESTION : Carvi, Menthe.

INFECTIONS URINAIRES : Genévrier, Oignon.

INSOMNIES : Basilic, Marjolaine, Menthe, Thym.

LITHIASE BILIAIRE : Oignon, Romarin.

LITHIASE URINAIRE : Ail, Fenouil, Genévrier, Hysope, Raifort.

MÉTÉORISME : Carvi, Coriandre, Estragon, Fenouil, Hysope, Menthe, Romarin, Sarriette.

MIGRAINE : Angélique, Basilic, Romarin, Menthe.

NERVOSITÉ : Carvi, Marjolaine, Menthe, Sauge.

NEURASTHÉNIE : Marjolaine, Sauge, Thym.

PALPITATIONS : Anis, Menthe, Romarin.

PARASITES INTESTINAUX : Ail, Estragon, Fenouil, Girofle, Menthe, Sarriette, Thym, Persil, Sauge.

PIQURES D'INSECTES : Ail, Basilic.

PLAIES : Ail, Hysope, Oignon, Romarin, Sarriette, Sauge.

RACHITISME : Persil, Raifort, Romarin, Thym.

RÈGLES DOULOUREUSES : Anis, Fenouil, Menthe, Romarin.

RHUMATISMES : Genévrier, Hysope, Moutarde, Oignon, Raifort, Romarin, Thym.

SPASMES : Basilic, Coriandre, Marjolaine, Menthe, Sarriette.
STIMULANTS : Cannelle, Hysope, Romarin, Sauge, Thym.
SUEURS : Genévrier, Sauge.
SURMENAGE : Basilic, Romarin, Sarriette, Thym.
TICS : Marjolaine, Menthe, Sauge.
TOUX : Anis, Cresson, Hysope, Menthe, Marjolaine, Serpolet, Thym.
TUBERCULOSE : Ail, Cresson, Girofle, Hysope, Raifort, Thym.
ULCÈRES : Ail, Girofle, Oignon, Romarin.
VERTIGES : Anis, Basilic, Carvi, Menthe, Sauge, Thym.
VOMISSEMENTS : Aneth, Anis, Menthe, Romarin.

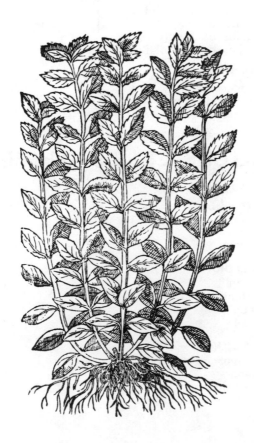

Formules et préparations médicinales

LES BAINS

BAIN FORTIFIANT
Feuilles de Sauge
Feuilles de Thym
Feuilles de Serpolet   AA 50 grammes
Feuilles de Romarin
Feuilles de Menthe
Feuilles de Marjolaine

BAIN ANTI-ARTHRITIQUE
Essence de Marjolaine   0,50 gramme
Essence de Romarin
Essence de Thym   2 grammes

BOUILLONS ET JUS D'HERBES

BOUILLON D'HERBES
Cerfeuil   25 grammes
Persil   25 grammes
Thym   5 grammes
Serpolet   5 grammes

BOUILLON DEPURATIF
Pissenlit   1 poignée
Cerfeuil   1 poignée
Ciboule   1 poignée
Persil   1 poignée

BOUILLON PECTORAL
Bouquet de Cerfeuil   1 poignée
Hysope   1 poignée
Marjolaine   1 poignée
Thym   1 poignée

JUS D'HERBES APERITIF

Tiges d'Angélique	1 poignée
Menthe	1 poignée
Anis	1 poignée
Thym	1 poignée

JUS D'HERBES ANTISCORBUTIQUE

Cochléaria	3 poignées
Cresson	3 poignées
Raifort (racine de)	1 poignée

LES ELIXIRS

ELIXIR ANTISEPTIQUE

Quinquina	64 grammes
Cascarille	16 grammes
Safran	2 grammes
Cannelle	12 grammes
Thym	12 grammes

ELIXIR ANTI-LAITEUX

Racine d'Aunée	2.000 grammes
Racine d'Aristoloche	1.500 grammes
Baies de Genévrier	90 grammes
Feuilles de Romarin	60 grammes
Fleurs de Millepertuis	500 grammes

ELIXIR STOMACHIQUE

Sommités d'Absinthe	24 grammes
Racine de Gentiane	24 grammes
Ecorce d'oranges amères	24 grammes
Coriandre	10 grammes
Fenouil	10 grammes
Estragon	10 grammes

ELIXIR DENTIFRICE

Essence de Cannelle	1 gramme
Essence de Badiane	2 grammes
Essence de Girofle	2 grammes
Essence de Menthe	8 grammes
Essence de Benjoin	8 grammes
Teinture de Cochenille	20 grammes
Alcool à 80°	1.000 grammes

ELIXIR ODONTALGIQUE

Muscade	4 grammes
Essence de Romarin	10 gouttes

Girofle	4 grammes
Essence de Bergamote	4 gouttes
Alcool à 70°	100 grammes

ESPECES (EN INFUSIONS)

ESPECES ANTISPASMODIQUES

Lavande	50 grammes
Mélisse	100 grammes
Basilic	100 grammes
Sauge	100 grammes
Marjolaine	100 grammes

ESPECES AROMATIQUES

Feuilles de Sauge
Feuilles de Thym
Feuilles de Serpolet
Feuilles de Romarin
Feuilles d'Hysope   par parties égales
Feuilles de Marjolaine
Feuilles d'Absinthe
Feuilles de Menthe

ESPECES CARMINATIVES

Graines d'Anis
Graines de Fenouil
Graines de Coriandre   par parties égales
Graines de Carvi

ESPECES DIURETIQUES

Racines sèches de Fenouil
Racines sèches d'Ache
Racines sèches de Persil
Racines sèches de Cerfeuil   par parties égales
Racines sèches d'Asperge
Racines sèches de petit houx

ESPECES PURGATIVES

Anis vert	1 gramme
Fenouil	1,50 gramme
Séné	2 grammes
Sureau	1 gramme

TISANES

TISANE ANTIDIARRHEIQUE

Hysope	10 grammes
Menthe	10 grammes
Mélisse	10 grammes
Salicaire	100 grammes
Pavot	50 grammes

TISANE APERITIVE

Absinthe	2 grammes
Hysope	30 grammes
Mélisse	30 grammes
Menthe	27 grammes
Gentiane	1 gramme
Orange amère	5 grammes

TISANE DIGESTIVE

Anis	
Coriandre	
Angélique	
Fenouil	
Menthe	$\widehat{AA}$ 10 grammes
Romarin	
Thym	
Serpolet	

TISANE POUR INHALATIONS

Marjolaine	
Hysope	
Menthe	$\widehat{AA}$ 50 grammes
Romarin	

TISANE VERMIFUGE

Anis vert	5 grammes
Menthe	5 grammes
Absinthe	15 grammes
Bourdaine	40 grammes

VINS

VIN AROMATIQUE

Gentiane	85 grammes
Absinthe	56 grammes
Aunée	85 grammes

Quinquina	28 grammes
Coriandre	85 grammes
Cannelle	14 grammes
Girofle	7 grammes
Muscade	3 grammes

VIN DE CANNELLE

Cannelle	30 grammes
Malaga	500 grammes

VIN DIURETIQUE

Angélique	30 grammes
Genièvre	10 grammes
Macis	10 grammes
Absinthe	2 grammes
Fenouil	10 grammes

VIN ANTISCORBUTIQUE

Vin blanc	1 litre
Racine de Raifort	32 grammes
Feuille de Cochléaria	16 grammes
Cresson	16 grammes
Graines de moutarde	16 grammes

VINAIGRES

VINAIGRE AROMATIQUE

Ail	5 grammes
Echalote	20 grammes
Feuilles Laurier	10 grammes
Clous de Girofle	20 grammes
Pimprenelle	60 grammes
Menthe	30 grammes
Mélisse	10 grammes
Poivre	10 grammes
Sel	200 grammes
Vinaigre d'Orléans	10 litres

VINAIGRE ANTISEPTIQUE

Essence de Girofle	4 grammes
Essence de Cannelle	4 grammes
Essence de Romarin	4 grammes
Essence de Citron	4 grammes
Essence de Lavande	10 grammes
Alcoolat de Mélisse	15 grammes
Vinaigre blanc	60 grammes

VINAIGRE DENTIFRICE

Racine de Pyrèthre	60 grammes
Cannelle	8 grammes
Girofle	8 grammes
Cochléaria	60 grammes
Vinaigre blanc	2 litres

VINAIGRE DE TABLE

Fleurs de Sureau	250 grammes
Estragon	375 grammes
Menthe	125 grammes
Basilic	100 grammes
Sarriette	100 grammes
Thym	25 grammes
Feuilles de Laurier	5 grammes
Echalote	125 grammes
Ail	30 grammes
Clous de Girofle	40 grammes
Poivre	60 grammes
Petits Oignons	4 grammes
Vinaigre d'Orléans	3 litres

Quelques formules de l'utilisation culinaire

EPICES

LES 4 EPICES DE LA MENAGERE

Poivre noir	10 grammes
Piment de Cayenne	10 grammes
Gingembre	5 grammes
Clous de Girofle	10 grammes

EPICES POUR RAGOUT

Thym séché	20 grammes
Feuilles de Laurier	10 grammes
Marjolaine	10 grammes
Romarin	10 grammes

EPICES POUR GIBIER

Baies récentes de Genévrier	50 grammes
Coriandre	15 grammes
Macis	20 grammes
Basilic	15 grammes
Sauge	30 grammes
Menthe	15 grammes
Marjolaine	20 grammes
Thym	10 grammes
Poivre blanc	30 grammes
Zeste de citron	1 (nombre)

EPICES DE CHARCUTIER

Poivre blanc	300 grammes
Piment rouge	150 grammes
Macis	50 grammes
Noix Muscade	25 grammes
Clous de Girofle	25 grammes
Cannelle	25 grammes
Thym	25 grammes
Laurier	20 grammes
Sauge	20 grammes
Marjolaine	20 grammes
Romarin	20 grammes

BOUQUETS DE PERSIL

**BOUQUET DE PERSIL POUR POISSONS
ET VIANDES DE BOUCHERIE**

Basilic	1 branche
Thym	1 branche
Estragon	1 branche
Laurier-sauce	1 feuille
Marjolaine	1 feuille
Piment rouge	2 (nombre)
Noix Muscade	1/4 (nombre)
Clous de Girofle	2 (nombre)
Ail	2 gousses
Tanaisie	2 sommités
Sarriette	1 sommité
Raifort (gros comme le petit doigt)	
Cerfeuil et Persil	

BOUQUET DE PERSIL POUR RAGOUT ET GIBIER

Baies récentes de Genièvre	1.000 grammes
Fleurs de Tilleul	60 grammes
Sauge	50 grammes
Romarin	50 grammes
Lavande	150 grammes

**BOUQUET DE PERSIL POUR CRUSTACES
ET CONSERVES AU VINAIGRE**

Avelines mondées et pilées	100 grammes
Sucre en poudre	500 grammes
Farine fine	500 grammes
Beurre fin	400 grammes
Œufs frais	12 (nombre)

COURT BOUILLON POUR POISSONS

Oignons coupés	100 grammes
Sel	75 grammes
Poivre en grains	10 grammes
Echalotes	2 (nombre)
Bouquet de Persil garni	1 bouquet
Carotte	1 (nombre)
Clous de Girofle	2 (nombre)
Vin ou vinaigre	1 litre
Eau	3 litres

MARINADES ET SAUMURES

MARINADE CRUE

Vin blanc	
Genièvre	
Poivre concassé	
Coriandre	
Clous de Girofle	
Ail	Quantités ad libitum
Oignon	
Estragon	
Feuilles de Laurier	
Basilic	
Thym	

MARINADE CUITE AU VIN OU AU VINAIGRE

Vinaigre à l'Estragon	3 litres
Bon vin blanc sec	5 litres
Eau	9 litres
Sel	500 grammes
Carottes	500 grammes
Poivre blanc en grains concassés	60 grammes
Fragments de Thym	30 grammes
Sauge	20 grammes
Coriandre	20 grammes
Acide borique	30 grammes
Clous de Girofle	4 (nombre)
Feuilles de Laurier	4 (nombre)
Citron	2 (nombre)
Ail écrasé sans être épluché	1 tête
Céleri-rave aminci	2 têtes

MARINADE CUITE POUR IMITER LE GIBIER

Vinaigre à l'Estragon	3 litres
Bon vin blanc sec	6 litres
Vin de Madère ou de Xérès	1 litre
Sel	250 grammes
Poivre blanc en grains concassés	30 grammes
Baies récentes de Genièvre	50 grammes
Basilic	15 grammes
Mélilot aromatique	50 grammes
Baume	30 grammes
Sauge	15 grammes
Ecorce verte de noix	200 grammes
Ail	4 grammes

SAUCES

Ici, ne sont indiqués que les composants aromatiques des principales sauces, sans préciser leur mode de préparation qui relève du domaine exclusif de la seule gastronomie.

AIOLI : Ail, Sarriette, Sel, Poivre.

BEARNAISE : Cerfeuil, Echalote, Estragon, Poivre, Vinaigre.

BOUILLABAISSE : Bouquet garni, Oignon, Sauge, Fenouil, Romarin, Thym, Safran, Poivre.

DIABLE (à la) : Moutarde, Poivre de Cayenne, Echalote, Thym, Laurier, Persil.

ESPAGNOLE : Ail, Oignon, Thym, Laurier, Estragon, Basilic, Girofle.

ITALIENNE : Echalote, Oignon, Ail, Truffes, Champignons.

GRIBICHE : Moutarde, Estragon, Cerfeuil, Câpres, Vinaigre.

MIREPOIX : Thym, Basilic, Laurier, Girofle, Oignons, Poivre.

PERIGUEUX : Ail, Persil, Ciboule, Champignons, Truffes.

PIQUANTE : Echalote, Cornichons, Persil, Vinaigre.

PIPERADE : Ail, Poivre, Oignons, Poivrons.

POIVRADE : Poivre, Piment, Ail, Echalote, Oignons.

POULETTE : Bouquet garni, Muscade, Citron.

RAVIGOTE : Ail, Oignons, Persil, Ciboules, Estragon.

REMOULADE : Céleri, Moutarde, Ail.

ROBERT : Oignons, Moutarde, Cornichons.

TARTARE : Echalotes, Cerfeuil, Estragon, Moutarde, Poivre.

VERTE : Oseille, Persil, Cerfeuil, Ciboules, Echalotes.

VINAIGRETTE : Fines herbes, Ciboules, Oignons, Persil, Echalotes, Poivre.

LIQUEURS AROMATIQUES

ANISETTE (par macération)

Anis vert	60 grammes
Coriandre	30 grammes
Cannelle	2 grammes
Alcool à 85°	2 litres

ANISETTE (par distillation)

Anis vert	500 grammes
Cannelle	6 grammes
Zestes de citrons	5
Alcool à 85°	9 litres
Eau	1 litre

BISHOP

Zestes de bigarade	12
Clous de girofle	3
Bâton de cannelle	1
Anis vert	1 pincée
Esprit de vin	1/2 litre
Vin de Madère	1 litre

BITTER

Gentiane	15 grammes
Orange amère	15 grammes
Cannelle	4 grammes
Coriandre	12 grammes
Aunée	4 grammes

BROU DE NOIX

Noix tendres pilées	3 kilogrammes
Sucre blanc	2 kilogrammes
Cannelle	700 grammes
Muscade rapée	4 grammes
Clous de girofle	4 grammes
Eau de cerise à 50°	8 litres

CHARTREUSE

Hysope fraîche	640 grammes
Mélisse	640 grammes
Angélique	320 grammes
Cannelle	160 grammes
Safran	40 grammes
Macis	40 grammes
Alcool	10 litres
Sucre	1.250 grammes

CURAÇAO

Zestes d'oranges amères	500 grammes
Girofle	10 grammes
Cannelle	10 grammes
Eau de vie	10 litres
Eau	Q.S.P.
Sucre	Q.S.P.

EAU DE LA BARBADE

Zestes de citrons	5 grammes
Zestes de cédrats	12 grammes
Zestes d'oranges	15 grammes
Cannelle	60 grammes
Coriandre	150 grammes
Macis	16 grammes
Eau de vie	24 litres

ESCUBAC DE LORRAINE

Safran	40 grammes
Jujubes	80 grammes
Raisins	60 grammes
Anis	5 grammes
Coriandre	5 grammes
Cannelle	2,5 grammes
Eau de vie	8 litres
Macis	4 grammes
Girofle	4 grammes
Baies de Genévrier	16 grammes

GENIEVRE

Baies de genièvre	6 décalitres
Sommités d'absinthe	250 grammes
Citrons	2 citrons
Sucre	2 kilogrammes

KUMMEL

Carvi	60 grammes
Alcool à 80°	2 litres
Sucre	500 grammes
Eau	100 grammes

LIQUEUR D'HENDAYE

Eau de vie	24 litres
Badiane	125 grammes
Fenouil	125 grammes
Coriandre	120 grammes
Zestes d'oranges	12

LIQUEUR HEBRAIQUE

Eau de vie	
Clous de girofle	
Myrrhe	
Zestes d'oranges	Quantités variables
Sucre	
Eau	

PARFAIT AMOUR

Zestes de citron	12
Ambrette	4 grammes
Vanille	15 grammes
Eau de vie	24 litres
Sucre	6 kilogrammes
Eau	4 litres

QUINQUINA

Alcool
Graines d'angélique
Amandes amères
Macis } Quantités variables
Eau fleur oranger
Essence de cannelle

ROSSOLIS

Semences d'anis
Semences de fenouil
Semences d'aneth
Semences de coriandre } Quantités variables
Cannelle
Eau de vie
Sucre

SATRAPASE

Eau de vie	2 litres
Lait	1/4 de litre
Vanille	4 grammes
Ambre gris	1 gramme
Clous de giroflle	4 (nombre)
Macis	2 grammes
Safran	0,50 gramme
Citron	1 (nombre)

VERMOUTH

Quinquina	15 grammes
Cannelle	15 grammes
Sureau	15 grammes
Absinthe	20 grammes
Ecorces d'oranges amères	30 grammes
Girofle	10 grammes
Coriandre	10 grammes
Badiane	20 grammes
Muscade	4 grammes
Vin blanc	8 litres

TABLE

ORIGINE DES ILLUSTRATIONS

Bibliothèque nationale : 12, 17.

Jean-Loup Charmet : 14, 39, 40, 42, 51, 55, 56, 64, 70, 80, 92, 97, 98, 102, 106, 116, 120, 128, 133, 134, 138, 144, 148, 151, 154, 160, 166, 169, 172, 178, 185, 189, 190, 195, 196, 200, 203, 206, 210, 213, 216, 218, 232, 242, 249, 260, 266, 270, 278, 288, 291, 300, 303, 309. Planches couleurs.

Lauros-Giraudon : 20, 22, 24, 27, 35, 296.

Snark International : 18, 28, 36.

Les dessins des pages 73, 83, 88, 224, 252 et 257 sont d'Annie Chauvet.

Les illustrations de ce livre sont tirées des ouvrages suivants :
Le Livre des Merveilles, récits de voyages par Marco Polo, ms. français du début du XVe siècle ; *Tacuinum sanitatis* ou *Traité des simples* de Platearius, ms. latin du XVe siècle ; *Tacuinum sanitatis de sex rebus* de Ibn Botlan, Italie, XVe siècle ; *Hortus sanitatis* de Jean de Cuba, fin du XVe siècle ; *De historia stirpium...* de Leonard Fuchs, 1542 ; *Il dioscoride...* de Pierre-André Matthiole, 1572 ; *De stirpium...* de H. Bock, 1602 ; *Plantarum horti eystaetensis* de Basile Besler, 1613 ; et de recueils de planches de botanique des XVIIIe et XIXe siècles.